W9-ATE-374

MORDSFREUNDE

Das Buch

Wie kommt eine menschliche Hand ins Elefantengehege des Kronberger Opel-Zoos? Kriminalhauptkommissar Oliver von Bodenstein ist froh, dass seine Kollegin Pia Kirchhoff gleich ihren Ehemann, den Rechtsmediziner Dr. Henning Kirchhoff, zum Fundort mitbringt. Doch auch den Beteiligten ohne forensische Ausbildung erschließt sich der Zusammenhang zwischen der abgetrennten Hand und dem einzelnen Fuß, der kurz darauf im Elchgehege gefunden wird. Beide gehören zur Leiche des Lehrers Hans-Ulrich Pauly, der sich als vehementer Umweltschützer einige Feinde gemacht hatte. Oliver von Bodenstein und Pia Kirchhoff ermitteln in den Taunusstädtchen Kelkheim und Königstein. Was haben Mareike Graf, die schöne Exfrau des Ermordeten, oder Dr. Christoph Sander, der Direktor des Opel-Zoos, mit Paulys Tod zu tun? Und welche Rolle spielen die jungen Leute im mysteriösen Internet-Café im Hinterzimmer des vegetarischen Bistros Grünzeug? Gejagt von Schatten aus ihrer Vergangenheit verstrickt sich Pia Kirchhoff persönlich in den Fall. Als ein zweiter Mord geschieht, fürchtet Bodenstein, dass seine Kollegin Teil einer mörderisch gut geplanten Inszenierung ist.

Die Autorin

Nele Neuhaus, geboren in Münster/Westfalen, lebt seit ihrer Kindheit im Taunus. Sie arbeitete in einer Werbeagentur und studierte Jura, Geschichte und Germanistik. Seit ihrer Heirat unterstützt sie ihren Mann im familieneigenen Betrieb und schreibt schon seit längerem nebenher Krimis und Pferdebücher. Ihre Krimiserie mit den Ermittlern Oliver von Bodenstein und Pia Kirchhoff, die sie zunächst im Selbstverlag veröffentlichte, machten Nele Neuhaus über die Grenzen des Taunus hinweg bekannt.

Von Nele Neuhaus sind in unserem Hause außerdem erschienen:

In der Serie »Ein Bodenstein-Kirchhoff-Krimi«:
Eine unbeliebte Frau
Mordsfreunde
Tiefe Wunden
Schneewittchen muss sterben
Wer Wind sät
Böser Wolf

Außerdem:
Unter Haien

NELE NEUHAUS

MORDSFREUNDE

Kriminalroman

List Taschenbuch

Besuchen Sie uns im Internet:
www.list-taschenbuch.de

Überarbeitete Neuausgabe im List Taschenbuch
List ist ein Verlag der Ullstein Buchverlage GmbH, Berlin.
1. Auflage Mai 2009
28. Auflage 2013
© Ullstein Buchverlage GmbH, Berlin 2009
Konzeption: semper smile Werbeagentur GmbH, München
Umschlaggestaltung: bürosüd° GmbH, München
Titelabbildung: © plainpicture / busse-yankushev
Satz: Pinkuin Satz und Datentechnik, Berlin
Gesetzt aus der Sabon
Papier: Holmen Paper Hallsta, Hallstavik, Schweden
Druck und Bindearbeiten: CPI – Clausen & Bosse, Leck
Printed in Germany
ISBN 978-3-548-60886-0

Für meine Schwester Claudia

Donnerstag, 15. Juni 2006

Es war Viertel vor acht in der Frühe, als Hauptkommissar Oliver von Bodenstein vom Summen seines Handys um die Aussicht auf einen freien Tag gebracht wurde. Als Leiter des Dezernats für Gewaltkriminalität bei der Regionalen Kriminalinspektion in Hofheim war er seit drei Jahren für die hässliche Seite der Menschheit zwischen Main und Taunus zuständig, zuvor hatte er zwanzig Jahre lang beim K11 in Frankfurt gearbeitet. Bodenstein richtete sich auf und tastete schlaftrunken nach seinem Handy. Cosima würde den ganzen Tag am Schneidetisch verbringen, um ihren neuen Dokumentarfilm in die Endfassung für die Premiere in drei Wochen zu bringen. Lorenz und Rosalie gingen längst ihre eigenen Wege und waren nicht mehr besonders erpicht darauf, Wanderungen oder Ausflüge mit ihrem Vater zu unternehmen. Also hatte er für heute freiwillig den Bereitschaftsdienst übernommen. Er griff nach dem Handy auf dem Nachttisch. Eine unterdrückte Nummer, auch das noch.

»Oliver, hier ist Inka Hansen. Entschuldige die frühe Störung.«

Dr. Inka Hansen war Tierärztin und eine Jugendfreundin von Bodenstein. Im vergangenen Jahr hatte er in einem Mordfall ermittelt, bei dem die Ehefrau von Inkas Kollegen Dr. Kerstner ermordet worden war – und so hatten sich ihre Wege wieder gekreuzt.

»Ich bin im Opel-Zoo in Kronberg«, erklärte Inka. »Die Tierpfleger haben eben etwas gefunden, das aussieht wie eine Hand. Eine echte.«

»Ich komme sofort«, sagte Bodenstein und setzte sich auf.

»Musst du weg?«, murmelte Cosima. Sie lag auf dem Bauch, das Gesicht halb im Kopfkissen vergraben. Ein Anruf zu ungewöhnlicher Zeit an einem Feiertag brachte sie längst nicht mehr aus der Ruhe. Dreiundzwanzig Jahre war es her, dass sie sich quasi zu Füßen eines Selbstmörders kennengelernt hatten – Bodenstein ein junger Kriminalkommissar bei seinem ersten Toten, sie, die Fernsehreporterin, die über den spektakulären Fall des Börsenmaklers, der sich in seinem Büro erhängt hatte, berichten wollte.

»Ja, leider«, Bodenstein küsste ihre schlafwarme Wange und machte sich gähnend auf den Weg ins Badezimmer. »Im Opel-Zoo liegt etwas, das wie ein Leichenteil aussieht.«

»Ach Gott«, sie rollte sich wenig beeindruckt unter ihrer Decke zusammen und war schon wieder eingeschlafen, als Bodenstein zehn Minuten später frisch rasiert und gekleidet die Treppe hinunterging.

Als er eine Viertelstunde später über den Bahnübergang in Kelkheim fuhr, rief er seine Kollegin Pia Kirchhoff an. Vor der Eisdiele San Marco sah die Straße aus wie ein Schlachtfeld. Schräg gegenüber befand sich eine ›Public Viewing Area‹ mit einer Großleinwand für die Fußball-Weltmeisterschaft, vor der gestern Hunderte begeisterter Zuschauer den knappen 1:0-Sieg der deutschen Nationalmannschaft über Polen erlebt und danach ausgiebig gefeiert hatten. Es dauerte beinahe eine Minute, bis sich Pia Kirchhoff meldete.

»Guten Morgen, Chef«, sie klang ein wenig atemlos, »ich habe heute frei! Erinnern Sie sich?«

»Sie *hatten* frei«, antwortete Bodenstein. »Im Opel-Zoo

haben sie eine menschliche Hand gefunden. Glauben sie zumindest. Ich sage der Spurensicherung Bescheid. Kümmern Sie sich um einen Arzt?«

»Ich habe gerade einen Fachmann in der Nähe«, sagte Pia Kirchhoff.

»Doch nicht etwa Dr. Henning Kirchhoff?« Bodenstein grinste.

»Nur damit Sie keine voreiligen Schlüsse ziehen«, Pias Stimme klang belustigt, »er hat mich heute Nacht lediglich bei der Geburtshilfe unterstützt.«

Kriminalkommissarin Pia Kirchhoff gehörte seit einem knappen Jahr zum Team des K11 der Regionalen Kriminalinspektion in Hofheim. Nach der Trennung von ihrem Ehemann Dr. Henning Kirchhoff, dem stellvertretenden Leiter der Frankfurter Rechtsmedizin, hatte sie sich einen Hof mit einem großen Grundstück in Unterliederbach gekauft, wo sie mit ihren Tieren lebte, und war in ihren alten Beruf bei der Kriminalpolizei zurückgekehrt.

»Geburtshilfe?« Bodenstein ging vom Gas, um nicht von der Kamera im Starenkasten stadtauswärts geblitzt zu werden.

»Mein zweites Fohlen ist letzte Nacht gekommen. Ein kleiner Hengst. Wir haben ihn ›Neuville‹ getauft.«

»Herzlichen Glückwunsch. Wieso ›Neuville‹?«

»Sie haben wohl mit Fußball gar nichts am Hut, Chef«, Pia lachte, »Oliver Neuville hat gestern in der Nachspielzeit das entscheidende Tor geschossen.«

»Aha«, Bodenstein fuhr durch Fischbach, folgte der abknickenden Vorfahrt und bog an der Ampel rechts in Richtung Königstein auf die B455 ab, »ich brauche Sie leider trotzdem. Vielleicht dauert es ja nicht lange.«

Mitten im Wald kurz vor dem Ortseingang von Schneidhain musste Bodenstein das Tempo verlangsamen und schließlich anhalten, denn die Straße war voller Menschen. Zuerst dachte er an einen Unfall, aber dann bemerkte er auf dem Waldparkplatz auf der rechten Straßenseite Dutzende von Autos. Mehrere Leute entrollten Plakate und errichteten Schautafeln. Bodenstein versuchte zu lesen, was darauf stand, und fuhr zusammen, als zwei Mädchen von etwa fünfzehn oder sechzehn Jahren an sein Autofenster klopften und ihm bedeuteten, dasselbe herunterzulassen.

»Was ist denn hier los?«, fragte Bodenstein.

»Eine Gemeinschaftsaktion vom BUNTE, der ALK und ULK«, sagte das eine Mädchen, eine langhaarige Brünette mit sorgfältig geschminkten Augen und makellos manikürten Acrylfingernägeln. »Wussten Sie, dass die Trasse der B8-Westumgehung vierspurig genau hier entlang führen soll?«

Sie wedelte mit einem Flugblatt vor seiner Nase herum.

Bodenstein beobachtete zwei Frauen, die ein Transparent entrollten. »DIE B8 ZERSTÖRT DIESEN WALD«, las er.

»Es werden dafür Tausende von Bäumen gefällt«, das zweite Mädchen war blond und trug zum bauchfreien »KEINE B8«-T-Shirt eine Jeans mit einem Gürtel mit Glitzerschnalle. »Wertvolle Biotope und intakte Wälder werden durchschnitten. Die Lärm- und Schadstoffbelastung für die Menschen in Königstein wird beträchtlich ansteigen.«

Bodenstein hörte mit einem Ohr zu, was ihm die Mädchen mit missionarischem Eifer erzählten. Er kannte die Argumente der B8-Gegner, hielt sich selbst aber weder für einen Gegner noch für einen Befürworter der geplanten »Taunus-Autobahn«.

Die Mädchen fuhren fort, ihn mit Zahlen und Fakten zu bombardieren.

»Ich habe es eilig«, unterbrach Bodenstein sie, »tut mir leid.«

»Klar, Ihnen ist unser Wald hier total egal!«, rief ihm die

Brünette verächtlich nach. »Hauptsache, Sie können mit Ihrem fetten BMW richtig Gas geben!«

»Na los, verpesten Sie die Luft ordentlich mit Kohlenmonoxid!«, ergänzte die Blonde. Bodenstein musste grinsen. Zu seiner Zeit waren jugendliche Naturschützer im Bundeswehrparka herumgelaufen, hatten sich Palästinensertücher um den Hals gebunden und mit Absicht tagelang die Haare nicht gewaschen. Die zwei bauchfreien Taunus-Törtchen, wie sein Sohn die Töchter gutsituierter Eltern aus Königstein und Umgebung spöttisch zu nennen pflegte, sahen aus, als hätten sie sich heute Morgen eine Stunde vor dem Spiegel für ihren Einsatz zurechtgemacht. Wahrscheinlich hatte die Mami sie mit ihrem blankpolierten Touareg oder Cayenne hergefahren. So änderten sich die Zeiten.

Hätte nicht im Opel-Zoo eine Hand auf ihn gewartet, so hätte er sich die Zeit genommen und den Gören erklärt, dass ihm die Zerstörung der Wälder keineswegs gleichgültig war. Kaum jemand kannte die Gegend besser als er, schließlich war er auf dem historischen Hofgut, das im Tal zwischen Ruppertshain, Fischbach und Schneidhain lag, aufgewachsen. Nachdem er selbst ein Jurastudium und später eine Karriere bei der Kriminalpolizei vorgezogen hatte, war es nun sein jüngerer Bruder Quentin, der die Familientradition fortsetzte und aus dem jahrhundertealten Gutshof ein beliebtes Ausflugsziel gemacht hatte. Und Quentin war von den wieder aktuellen Ausbauplänen der B8 nicht besonders angetan, sollte die neue Straße doch keine hundert Meter an Hofgut Bodenstein vorbeiführen.

Drei Minuten später hatte Bodenstein den Königsteiner Kreisel erreicht. Die großangelegten Umbauarbeiten waren für die Zeit der Fußball-Weltmeisterschaft ausgesetzt worden. An den Fahnenstangen rings um den Springbrunnen flatterten brasilianische Flaggen. Das ganze Städtchen Königstein war vor Freude außer sich gewesen, als sich die Nachricht verbreitet hatte, dass ausgerechnet die Weltstars der brasilianischen Fußball-Nationalmannschaft im Hotel Kempinski in Falkenstein Quartier beziehen würden. Jetzt war in ganz Königstein die Enttäuschung groß, weil sich keiner der südamerikanischen Fußballgötter irgendwo blicken ließ.

Dr. Christoph Sander, der Direktor des Opel-Zoos, war ungefähr Mitte vierzig, mittelgroß, kräftig, aber nicht dick. Sein Händedruck war fest, sein Blick direkt. In seinen dunklen Augen lag ein Ausdruck der Besorgnis.

»Ich hoffe, ich irre mich«, er deutete auf einen der Grashaufen in der Nähe, »aber ich fürchte, das Ding da ist wirklich eine Hand.«

Dr. Henning Kirchhoff zog ein Paar Latexhandschuhe aus der Tasche, streifte sie über und ging in die Hocke.

»Sie haben sich nicht geirrt«, sagte er nur Sekunden später zum Zoodirektor. »Das ist zweifellos die linke Hand eines Menschen. Sie wurde kurz oberhalb des Handgelenks abgetrennt. Und das nicht unbedingt mit chirurgischer Präzision.«

Kirchhoff fischte die Hand aus dem Gras und betrachtete sie genauer.

»Wer hat die Hand gefunden?«, fragte Bodenstein.

»Der Elefantenpfleger«, erwiderte Sander. »Er hat die Tiere wie jeden Morgen aus dem Stall ins Gehege gelassen, nachdem er das Gras verteilt hatte. Dass irgendetwas nicht in Ordnung ist, hat er erst gemerkt, als die Elefanten unruhig wurden.«

»Was meinen Sie«, wandte Bodenstein sich an Dr. Kirchhoff, »wie lange ...«

»Ich hoffe, Sie fragen mich jetzt nicht nach einem exakten Todeszeitpunkt«, unterbrach der Rechtsmediziner ihn und betrachtete nachdenklich den Stumpf, an dem die Hand über dem Handgelenk abgetrennt worden war.

»Gehörte die Hand zu einem Mann oder zu einer Frau?«

»Eindeutig männlicher Herkunft.«

Bodenstein drehte sich beinahe der Magen um, als er sah, wie Kirchhoff mit dem Leichenteil umging, daran schnupperte und tastete. Er warf seiner Kollegin einen raschen Blick zu, aber Pia Kirchhoff betrachtete zu seiner Überraschung weder die abgetrennte Hand noch ihren Ehemann, sondern Zoodirektor Sander, der mit verschränkten Armen dastand und aussah, als kämpfe er mit einem Brechreiz.

»Wie lange werden Sie hier brauchen?«, wollte Sander wissen. »Um neun kommen die ersten Besucher, außerdem erwarten wir ein Team vom Fernsehen.«

»Die Spurensicherung müsste in ein paar Minuten da sein«, antwortete Bodenstein. »Wie kann die Hand hier in das Gehege gelangt sein?«

»Keine Ahnung«, der Zoodirektor zuckte die Schultern, »vielleicht mit dem Gras. Wir mähen jeden Morgen frisches Gras auf der Wiese oberhalb der Straße.«

»Das könnte eine Erklärung sein«, Bodenstein nickte nachdenklich. »Aber das würde auch bedeuten, dass es noch weitere Leichenteile geben könnte. Am besten, Sie lassen alle Grashaufen im Zoo von Ihren Leuten untersuchen.«

Sander nickte grimmig und marschierte wenig später in Begleitung von Kirchhoff und der Hand davon.

Um Punkt neun Uhr öffnete der Zoo seine Pforten, und die ersten Besucher strömten herein, vorwiegend Familien mit Unmengen kleiner Kinder im Schlepptau. Bodenstein und Pia blieben am Restaurant Sambesi zurück. Inka Hansen hatte ihn nur zu Sander geführt und sich dann zu Bodensteins Erleichterung ohne eine Anspielung auf das, was im letzten

Sommer geschehen war, verabschiedet. Seit ihrer letzten Begegnung waren knapp neun Monate vergangen. Heute konnte er nicht mehr verstehen, welcher Teufel ihn damals geritten hatte, aber er hätte Cosima zweifellos mit ihr betrogen, wenn Inka ihn nicht zurückgewiesen hätte. Er beobachtete die lange Menschenschlange, die sich vor dem Kassenhäuschen gebildet hatte, und fühlte sich um zehn Jahre zurückversetzt. Damals hatte er mit seinen Kindern gerne und häufig Ausflüge in den Opel-Zoo unternommen. In dem Moment summte sein Handy.

»Wir haben einen Fuß gefunden«, verkündete der Zoodirektor missvergnügt, »bei den Elchen. Rechts am Elefantengehege vorbei, dann links Richtung Waldlehrpfad. Ich warte auf Sie.«

»Ich bin das erste Mal im Opel-Zoo«, sagte Henning Kirchhoff, als er den Fuß in Augenschein nahm. »Das ist ja ein riesiges Gelände!«

»Zweihundertsiebzigtausend Quadratmeter«, Sander stemmte grimmig die Arme in die Seiten, »und überall können Leichenteile herumliegen. Ich habe den Streichelzoo sperren lassen. Es wäre ein Alptraum, wenn ein Kind den Kopf finden würde.«

Der Fuß steckte in einem abgetragenen braunen Lederslipper der Marke »Camel active«, Größe 44, und war oberhalb des Knöchels abgetrennt.

»Der Fuß wie auch der Arm wurden nicht mit einem glatten Schnitt abgetrennt, sondern eher abgerissen«, sagte Kirchhoff und betrachtete den abgetrennten Fuß genau, dann hob er den Kopf. »Kann ich mir das Mähwerk mal ansehen?«

»Ja, natürlich«, Dr. Sander blickte sich um. Die Zoobesucher strömten durch die Wege wie Blut durch die Adern eines menschlichen Körpers. In Kürze würden sie überall auf dem

Gelände unterwegs sein, an den Tiergehegen, auf dem Waldlehrpfad, den Grill- und Rastplätzen, der Kamelreitbahn, in
den Toiletten. Nicht auszudenken, was geschah, wenn tatsächlich jemand ein Leichenteil fand! Sein Handy klingelte
mit einer melodiösen Tonfolge.

»Ja?«, meldete er sich, dann hörte er einen Moment zu.
Bodenstein beobachtete, wie sich Sanders Gesicht verdüsterte.

»Was gibt's?«, fragte er.

»So eine verdammte Scheiße!«, sagte der Zoodirektor aus
tiefster Seele. »Ich glaube, ich lasse den Zoo räumen und sage
dem Fernsehteam ab. Im Mufflongehege liegt auch etwas.«

Um halb elf wurde der inzwischen eingetroffene Leichen-
spürhund auf der Wiese oberhalb der B455 fündig. Bodenstein und Pia drängten sich durch die Menschenmenge, die
vom Fußweg unterhalb der Wiese neugierig zugesehen hatte,
wie eine Hundertschaft der Polizei Quadratmeter um Quadratmeter absuchte. Der Einsatzleiter erwartete sie mit dem
Hundeführer nicht weit vom unteren Parkplatz entfernt.

»Eine männliche Leiche«, sagte er. »Und ein Fahrrad. Hier
vorne, keine drei Meter von der Böschung zum Parkplatz entfernt.«

Es duftete würzig nach frisch gemähtem Gras. Stahlblau
wölbte sich der Himmel über den dichten Mischwäldern des
Taunus. Von der Wiese aus hatte man einen herrlichen Blick
über die Kronberger Burg bis zu der in der Ferne glitzernden
Skyline von Frankfurt. Ein friedlicher, schöner Junimorgen,
viel zu schön, um eine verstümmelte Leiche anzuschauen. Bodenstein zog sich Latexhandschuhe an und trat zu der Leiche
hin. Der Mann lag auf dem Bauch, zur Hälfte im hohen Gras.
Er war mit einem khakifarbenen T-Shirt und Boxershorts bekleidet. Erwartungsgemäß fehlten der linke Arm bis zum Ell-

bogen und das linke Bein bis zum Knie, aber es war kein Blut zu sehen. Der Fotograf schoss Bilder aus allen Perspektiven, die Männer von der Spurensicherung suchten die Gegend um den Fundort nach verwertbaren Spuren ab.

»So wie es aussieht, werden Sie keine weiteren Teile in Ihrem Zoo finden«, sagte Dr. Kirchhoff zum Zoodirektor, der mit versteinerter Miene ein wenig abseits stand, »sonst scheint noch alles an ihm dran zu sein.«

»Da bin ich aber froh«, gab Sander sarkastisch zurück.

»Sollen wir ihn jetzt umdrehen?«, fragte einer der Männer von der Spurensicherung. Bodenstein nickte und hielt unwillkürlich die Luft an. Der Anblick des Toten war nichts für schwache Nerven. Die Hitze hatte den Verwesungsprozess begünstigt, Gesichtszüge waren kaum noch zu erkennen, Insekten und Ameisen hatten schon damit begonnen, das tote Gewebe zu besiedeln.

»Jesusmariaundjosef«, der Zoodirektor wandte sich ab und übergab sich in den Graben zwischen Wiese und Parkplatz. Bodenstein hatte das stabile Nervenkostüm und die Souveränität von Sander bisher bewundert. Der Mann hatte seine Mitarbeiter, den Zoo und sich selbst in einer Ausnahmesituation wie dieser gut im Griff. Im Fach Krisenmanagement hatte er fraglos eine Eins mit Sternchen verdient.

»Er hatte keine Papiere bei sich«, ließ sich Kirchhoff vernehmen, nachdem er die spärliche Bekleidung des Toten untersucht hatte. »Und die Leichenflecke lassen sich noch ein wenig wegdrücken, aber kaum noch.«

»Was bedeutet das?« Bodenstein drang süßlicher Verwesungsgeruch in die Nase, und er trat einen Schritt zurück.

»Er ist nicht länger als sechsunddreißig Stunden tot. Aber auch nicht viel weniger.«

Bodenstein rechnete nach.

»Das wäre irgendwann Dienstagabend gewesen«, sagte er.

»Geht es Ihnen gut?« Pia Kirchhoff sah den Zoodirektor besorgt an. Sander holte tief Luft und atmete wieder aus. Er war schneeweiß im Gesicht.

»Ich kenne den Mann«, sagte er mit gepresster Stimme und flüchtete im Sturmschritt von der Wiese über den Parkplatz. Pia holte ihn ein und erwischte gerade noch rechtzeitig seinen Arm, als er ohne nach rechts oder links zu schauen die stark befahrene Bundesstraße überqueren wollte. Sie riss ihn unsanft zurück. Ein silberner BMW rauschte nur wenige Zentimeter an ihnen vorbei, der Fahrer drückte auf die Hupe und zeigte ihnen einen Vogel.

»Jetzt beruhigen Sie sich erst mal«, sagte Pia. Sander atmete tief durch.

»Ich bin eigentlich nicht besonders zart besaitet«, sagte er dann, »aber das hat mich jetzt doch umgehauen.«

»Das verstehe ich.« Pia nickte verständnisvoll. »Wer ist der Mann?«

»Hans-Ulrich Pauly. Lassen Sie uns in mein Büro gehen, dann erzähle ich Ihnen mehr.«

Kurz bevor sie den Container erreicht hatten, in dem während der derzeit laufenden umfangreichen Bauarbeiten die provisorischen Büros der Zooleitung untergebracht waren, kam ihnen ein junger Mann von etwa zwanzig Jahren im Schlenderschritt entgegen. Er trug eine grüne Hose, derbe Arbeitsschuhe und ein weißes T-Shirt, wie alle Tierpfleger des Zoos.

»Was ist denn da oben auf der Wiese los?«, fragte er den Zoodirektor. »Hab ich was verpasst?«

Sander blieb stehen.

»Wo kommst du denn jetzt her?«, fuhr er den jungen Mann an. »Um sieben Uhr geht's bei uns los und nicht erst, wenn du ausgeschlafen hast! Ich dachte, wir waren uns darüber einig, dass du hier keinen Sonderstatus hast.«

Der Junge tat zerknirscht.

»Kommt nicht wieder vor, Chef. Sorry.«

Pia starrte ihn an. Er hatte ein bemerkenswert hübsches Gesicht, schulterlange dunkelblonde Haare, ungewöhnlich grüne Augen und eine Haut, um die ihn jedes Mädchen beneidet hätte. Sander erinnerte sich wohl in diesem Moment daran, dass er nicht alleine war.

»Das ist Lukas van den Berg«, erklärte er Pia, »unser Praktikant. Lukas, das ist Kriminalkommissarin ...«

»... Pia Kirchhoff«, ergänzte Pia.

»Hallo«, Lukas van den Berg lächelte mit schneeweißen Zähnen.

»Auf der Wiese oben wurde die Leiche von diesem Tierschützer gefunden«, sagte Sander nun, »diesem Pauly.«

Das Lächeln verschwand mit einem Schlag aus dem Gesicht des Jungen. Er wirkte, als habe ihm jemand einen Fausthieb in den Magen versetzt.

»Was? Ulli Pauly?«, fragte er sichtlich betroffen.

»Ja, genau der. Mausetot«, der Zoodirektor ging weiter. »Hat uns mal wieder jede Menge Aufregung beschert.«

»O Mann, das gibt's doch nicht«, Lukas war blass geworden. »Ich hab ihn vorgestern noch gesehen. Ich ... ich meine ... ach du Scheiße ...«

Sander blieb wie angewurzelt stehen und drehte sich um.

»Was soll das heißen: Du hast ihn vorgestern gesehen?«, fragte er.

»Das kann nicht wahr sein«, der Junge legte in einer Geste des Entsetzens die Hände über Mund und Nase und schüttelte ein paar Mal den Kopf.

»Hallo«, Sander ergriff ihn unsanft an der Schulter, »ich hab dich was gefragt! Wo hast du diesen Kerl gesehen? War er hier im Zoo?«

»Nein, ich ... ach, Mann ... ich konnte es Ihnen ja nicht

sagen, sonst wären Sie gleich zu meinem Vater gerannt«, Lukas' Stimme klang mit einem Mal trotzig, »ich find den Job hier ja ganz okay, aber ich brauch ein bisschen mehr Kohle, als ich hier kriege.«

Sander ließ den jungen Mann los, als habe er sich die Finger verbrannt.

»Ich glaub's ja nicht«, sagte er mit mühsamer Beherrschung. »Du arbeitest also immer noch in dieser ... dieser Öko-Kneipe! Und vielleicht programmierst du nachts auch noch die Webseiten mit den Hetzkampagnen für diesen Psychopathen! Kein Wunder, dass du morgens nicht aus dem Bett kommst!«

»Ich krieg von meinem Vater keinen Cent!«, begehrte Lukas auf. »Und hier verdien ich auch nur ein Taschengeld! Was sollte ich denn machen? Ulli hatte nichts dagegen, dass ich hier arbeite ...«

»Aber *ich* hatte etwas dagegen, dass du für diesen Typen arbeitest!«, schrie Sander so unvermittelt, als ob die Anspannung der letzten Stunden endlich ein Ventil gefunden hätte. »Du hast mir hoch und heilig versprochen, dass du nichts mehr mit ihm zu tun hast! Du hast mich angelogen!«

»Ich wollte es Ihnen längst sagen!«, schrie Lukas zurück. »Aber Sie rasten ja immer gleich aus, wenn es um Ulli geht!«

»Kannst du mir das etwa verdenken, nach all den Scherereien, die ich wegen dieses Typen hatte?«

Pia stand neben den beiden Männern und drehte den Kopf wie eine Zuschauerin bei einem Tennismatch. Die vorbeigehenden Zoobesucher blickten neugierig herüber.

»Geht das auch in einer zivilisierten Lautstärke?«, mischte sie sich ein. »Wir können im Büro weiterreden, ohne dass es jeder mitbekommt.«

»Bitte lassen Sie mich mit ihm reden«, bat Pia den aufgebrachten Zoodirektor, als die Tür des Containers ins Schloss gefallen war. Sander musterte sie, dann stieß er einen Seufzer aus und nickte. Lukas hatte sich unterdessen auf einen Stuhl vor den Schreibtisch des Zoodirektors gesetzt, das Gesicht in den Händen vergraben. Pia setzte sich auf den zweiten Stuhl.

»Vielleicht haben Sie sich ja auch nur geirrt«, murmelte der Junge und blickte Pia aus grasgrünen Augen verunsichert an, »und es ist gar nicht Ulli.«

»Woher kanntest du Herrn Pauly?«, fragte Pia. Lukas schluckte und vermied es, Sander anzusehen.

»Ich arbeite im Grünzeug«, sagte er tonlos und schob sich eine Haarsträhne hinter das Ohr. »Das ist das vegetarische Bistro in Kelkheim, das Ulli und Esther gehört.«

»Wann hast du ihn vorgestern gesehen?«, erkundigte Pia sich.

»Weiß nicht genau«, der Junge überlegte eine Weile, »am frühen Abend irgendwann. Im Bistro war eine Besprechung, wegen der Info-Veranstaltung heute.«

»Pauly hat sich unter anderem auch gegen den Ausbau der B8-Westumgehung engagiert«, meldete sich Sander aus dem Hintergrund. »Die Umweltverbände von Königstein und Kelkheim organisieren zurzeit regelmäßig Info-Veranstaltungen gegen den Straßenausbau.«

»Genau«, Lukas nickte, »heute soll es eine Trassenbegehung in Schneidhain und am Naturfreundehaus geben ... ich kann's echt nicht fassen. Ich hab Ulli schon ewig gekannt. Er war mal mein Biolehrer.«

»An welcher Schule?«, fragte Pia neugierig.

»FSG«, sagte Lukas und ergänzte: »Friedrich-Schiller-Gymnasium. In Kelkheim. Er ist ein supercooler ...«

Er brach ab.

»Ich meine, er *war* ... ein supercooler Typ«, murmelte der

Junge, »der hatte es voll drauf. Ehrlich. Hat immer Zeit für einen gehabt und ein offenes Ohr. Wir waren oft bei ihm zu Hause, haben mit ihm gequatscht. Der Ulli hatte voll vernünftige Ansichten.«

Lukas blickte zu Sander hinüber.

»Auch wenn Sie das nicht glauben«, fügte er mit einem aggressiven Unterton hinzu. Der Zoodirektor stand mit verschränkten Armen hinter seinem Schreibtischsessel, betrachtete Lukas mitleidig und schwieg.

Zehn Minuten später war Pia allein mit Sander im Bürocontainer, in dem es schon jetzt, am Vormittag, erstickend heiß war.

»Sie scheinen ein ziemlich persönliches Verhältnis zu Ihrem Mitarbeiter zu haben«, sagte Pia. »Sie mögen ihn, nicht wahr?«

»Ja, ich mag ihn. Und er tut mir leid«, gab Sander zu.

»Warum denn das?«

»Er hat es nicht einfach«, der Zoodirektor hielt sich bedeckt. »Lukas' Vater übt starken Druck auf den Jungen aus. Er ist im Vorstand einer großen Bank und erwartet von seinem Sohn, dass er denselben Weg einschlägt.«

Sander lehnte sich an das Fenster und verschränkte die Arme.

»Lukas ist hochintelligent und hat sich in der Schule nur gelangweilt. In der zehnten Klasse ist er von der Bischof-Neumann-Schule geflogen, dann war er ein halbes Jahr auf einem Internat. Da musste sein Vater ihn wieder abholen. Anderthalb Jahre hat er gar nichts gemacht, dann lernte er diesen Pauly kennen. Der hat irgendwie Zugang zu Lukas gefunden und ihn davon überzeugt, wenigstens die Schule fertig zu machen.«

Pia nickte.

»Lukas ist hier nicht nur ein einfacher Praktikant, oder?«

»Wie kommen Sie darauf?«

»Sie haben vorhin zu ihm gesagt, er hätte hier keinen Sonderstatus. Wie haben Sie das gemeint?«

Der Zoodirektor schien verblüfft über Pias gutes Gedächtnis.

»Sein Vater ist einer unserer Stiftungsräte«, erklärte er. »Er hat mich gebeten, Lukas für ein paar Monate als Praktikanten einzustellen.«

Sander zuckte die Schultern.

»Zuerst fand er den Einfluss, den Pauly auf seinen Sohn hatte, gar nicht so schlecht. Lukas entwickelte plötzlich Ehrgeiz und machte letztes Jahr ein gutes Abitur, alles war gut.«

»Aber?«

»Die Paulyitis nahm Ausmaße an, die Lukas' Vater nicht gefielen«, fuhr Sander fort. »Er hatte das Konto, das sein Vater für ihn eingerichtet hatte, bis auf den letzten Cent geplündert und angeblich Pauly das Geld für seine ›Projekte‹ geschenkt. Da hat sein Vater ihm alle Bezüge gestrichen. Daraufhin nahm Lukas diesen Kellnerjob in Paulys Ökokneipe an, tauchte nicht mehr zu Hause auf und ließ nach einer Woche die Banklehre sausen. Im letzten Herbst wurde er verhaftet, weil er mit anderen jungen Leuten in die Büros eines Pharmakonzerns eingebrochen war, um gegen Tierversuche zu demonstrieren. Damals hat Heinrich van den Berg seinem Sohn den Umgang mit Pauly verboten und mich um Rat gefragt.«

»Wieso ausgerechnet Sie?«, wollte Pia wissen.

»Wir sind quasi Nachbarn. Lukas war mit meiner mittleren Tochter in einer Klasse, er geht bei uns praktisch ein und aus.«

»Dann ist sein Praktikum hier also eine Art Bewährungsstrafe.«

»Ich denke, Lukas' Vater sieht das so«, Sander nickte. »Er

wollte die Verantwortung für den Jungen auf jemand anderen abwälzen. In diesem Fall auf mich. Na ja.«

Er stieß sich vom Fensterbrett ab, öffnete einen Schrank und suchte eine Weile darin herum.

»Nichts mehr zu trinken da«, stellte er schließlich fest. »Soll ich uns Kaffee aus dem Restaurant holen?«

»Für mich nicht«, lehnte Pia dankend ab. »Ich habe heute Nacht sicher eine ganze Kanne getrunken.«

»Warum denn das? Hatten Sie heute Nacht etwa schon eine Leiche?«

»Nein, nein«, Pia lächelte, »ich hatte einen erfreulicheren Grund, nicht zu schlafen. Eine Fohlengeburt.«

»Ach«, Sander setzte sich hinter den Schreibtisch und musterte Pia so neugierig, als ob sie sich vor seinen Augen in ein seltenes Tier verwandelt hätte. Und zum ersten Mal an diesem Tag lächelte Dr. Sander. Ein freundliches, wohlwollendes Lächeln, das sein ernstes Gesicht unvermittelt aufstrahlen ließ und völlig veränderte.

»Pferde als Ausgleich zu Ihrer Arbeit mit Toten und Mördern«, Sander betrachtete sie prüfend, als sei er sich noch nicht ganz im Klaren darüber, wie er sie einschätzen sollte.

»Genau«, Pia lächelte zurück. »Ich lebe mit meinen Pferden Tür an Tür.«

»*Sie* leben mit Ihren Pferden Tür an Tür?«, fragte Sander. Das Gespräch drohte in eine ziemlich private Richtung abzudriften. Nicht, dass es Pia unangenehm gewesen wäre, Sander war ihr sympathisch, aber sie hatte leider keine Zeit zum Plaudern.

»Sie wollten mir mehr über den Toten erzählen. Woher kannten Sie ihn?«

Sanders Lächeln verschwand augenblicklich.

»Pauly hat vor ein paar Jahren eine Interessengemeinschaft gegen die Tierhaltung in Zoos gegründet und in Leserbriefen und Internetforen unsachliche Hetzkampagnen gegen Zoos im Allgemeinen und im Besonderen angezettelt«, erwiderte er. »Unter anderem auch gegen uns. Ich bin ihm das erste Mal vor zwei Jahren begegnet, als er vor dem Zoo mit ein paar jungen Leuten Flugblätter verteilt und gegen die Elefantenhaltung demonstriert hat. Lehrer haben offenbar jede Menge Zeit.«

Das klang abfällig.

»Wir haben in den letzten Jahren sehr viel für die Verbesserung der Haltungsbedingungen unserer Tiere getan«, fuhr der Zoodirektor fort. »Diesem Pauly war das alles nicht genug. Er war der Meinung, dass es überhaupt keine Zoos geben dürfe. Und mit seiner Meinung hat er nie hinter dem Berg gehalten. Er hat gerne große Reden geschwungen, viel Wind gemacht und Leute beschimpft.«

»Hat er Ihnen Probleme gemacht?«, erkundigte Pia sich.

»Er hat keine Tiere befreit oder Parolen an die Gehege geschmiert, wenn Sie so etwas meinen«, Sander runzelte die Stirn. »Aber er hat eben ständig gegen irgendetwas protestiert, via Internet oder hier vor Ort Unruhe gestiftet, am liebsten dann, wenn im Zoo richtig viel los war.«

Sander machte eine abwehrende Handbewegung.

»Ich habe öfter mit ihm diskutiert, ihn sogar hierher eingeladen, ihm erklärt, was wir tun und weshalb wir das tun. Reine Zeitverschwendung. Ich kann mit berechtigter Kritik umgehen, aber nicht mit Polemik. Und ich kann es nicht leiden, wie dieser Pauly die Menschen aufgehetzt hat. Er war unsachlich. Kompromisslos in seinen Ansichten. Jugendliche finden das toll. Cool. Sie haben Lukas ja eben gehört. Ich finde es gefährlich. Im Leben ist nicht alles nur schwarz oder weiß.«

»Wann haben Sie das letzte Mal mit ihm gesprochen?«, wollte Pia wissen.

»Am Sonntag«, antwortete der Zoodirektor. »Dieser Kerl tauchte mit einer Abordnung seiner Jünger auf und fing wieder an zu stänkern. Da ist mir der Kragen geplatzt.«

Pia konnte sich lebhaft vorstellen, was passierte, wenn Dr. Christoph Sander der Kragen platzte. Nach ihrem ersten Eindruck von der Leiche war Pauly ein eher schmächtiger Mann gewesen – kein Gegner für den vor Vitalität strotzenden Zoodirektor.

»Was ist passiert?«, fragte sie.

»Es gab eine Diskussion«, erwiderte Sander vage. »Der Kerl fing an, mir die Worte im Mund herumzudrehen. Irgendwann wurde es mir zu dumm. Ich habe ihn rausgeworfen und ihm Hausverbot erteilt.«

Pia legte den Kopf schief.

»Jetzt ist er keine fünfzig Meter vom Zoo entfernt tot aufgefunden worden.«

»Und er hat es noch im Tod fertiggebracht, gegen mein Hausverbot zu verstoßen«, Sander lächelte mit bitterer Belustigung. »Zumindest ... teilweise.«

»Könnte der Zoodirektor etwas mit dem Tod von Pauly zu tun haben?«, fragte Bodenstein seine Kollegin, nachdem sie ihm von ihrem Gespräch und Sanders Schlagabtausch mit Lukas van den Berg erzählt hatte.

»Nein, das glaube ich nicht«, Pia schüttelte den Kopf.

»Der Junge ist noch zum Leichenfundort gekommen und wollte Pauly sehen«, erzählte Bodenstein. »Er wirkte sehr betroffen und machte sich Sorgen um Paulys Lebensgefährtin. Ich hatte den Eindruck, er mochte die beiden.«

Pia pflichtete ihrem Chef bei. »Er arbeitet in dem Bistro, das Pauly und seiner Lebensgefährtin gehört. Und da hat er Pauly das letzte Mal am Dienstagabend gesehen.«

Bodenstein drückte auf die Fernbedienung seines Autoschlüssels, und der BMW antwortete mit einem zweifachen Blinken.

»Ihr Mann ist schon nach Frankfurt ins Institut gefahren. Sie müssen meine Dienste als Chauffeur in Anspruch nehmen.«

»Auch das noch«, grinste Pia. »Aber sagen Sie, hat Lukas, ich meine, haben Sie dem Jungen die Leiche –«

Bodenstein zog die Augenbrauen hoch. »Wo denken Sie hin!«

Galant öffnete er Pia die Beifahrertür. »Ich habe Ostermann und Frau Fachinger ins Büro beordert. Nur Behnke ist nicht erreichbar.«

»Er hatte doch Karten für das Spiel in Dortmund gestern Abend«, erinnerte Pia ihren Chef. Ihr Kollege Frank Behnke hatte Glück beim komplizierten Kartenverkauf der FIFA gehabt, nur der Tod hätte ihn von der Fahrt nach Dortmund abhalten können.

Das Haus von Hans-Ulrich Pauly war das letzte Haus vor dem Wendehammer am Ende des Rohrwiesenwegs in Kelkheim-Münster, dahinter erstreckten sich nur noch Wiesen und Felder bis zum Wald, hinter dem der Gutshof »Hof Hausen vor der Sonne« mit seinem Golfplatz lag. Bodenstein und Pia stiegen vor dem von Efeu überwucherten Haus mit Butzenscheiben und Schlagläden zwischen einem mächtigen Walnussbaum und drei großen Fichten aus. Pia drückte auf die Klingel, die an einem altersschwachen Jägerzaun angebracht war. Hinter dem Haus erhob sich vielstimmiges Hundegebell. Die von Unkraut bedeckten Waschbetonplatten, die zur Haustür führten, ließen darauf schließen, dass der Haupteingang wenig benutzt wurde.

»Keiner da«, stellte Bodenstein fest, »gehen wir hintenherum.«

Er ging zum Tor und drückte dagegen. Es war offen. Sie

betraten einen Hof. Überall wuchsen üppige Pflanzen in großen Kübeln, Hängegeranien und Petunien blühten in Ampeln verschiedener Größe. Auf Tapeziertischen an der Hauswand standen unzählige Blumentöpfe mit Pflanzen in allen Wachstumsstadien, daneben lagen Gärtnerwerkzeug und Säcke mit Blumenerde. Weiter hinten erstreckte sich ein großer, verwilderter Garten mit einem Teich und mehreren Gewächshäusern. Bodenstein zuckte zusammen, als eine ganze Hundemeute um die Hausecke bog, allen voran eine undefinierbare Mischung aus Wolfshund, Husky und Schäferhund mit hellblauen Augen. Ihm folgten ein Rhodesian Ridgeback und zwei kleinere Mischlingshunde, die so aussahen, als seien sie im Tierheim die Hässlichsten gewesen. Alle vier wedelten heftig mit dem Schwanz und schienen sich über den unerwarteten Besuch zu freuen.

»Wachhunde sind das aber nicht«, Pia lächelte und ließ die Hunde an sich schnuppern. »Seid ihr ganz alleine zu Hause?«

»Passen Sie bloß auf«, warnte Bodenstein seine Kollegin, »der Graue sieht gefährlich aus.«

»Ach was«, Pia kraulte den großen Hund hinter den Ohren, »hm, du bist ganz lieb, was? Dich würde ich auf der Stelle mitnehmen.«

»Aber nicht in meinem Auto«, Bodenstein bemerkte eine offen stehende Tür. Er ging die beiden Stufen hoch und blickte in eine große Küche. Offenbar war dies der eigentliche Haupteingang. Auf den Treppenstufen standen mehrere Schuhpaare, leere Blumentöpfe und allerhand Krimskrams.

»Hallo?«, rief Bodenstein ins Hausinnere. Pia quetschte sich an ihrem Chef vorbei und blickte sich in der Küche um. Der gefliese Boden war mit Abdrücken von Hundepfoten übersät, auf der Arbeitsplatte benutzte Teller und Töpfe, auf dem Tisch zwei Einkaufstüten, die noch nicht ausgepackt waren. Pia öffnete die Tür. Im Wohnzimmer herrschte das blanke Chaos. Bücher waren aus den Regalen an den Wänden gezogen und auf dem Boden verstreut worden, Sessel waren umgekippt, Bilder von den Wänden gerissen und die Glastür, die auf die Terrasse und in den Garten führte, stand sperrangelweit offen.

»Ich rufe die Spurensicherung an«, Bodenstein angelte sein Handy aus seiner Tasche. Pia ging weiter und zog sich dabei Latexhandschuhe an. Der Raum neben dem Wohnzimmer schien das Arbeitszimmer Paulys gewesen zu sein. Auch hier sah es aus wie nach einem Bombenanschlag. Der Inhalt aller Regale und Aktenschränke befand sich auf dem Fußboden, die Schubladen des wuchtigen Holzschreibtisches waren herausgezogen und ausgeleert worden. Die Plakate an den Wänden ließen Rückschlüsse auf die politische Einstellung der Hausbewohner zu. Verblichene Aufrufe zu längst marschierten Demonstrationen gegen Atomkraftwerke, die Startbahn West und Castor-Transporte, ein Poster von Greenpeace und Ähnliches mehr. Ein Flachbildschirm lag zertrümmert in einer Ecke des Raumes, dazwischen ein Tintenstrahldrucker und ein brutal misshandelter Laptop.

»Chef«, Pia arbeitete sich vorsichtig Richtung Tür, um keine Spuren zu zerstören, »das war kein Einbruch. Hier ist ...«

Sie zuckte zusammen, als Bodenstein direkt vor ihr auftauchte.

»Schreien Sie nicht so«, er grinste, »ich höre noch ganz gut.«

»Wie können Sie mich so erschrecken!« Pia verstummte, weil irgendwo im Haus ein Telefon zu klingeln begann. Sie folgten dem Läuten die Treppe hinauf in den ersten Stock. Die Vandalen hatten die Zimmer oben verschont. Im Badezimmer brannten alle Lampen, vor der Dusche lag ein Handtuch auf dem Boden, daneben verstreut ein Paar Jeans, ein

Hemd und benutzte Unterwäsche. Pia fühlte sich nie wohl dabei, wenn sie in die intimste Privatsphäre fremder Menschen eindrang, aber es gehörte eben dazu, wenn man mehr über das Umfeld eines Toten erfahren musste. Wo mochte wohl Paulys Lebensgefährtin sein? Der Kleiderschrank im Schlafzimmer war geöffnet, einige Kleidungsstücke lagen auf dem Bett. Das Telefon war verstummt.

»Sieht so aus, als hätte Pauly geduscht und wollte sich gerade umziehen«, sagte Pia, »dafür spricht, dass er quasi nur mit Unterwäsche bekleidet war.«

Bodenstein nickte.

»Da liegt das Telefon«, er ergriff das tragbare Siemens-Telefon, das achtlos hingeworfen zwischen frischen Hemden und Jeans auf dem Bett lag, und drückte auf die hektisch blinkende Taste.

»Sie haben vierunddreißig neue Nachrichten«, verkündete die Computerstimme. »Nachricht eins, Dienstag, 13. Juni, 15:32 Uhr.«

»*Ulli, ich weiß genau, dass du da bist*«, sagte eine Frauenstimme, »*ich hab's satt mit deiner Hinhaltetaktik. Ich habe wahrhaftig alles versucht, um mich gütlich mit dir zu einigen, aber du bist ja so was von stur! Nur damit du's weißt: Es ist mir egal, wenn du jetzt mit dieser Aufnahme zu deinem Anwalt rennst, ich kriege sowieso wieder recht. Ich gebe dir noch eine letzte Chance: Um halb neun bin ich bei dir. Wenn du nicht da sein solltest oder wieder den Stolzen spielst, dann passiert was, das schwör ich dir.*«

Es piepste, dann folgten vier Anrufe, bei denen weder eine Nummer angesagt noch aufs Band gesprochen worden war. Ein Anruf um kurz vor 17:00 Uhr war scheinbar entgegengenommen wurden, denn er brach ab, nachdem ein Mann »*Hallo, Herr …*«, gesagt hatte. Um 20:13 Uhr hatte wieder ein Mann aufs Band gesprochen.

»*Hier spricht Carsten Bock*«, sagte eine tiefe Männer-stimme, »*mir ist zu Ohren gekommen, welche Unver-schämtheiten Sie am Montag in aller Öffentlichkeit von sich gegeben haben. Das ist Rufmord und üble Nachrede. Ich habe bereits juristische Schritte gegen Sie eingeleitet, und ich erwarte umgehend eine schriftliche Entschuldigung von Ihnen und eine öffentliche Richtigstellung der Sachverhalte in der Zeitung.*«

Bodenstein und Pia wechselten einen raschen Blick. In der Nacht vom Dienstag auf Mittwoch hatte es noch zwei Anrufe ohne Nummer gegeben, am Mittwochabend hatte erneut ein Mann angerufen.

»*Hey, Ulli, ich bin's, Tarek. Du solltest dir echt mal ein Handy anschaffen, Mann! Ich bin jetzt wieder im Lande. Wir haben die Präsentation fertig und auf die Seite geladen. Kannst dir's ja mal anschauen. Bis später.*«

Alle weiteren Anrufe stammten von Paulys Lebensgefährtin Esther, die ein Dutzend Mal aufs Band gesprochen hatte, erst fragend, dann besorgt, schließlich wütend. In dem Moment fuhr unten ein Taxi vor und die Hunde stimmten ein wildes Begrüßungsgebell an.

Esther Schmitt begrüßte im Hof ihre Hunde, die aufgeregt jaulend und bellend um sie herumtanzten, dann betrat sie das Haus durch die Küchentür, eine Reisetasche in der Hand und eine Laptoptasche über der Schulter. Sie war eine zierliche Frau um die vierzig, mit einem blassen, sommersprossigen Gesicht und rotblondem Haar, das sie zu einem lockeren Zopf geflochten hatte.

»Wie sieht's denn hier aus?«, sagte sie, »kaum ist man mal drei Tage weg ...«

»Nicht erschrecken«, sagte Bodenstein. Esther Schmitt zuckte trotz der Warnung erschrocken zusammen. Mit einem

Knall ließ sie die Reisetasche fallen und wich einen Schritt zurück.

»Wer sind Sie?«, fragte sie mit weit aufgerissenen Augen. »Was tun Sie hier?«

»Mein Name ist Bodenstein. Das ist meine Kollegin Frau Kirchhoff«, Bodenstein hielt seine Marke hoch. »Kriminalpolizei Hofheim.«

»Kriminalpolizei?« Die Frau schien verwirrt.

»Sind Sie Frau Esther Schmitt?«, fragte Bodenstein.

»Ja. Was ist denn eigentlich hier los?« Sie drängte sich an Pia und Bodenstein vorbei und zog scharf die Luft ein, als sie das verwüstete Wohnzimmer sah. Sie wandte sich um, streifte die Tasche mit dem Laptop von der Schulter und legte sie achtlos auf den klebrigen Küchentisch. Über einem zerknitterten Leinenrock trug sie ein gemustertes Tunikakleid, die nackten Füße mit schmutzigen Zehen steckten in Ledersandalen, die bequem, aber wenig elegant aussahen.

»Wir müssen Ihnen eine traurige Mitteilung machen«, sagte Bodenstein. »Heute Morgen haben wir die Leiche Ihres Lebensgefährten gefunden. Es tut mir sehr leid.«

Es dauerte ein paar Sekunden, bis seine Worte Esther Schmitts Gehirn erreichten.

»Ulli ist tot? O Gott«, sie starrte Bodenstein ungläubig an, dann setzte sie sich auf die Kante eines Küchenstuhls. »Wie ist er ... gestorben?«

»Das wissen wir noch nicht genau«, antwortete Bodenstein. »Wann haben Sie das letzte Mal mit Herrn Pauly gesprochen?« Die Frau verschränkte die Arme vor der Brust.

»Am Dienstagabend«, ihre Stimme klang tonlos. »Ich war seit Montag in Alicante auf einem Vegetarier-Kongress.«

»Gegen wie viel Uhr haben Sie am Dienstag mit Herrn Pauly telefoniert?«

»Spät. Es war ungefähr zehn. Ulli wollte am Computer

noch die Flyer für die Trassenbegehung fertig machen, aber kurz vor meinem Anruf hatte er mal wieder Besuch von seiner Exfrau.«

Ihr Gesicht verzog sich zu einer Grimasse, aber sie gestattete sich keine Träne.

»Sollen wir jemanden anrufen?«, fragte Pia.

»Nein«, Esther Schmitt erhob sich und blickte sich um. »Ich komm schon klar. Wann kann ich hier aufräumen?«

»Wenn die Spurensicherung alles untersucht hat«, erwiderte Bodenstein. »Es wäre sehr hilfreich, wenn Sie uns mitteilen könnten, ob irgendetwas fehlt.«

»Wieso?«

»Vielleicht hat dieses Durcheinander gar nichts mit dem Tod Ihres Lebensgefährten zu tun«, gab Bodenstein zu bedenken. »Wir vermuten, dass er am späten Dienstagabend starb. Danach wird das Haus einen ganzen Tag lang offen gestanden haben.«

Die Hunde bellten im Hof. Autotüren schlugen zu, wenig später erschienen die Beamten der Spurensicherung in der Küchentür.

»Ich verstehe«, Esther Schmitt blickte ihn aus geröteten Augen an, dann zuckte sie die Schultern. »Ja, ich sage Ihnen Bescheid. Sonst noch etwas?«

»Uns würde interessieren, mit wem Ihr Lebensgefährte in der letzten Zeit Ärger oder Probleme hatte«, Bodenstein reichte Esther Schmitt seine Visitenkarte. Sie warf einen flüchtigen Blick darauf, dann hob sie den Kopf.

»Es war kein Unfall, nicht wahr?«, fragte sie.

»Nein«, erwiderte Bodenstein, »wahrscheinlich nicht.«

Pia erreichte die Villa an der Kennedyallee in Sachsenhausen, in der das Rechtsmedizinische Institut untergebracht war, um halb drei. Das Innere des Gebäudes war ihr vertraut. In den sechzehn Jahren ihrer Ehe hatte sie unzählige Stunden in den Sektionsräumen im Keller des Instituts zugebracht, denn Henning gehörte zu der Sorte Wissenschaftler, die sich ganz und gar ihrem Beruf und ihren Forschungen verschreiben. Staatsanwältin Valerie Löblich war kurz vor Pia eingetroffen. Die Leiche von Pauly lag entkleidet unter der hellen Lampe auf dem Metalltisch, die abgetrennten Körperteile hatte Hennings Assistent Ronnie Böhme anatomisch korrekt dazugelegt. Der Verwesungsgeruch war atemberaubend.

»Wurden die Gliedmaßen von dem Mähwerk abgetrennt?«, erkundigte Pia sich, nachdem sie Kittel und Mundschutz angezogen hatte

»Ja, eindeutig«, Kirchhoff beugte sich über die Leiche und begutachtete die Haut Zentimeter um Zentimeter durch ein Vergrößerungsglas. »Er war allerdings schon eine Weile tot, bevor das passiert ist. Nach einer ersten oberflächlichen Untersuchung bin ich zu der Überzeugung gelangt, dass die Leiche innerhalb der letzten vierundzwanzig Stunden mindestens einmal umgelagert wurde. Todesursächlich waren sicherlich die Kopfverletzungen. Da drüben sind die Röntgenbilder.«

Er nickte zum Leuchtkasten hinüber.

»Könnte er mit dem Fahrrad gestürzt sein?«, fragte die Staatsanwältin, eine attraktive Brünette in den frühen Dreißigern. Trotz der Hitze draußen trug sie einen schicken Blazer, einen superkurzen, engen Rock und Seidenstrümpfe.

»Hören Sie mir eigentlich zu? Ich habe doch gerade gesagt, dass die Leiche umgelagert wurde«, Kirchhoffs Stimme hatte einen gereizten Unterton. »Wie soll er denn das nach einem tödlichen Fahrradunfall wohl selber fertiggebracht haben?«

Pia und Ronnie wechselten einen vielsagenden Blick. Jeder von ihnen hatte früher gelegentlich unbedarfte Fragen gestellt und dafür bissige Kommentare einstecken müssen. Henning Kirchhoff war ein brillanter Rechtsmediziner, aber ein wenig umgänglicher Mensch. Staatsanwältin Löblich ließ sich allerdings nicht so leicht beeindrucken.

»Ich hatte nicht gefragt, ob er beim Sturz vom Fahrrad gestorben ist«, erwiderte sie unbeirrt, »sondern nur, ob er gestürzt sein könnte.«

Dr. Henning Kirchhoff blickte auf.

»Stimmt«, erkannte er an. »Er ist nicht gestürzt, sonst hätte er Abschürfungen an den Fingerknöcheln und den unteren Gliedmaßen. Hat er aber nicht.«

»Danke. Sehr freundlich, Herr Dr. Kirchhoff.«

Pia beobachtete, wie Henning den Brustkorb der Leiche geschickt und rasch mit einem Y-Schnitt öffnete, die Rippen mit der Rippenschere durchzwickte, um an die inneren Organe zu gelangen. Sie kannte den Ablauf, der einem strengen Protokoll folgte. Jeden seiner Handgriffe und jeden Befund sprach Henning in das Mikrophon, das er um den Hals trug. Die Sekretärin würde später den Obduktionsbericht nach Band abtippen. Ronnie wog und vermaß die entnommenen Organe, notierte jeden festgestellten Wert.

»Steatosis hepatis – und das als Vegetarier«, stellte Henning fest und hielt der Staatsanwältin das Organ mit einem spöttischen Lächeln unter die Nase. »Wissen Sie, was das heißt?«

»Fettleber«, Staatsanwältin Löblich lächelte ungerührt. »Geben Sie sich keine Mühe, Dr. Kirchhoff. Ich werde Ihnen nicht die Freude machen, in Ohnmacht zu fallen.«

Mit einer Lupe begutachtete der Rechtsmediziner jeden Millimeter des sorgfältig rasierten Schädels, zog mit der Pinzette winzige Partikel aus der Wunde und legte sie für die Untersuchung im Labor in Plastikbecher, die Ronnie augenblicklich beschriftete.

»Man hat ihm mit einem stumpfen Gegenstand den Schädel eingeschlagen«, sagte er schließlich. »In der Wunde an der Schädelvorderseite finden sich Spuren von Metall und Rost. Die hintere Wunde stammt vom Sturz.«

Mit seinem Skalpell machte er einen Schnitt in die Haut der hinteren Schädelhälfte, zog die Kopfhaut nach vorne über das Gesicht des Toten und untersuchte die Schädelknochen.

»Wir haben hier ein ganz charakteristisches Bild von zwei Bruchsystemen«, kommentierte Kirchhoff. »Zuerst erfolgte der Schlag, dann der Bruch des Schädelknochens durch den Sturz.«

»Ist das schon tödlich?«, wagte Pia zu fragen.

»Nicht unbedingt«, Kirchhoff griff zur elektrischen Säge, mit der er den Schädelknochen öffnete. »Häufig kommt es nach Verletzungen dieser Art zu interkraniellen Blutungen, es entwickelt sich eine fortschreitende Hirnschwellung. Der zunehmende Hirndruck führt zu einer Atemlähmung, dann zum Kreislaufstillstand und infolgedessen zum klinischen Tod. Das kann relativ schnell gehen oder Stunden dauern.«

»Das bedeutet, dass er noch eine ganze Weile gelebt haben kann.«

Henning nahm das Gehirn aus der Schädelhöhle, betrachtete es kritisch und zerschnitt es in schmale Scheiben.

»Keine Blutungen«, sagte er schließlich, reichte das Gehirn an Ronnie weiter, beugte sich vor und untersuchte den Schädel von innen. Dann drehte er den Kopf der Leiche zur Seite, ging zum Leuchtkasten hinüber und studierte noch einmal die Röntgenbilder.

»Bei ihm ist es schnell gegangen«, sagte er schließlich. »Durch den Sturz ist die Halswirbelsäule von der Schädelbasis abgerissen und gebrochen. Er war sofort tot.«

Die Beamten von der Spurensicherung arbeiteten gerade in der Küche und im Arbeitszimmer, als Esther Schmitt bereit war, einige Fragen zu beantworten. Es erschien Bodenstein immer unfair, Menschen zu befragen, die gerade einen schmerzlichen Verlust erlitten hatten und noch unter Schock standen, aber aus langer Erfahrung wusste er, dass er bei diesen ersten Gesprächen das meiste erfuhr.

»Wo haben Sie Ulli gefunden?«, fragte Esther Schmitt.

»In der Nähe des Opel-Zoos in Kronberg«, erwiderte Bodenstein und sah, wie sich die Augen der Frau ungläubig weiteten.

»Am Opel-Zoo? Dann hat sicher dieser Zoodirektor etwas damit zu tun! Er hat Ulli gehasst, weil der ihm immer wieder unter die Nase gerieben hat, was für eine Tierquälerei die Zootierhaltung ist. Vor ein paar Wochen hat dieser Kerl mich beinahe überfahren, mit voller Absicht!«, sagte sie grimmig. »Wir haben auf dem Parkplatz vor dem Zoo Flyer verteilt, da kam er mit seinem Geländewagen angerast. Er hat uns gedroht, er würde jeden von uns mit eigenen Händen in kleine Stücke zerlegen und an seine Wölfe verfüttern, wenn wir nicht in zehn Sekunden vom Parkplatz verschwunden wären.«

Bodenstein hörte aufmerksam zu.

»Erst letzten Sonntag hat er Ulli Hausverbot erteilt«, fuhr Esther Schmitt fort. »Ich sage Ihnen, der Mann ist zu allem fähig.«

Das sah Bodenstein anders. Sander mochte temperamentvoll und impulsiv sein, aber deswegen nicht unbedingt gleich ein Mörder.

»Eine Frau hatte auf dem Anrufbeantworter eine ziemlich unfreundliche Nachricht hinterlassen«, sagte er. »Wer kann das gewesen sein?«

»Wahrscheinlich Ullis Ex, die Mareike«, antwortete Esther Schmitt abfällig. »Die hat gleich nach der Scheidung wieder geheiratet, einen Architekten aus Bad Soden. Sie und ihr Mann stampfen diese Wohnbunker aus dem Boden, einer wie der andere. Die ganze Straße hier haben sie schon damit zugepflastert, und jetzt sind sie scharf auf dieses Grundstück.«

»Für mich hörte es sich so an, als hätte sie Herrn Pauly gedroht«, forschte Bodenstein, »sie erwähnte einen Anwalt.«

»Ulli und sie haben das Grundstück mit dem Haus zu gleichen Teilen geerbt«, bestätigte Esther Schmitt. »Als Mareike auszog, hat sie Ulli das Haus überlassen. Das hat sie schnell bereut. Jetzt möchte sie es wiederhaben. Deshalb gibt es seit Jahren einen Rechtsstreit.«

»Sie hat Herrn Pauly ein Ultimatum gestellt und damit gedroht, dass etwas passiert«, Bodenstein beobachtete die Frau aufmerksam. »Halten Sie die Exfrau Ihres Lebensgefährten für fähig, dass sie ...«

»Der traue ich alles zu«, unterbrach Esther Schmitt ihn schroff. »Sie und ihr Mann wollen sechs Doppelhaushälften auf dieses Grundstück bauen. Da geht es um richtig viel Geld.«

»Mit wem lag Ihr Lebensgefährte noch im Streit?«

»Er war vielen Leuten unbequem. Ulli hat oft Missstände aufgedeckt und kein Blatt vor den Mund genommen.«

In diesem Augenblick ratterte ein großer Traktor mit zwei Anhängern voller Heuballen am Haus vorbei. Der Fahrer, ein weißhaariger Hüne in einem schmutzigen Unterhemd, starrte neugierig in den Hof.

»Der da stand mit Ulli auch auf Kriegsfuß«, sagte Esther Schmitt, »Erwin Schwarz von gegenüber. Er ist im Magistrat und glaubt, er kann sich alles erlauben.«

Bodenstein wusste als Kelkheimer Bürger, dass Erwin Schwarz ein entschiedener Befürworter der B8-Westumgehung und ein enger Freund von Bürgermeister Funke war, und nahm sich vor, dem Nachbarn von Pauly später einen Besuch abzustatten.

»... genauso, wie dieser widerliche Conradi«, Esther

Schmitt presste die Lippen zusammen, eine steile Unmutsfalte erschien zwischen ihren Augenbrauen. »Der hat erst neulich einen Hund von uns erschossen. Angeblich, weil er gewildert hat. Aber das stimmt nicht. Chaco war schon vierzehn und fast blind. Conradi hat hier die Jagd gepachtet und nur einen Grund gesucht, uns eins auszuwischen.«

»Meinen Sie den Metzger Conradi aus der Bahnstraße?«, vergewisserte sich Bodenstein.

»Ja, genau der. Ulli hat ihn mal angezeigt, weil er nicht beschautes Wildschweinfleisch zu Steaks verarbeitet hat.«

»Und welchen Grund hatte Bauer Schwarz, Ihren Lebensgefährten nicht zu mögen?«

»Der Schwarz ist ein ganz übler Umweltsünder. Ulli hat öffentlich gemacht, dass er seine Wiesen und Äcker als Müllkippe benutzt und Düngemittel in den Liederbach entsorgt. Natürlich konnte Schwarz das mit seinen Beziehungen irgendwie vertuschen, aber er hat Ulli dafür gehasst.«

Die Beamten von der Spurensicherung in ihren weißen Papieranzügen arbeiteten an den Treppenstufen, die in die Küche führten. Einer von ihnen wandte sich um.

»Wir haben hier was gefunden«, sagte er zu Bodenstein. »Das sollten Sie sich mal ansehen.«

»Ich komme«, erwiderte Bodenstein und bedankte sich bei Esther Schmitt. Dann fiel ihm noch etwas ein.

»Kennen Sie jemanden namens Tarek?«, fragte er.

»Ja«, die Frau nickte, »er kümmert sich im Bistro um den Computerkram.«

»Und Lukas van den Berg?«

»Den kenne ich auch, natürlich. Er arbeitet im Grünzeug an der Bar. Wieso fragen Sie?«

»Nur so«, Bodenstein wandte sich zum Gehen, »vielen Dank.«

Esther Schmitt zuckte die Schultern und verschwand mit

den Hunden grußlos im Garten. Bodenstein trat zu den Beamten der Spurensicherung.

»Was habt ihr?«, erkundigte er sich.

»Blutspritzer«, einer der Beamten zog seinen Mundschutz herunter und wies auf die Hauswand neben der Küchentür. »An der Wand, den Schuhen und den Blumen. Es ist denkbar, dass es menschliches Blut ist.«

Bodenstein ging in die Hocke und begutachtete die Spritzer, die auf den ersten, flüchtigen Blick wie Blattläuse aussahen.

»Die Hunde hatten Blut an den Pfoten«, fuhr der Beamte fort. »Wir haben in der Küche blutige Pfotenabdrücke gefunden. Es kann sein, dass die Hunde das Blut von den Stufen abgeleckt haben. Und am Tor haben wir einen blutigen Handabdruck gefunden. Allerdings müssen wir warten, bis es dunkel ist, bevor wir mit Luminol arbeiten können.«

Er bückte sich und hielt Bodenstein einen Beutel mit einem rostigen Hufeisen entgegen.

»Das lag vor der Treppe«, er deutete auf einen Nagel neben der Küchentür, »da hat es ursprünglich wohl mal gehangen. Wenn mich nicht alles täuscht, ist Blut an dem Hufeisen. Wahrscheinlich ist das die Mordwaffe, und der Mann wurde genau hier getötet.«

Bodenstein betrachtete das Hufeisen in dem Plastikbeutel. Es war so verrostet, dass es schwer bis unmöglich sein würde, brauchbare Fingerabdrücke zu finden.

»Sehr gut«, sagte er, »vielleicht haben wir Glück und der Handabdruck am Tor stammt vom Mörder.«

»Wir werden den Abdruck mal durch die AFIS-Datenbank jagen«, erwiderte der Beamte. »Vielleicht kommt was dabei heraus.«

Die Staatsanwältin stand noch in der offenen Tür und sprach leise mit Henning. Ihre Körpersprache drückte aus, was Pia schon während der ganzen Obduktion nicht verborgen geblieben war: Valerie Löblich war scharf auf Henning. Immer wieder hatte sie Fragen gestellt und sich mit ihrem tiefen Dekolleté über den Sektionstisch gelehnt. Natürlich hatte Henning nichts bemerkt. Wenn vor ihm eine Leiche lag, hätte Angelina Jolie nackt neben ihm stehen können, er hätte sie wahrscheinlich nicht einmal angesehen. Aber nun war die Obduktion vorbei, und ihm schien zu dämmern, dass sich das Interesse der schönen Staatsanwältin ganz und gar nicht nur auf Paulys sterbliche Überreste beschränkte. Er lachte über irgendetwas, was sie gesagt hatte, und sie kicherte albern. Ronnie Böhme legte die entnommenen Organe samt Gehirn zurück in die Körperhöhle, um den Y-Schnitt danach zuzunähen. Sein Blick begegnete dem von Pia, er hob die Augenbrauen und rollte die Augen. Als Antwort zuckte sie nur die Schultern. Henning war ein attraktiver Mann mit einem beeindruckenden Ruf. Eigentlich war es verwunderlich, dass er nicht schon längst eine Neue hatte. Obwohl sie es war, die sich von ihm getrennt hatte, verspürte Pia doch einen Stich, der sich wie Eifersucht anfühlte. Schließlich verabschiedete sich die Staatsanwältin, und Pia folgte Henning hinauf in sein Büro im Erdgeschoss.

»Läuft da was zwischen dir und der Löblich?«, erkundigte sie sich beiläufig. Henning blieb stehen und musterte Pia aufmerksam.

»Würde es dich stören, wenn es so wäre?«

Das war eine Frage, über die sie bisher wenig nachgedacht hatte. In ihrer Vorstellung lebte er seit ihrer Trennung im Zölibat, wie sie selbst auch. Allein der Gedanke, dass es nicht so sein könnte, störte sie tatsächlich.

»Nein«, log Pia, »es würde mich nicht stören.«

Er hob die Augenbrauen.

»Schade«, sagte er dann. In diesem Augenblick summte Pias Handy.

»Entschuldige«, beinahe erleichtert kramte sie das Telefon hervor und berichtete ihrem Chef in knappen Worten vom Ergebnis der Obduktion. Henning wartete, bis sie das Gespräch beendet hatte.

»Wann kriege ich den Obduktionsbericht?«, fragte Pia.

»Morgen früh«, antwortete Henning.

Sie blickten sich an.

»Was machst du heute Abend?«, fragte er. »Ich würde gern bei dir vorbeikommen und nach dem Fohlen schauen. Ich bringe auch ein Fläschchen Wein mit ...«

»Ich weiß nicht, wie lange ich heute noch zu tun haben werde«, wich Pia aus und steckte ihr Handy ein. Sie war sich nicht sicher, ob sie einen Fehler machte, wenn sie ihm gestattete, wieder auf den Birkenhof zu kommen, aber dann zuckte sie die Schultern.

»Okay«, sagte sie, »heute Abend bei mir. Aber ich weiß nicht, wann ich nach Hause komme.«

»Kein Problem«, sagte er. »Ich kann warten.«

Im Hof gegenüber von Paulys Haus herrschte rege Betriebsamkeit. Wie alle Landwirte auf der Welt lebte auch Erwin Schwarz weniger nach dem Kalender als nach dem Wetter, und die anhaltende Hitze der vergangenen Tage hatte perfekte Bedingungen für die Heuernte geschaffen. Schwarz war einer der letzten Kelkheimer Landwirte, allerdings waren die Äcker, die er bewirtschaftete, weniger geworden. Für stillgelegte Flächen gab es mehr Geld vom Staat, als er mit Raps oder Weizen hätte verdienen können. Bodenstein klopfte an eine offen stehende Tür.

»Komme Se rin!«, rief jemand von innen. Bodenstein betrat eine große Bauernküche. Im Innern des Hauses war es dämmerig und angenehm kühl, verglichen mit den Temperaturen draußen. Eine Standuhr tickte laut, es roch säuerlich.

Als sich seine Augen an das Dämmerlicht gewöhnt hatten, erblickte Bodenstein den großen Mann in blauer Latzhose und einem schweißfleckigen Unterhemd, der vorhin auf dem Traktor an ihm vorbeigefahren war. Er saß auf der Eckbank am Tisch, vor ihm, auf der gewürfelten Plastiktischdecke, standen eine Flasche Wasser und ein Glas mit eingelegten Essiggurken. Bodenstein kannte Erwin Schwarz nur von Fotos aus der Kelkheimer Zeitung, auf denen er immer vorteilhaft in Anzug und Krawatte abgebildet war, wenn er offiziell als Stadtverordneter in Aktion war.

»Mein Name ist Bodenstein von der Kripo Hofheim«, stellte er sich vor. Schwarz warf ihm einen Blick aus wässrigen Augen zu.

»Habbe Sie net grad da drübbe vorm Schmitte-Schorsch seim Haus gestanne? Was isn da los?« Schwarz trank einen Schluck Wasser. Bodenstein war zwar selbst der hessischen Mundart nicht mächtig, aber er verstand sie mühelos.

»Wir haben heute Morgen die Leiche von Herrn Pauly gefunden«, antwortete er.

»Ach«, Landwirt Schwarz riss erstaunt die Augen auf.

»Wir vermuten, dass Herr Pauly am späten Dienstagabend vor der Tür zu seiner Küche erschlagen worden ist. Ich möchte gerne wissen, ob Sie irgendetwas gehört oder gesehen haben.«

Erwin Schwarz kratzte sich nachdenklich die schweißfeuchten Haarsträhnen über seiner sonnenverbrannten Glatze.

»Dienstaachabend«, murmelte er, »da war isch net dahaam. Da war isch beim Stammtisch, beim Lehnert gewese, bis um drei viertel zwölf ungefähr.«

Der »Lehnert« war eine beliebte Traditionsgaststätte in Münster schräg gegenüber vom alten Rathaus und hieß in Wirklichkeit Zum Goldenen Löwen. Von dort aus waren es bis in den Rohrwiesenweg etwa fünf Minuten mit dem Auto.

»Ist Ihnen vielleicht etwas aufgefallen, als Sie vorbeigefahren sind?«, fragte Bodenstein. »Als wir heute in das Haus gekommen sind, standen alle Türen offen, und alles war verwüstet.«

»Des tät mir net uffalle«, erwiderte Erwin Schwarz in einem verächtlichen Tonfall. »Wisse Se, was bei dene tachtäschlich fürn Zerkus is? Da is als was annerst. Die junge Leut komme mit ihrne Mopeds und Audos, die lache un kreische, als wärn se allaans uff der Welt. Und dann die Köder von dem Pauly, die laafe überall rum und scheiße alles voll. Der Kerl is Lehrer, der soll unsere Kinner erziehe. Des muss mer sisch mal vorstelle!«

»Wie war Ihr Verhältnis zu Ihrem Nachbarn?«, erkundigte Bodenstein sich.

»Mer warn kei Freunde«, Schwarz kratzte nun den Pelz auf seiner speckigen Brust. »Der Pauly war'n unangenehmer Zeitgenosse, der hatte als was zu meckern. Des hat nix dademit zu due, dass mer polidisch net aaner Meinung warn.«

»Womit dann?«

»Der war'n falscher Fuffzischer«, sagte Erwin Schwarz. »Dem sei Exfraa, dem Schmitte-Schorsch sei aa Enkelin, die Mareike, die hat des Haus geerbt, net der. Als se nach der Trennung ausgezooche is, is der Pauly im Haus geblibbe. Dabei isses em gar net. Am Dienstaach war die Mareike wieder mal da, da habbe se gestridde wie die Kesselfligger. Des hat mir die Matthes-Else von geescheübber erzählt.«

Im Türrahmen erschien ein junger Mann.

»Die Press geht wieder, Vadder«, sagte er, ohne Bodenstein zu beachten. »Soll ich erst die groß Wies am Wald übbe mache oder die obbe am Kloster?«

Erwin Schwarz erhob sich mit einem Ächzen, schob die Träger der Latzhose über seine Schultern und verzog das Gesicht.

»Die Bandscheib«, erklärte er Bodenstein, dann wandte er sich seinem Sohn zu. »Du fährst enuff zum Kloster. Uff dere Wies am Wald mache mer klaane Balle.«

Der junge Mann nickte und verschwand.

»Mir sin midde in de Heuernt«, sagte Schwarz zu Bodenstein, »mer müsse des gude Wedder ausnutze.«

»Dann will ich Sie nicht länger aufhalten«, Bodenstein lächelte freundlich und legte eine seiner Visitenkarten auf die Plastiktischdecke. »Danke für die Auskünfte. Falls Ihnen noch irgendetwas einfällt, rufen Sie mich bitte an.«

Elisabeth Matthes wohnte in einem jener alten Häuser, dessen Tage gezählt waren. Ein Schild im Vorgarten kündigte bereits den baldigen Abriss an. Als Bodenstein auf die Klingel drückte, wurde ihm beinahe in derselben Sekunde die Haustür geöffnet, als hätte die Nachbarin schon auf ihn gewartet. Frau Matthes führte Bodenstein in eine penibel aufgeräumte Küche. Sie war ungefähr Mitte siebzig, von schwerer Osteoporose gebeugt, aber der Blick aus ihren blauen Augen war scharf und wachsam. Zuerst befriedigte Bodenstein ihre Neugier, indem er ihr berichtete, dass Hans-Ulrich Pauly tot sei.

»Das war ja klar, dass es eines Tages so kommen musste«, sagte die Matthes-Else mit bebender Stimme. »Der hat sich ja auch mit jedem angelegt, der Pauly.«

Sie konnte das Gespräch zwischen Pauly und seiner Exfrau beinahe Wort für Wort wiedergeben, wusste noch die genaue Uhrzeit – kurz vor halb neun – und hatte auch den Mann erkannt, der Pauly etwa eine halbe Stunde später aufgesucht hatte.

»Ich war gerade im Garten, um die Blumen zu gießen, da hab ich den Pauly in seinem Vorgarten stehen sehen«, Frau Matthes stützte sich am Küchentisch ab. »Er hat sich über den Zaun mit dem Siebenlist vom Küchen Rehmer unterhalten. Das war einer von seinen Spezis. Wobei ...«

Sie legte die Stirn in Falten und dachte nach.

»Eigentlich haben sie gestritten. Der Siebenlist hat zum Pauly gesagt, er würde sich von ihm nicht mit alten Kamellen erpressen lassen.«

Aber Else Matthes hatte an dem Abend noch mehr beobachtet. Als sie gegen halb elf die Mülltonne an den Straßenrand geschoben hatte, war ein Mädchen mit einem Moped aus Paulys Hoftor geschossen, so schnell, dass es die Kontrolle verloren hatte und auf der Straße gestürzt war.

»Bei denen war ja immer Halligalli«, Frau Matthes war die Missbilligung in Person. »Wie im Taubenschlag. Rücksicht war für die ein Fremdwort. Die sind mitten ...«

»Kannten Sie das Mädchen mit dem Moped?«, unterbrach Bodenstein die Frau, bevor sie sich in unwichtigen Details ergehen konnte.

»Nein, die sehen ja alle gleich aus. Jeans, kurze Hemdchen, bei denen der halbe Bauch rausguckt«, sagte sie nach kurzem Nachdenken. »Ich glaub, blond war sie.«

»Und was für ein ... Motorrad war das?«

Die Matthes-Else grübelte einen Moment, dann erhellte sich ihr faltiges Gesicht.

»Ein Roller!«, sagte sie beinahe triumphierend. »So nennt man die Dinger. Knallgelb. Wie von der Post.«

Dann schien ihr etwas Unglaubliches einzufallen. Sie beugte sich näher zu Bodenstein hin und senkte die Stimme zu einem Flüsterton.

»Meinen Sie, *die* hat den Pauly umgebracht, Herr Kommissar?«

Als Bodenstein um halb sechs im Kommissariat in Hofheim eintraf, hatten Kai Ostermann und Kathrin Fachinger schon einiges über Hans-Ulrich Pauly in Erfahrung bringen können. Wie Zoodirektor Sander am Vormittag zu Pia gesagt hatte, hatte Pauly sich ausgiebig des Mediums Internet bedient, um seine Meinung zu allen möglichen Themen kundzutun.

»Wenn ihr mich fragt«, sagte Ostermann, »dann gab es jede Menge Leute, die ein Motiv hatten, den Kerl umzubringen.«

»Wieso?« Bodenstein zog sein Jackett aus und hängte es über eine Stuhllehne. Sein Hemd war völlig durchgeschwitzt.

»Ich habe seinen Namen gegoogelt«, Ostermann lehnte sich zurück. »Er war in zig Umwelt-, Natur- und Tierschutzbünden aktiv, hat sich gegen die Singvogeljagd in Italien starkgemacht, gegen die Castor-Transporte, er hat eine Klage wegen Feinstaub initiiert, gegen Schlachtpferdetransporte demonstriert. Eine seiner eigenen Webseiten heißt ›Tiere ohne Gitter‹, kurz ToG.«

»Kein Wunder, dass Pauly für den Direktor vom Opel-Zoo ein rotes Tuch war«, bemerkte Pia trocken.

»Aber das ist nur das eine«, sagte Ostermann. »Pauly hat noch eine andere Webseite, die sich ›*Das Kelkheimer Manifest*‹ nennt, und da wettert er gegen alles, was ihm in Kelkheim nicht passt. Im Moment hauptsächlich gegen den geplanten Ausbau der B8, aber auch gegen die neue Stadtmitte Nord, die Bebauung des Varta-Geländes und so weiter. Er beleidigt ein paar Leute richtig übel.«

»Wen zum Beispiel?«, fragte Bodenstein.

»Den Kelkheimer Bürgermeister Dietrich Funke, einen Mann namens Norbert Zacharias, der wohl für den B8-Ausbau zuständig ist. Und noch jemand namens Carsten Bock …«

»Bock?«, unterbrach Pia ihren Kollegen. »Der hat doch bei Pauly etwas auf den Anrufbeantworter gesprochen! Pauly sollte sich wegen irgendeiner Äußerung entschuldigen.«

»Richtig«, Bodenstein nickte. »Wer ist dieser Mann?«

»Der Chef der Bock Consult, die im Auftrag der Städte Kelkheim und Königstein schall- und verkehrstechnische Gutachten erstellt hat«, antwortete Ostermann. »Die Ergebnisse führten dazu, dass die B8-Angelegenheit im Bundesverkehrswegeplan ganz plötzlich als vordringlich eingestuft wurde. Damit stünde einer Realisierung der Straße nichts mehr im Wege. Pauly behauptet, dahinter steckten wirtschaftliche und finanzielle Interessen der ›Vordertaunus-Mafia‹, zu denen er Funke, Zacharias, Bock und einige weitere Leute zählt. Er bezeichnete sie als Verbrecher, Amigos, korrupte Halunken und so weiter.«

Kathrin Fachinger schrieb die Namen aller Personen, die Ostermann erwähnte, mit Edding auf die große Tafel, die an der Wand des Büros hing. Bodenstein ergriff den Stift und schrieb ›Schwarz‹, ›Exfrau Mareike‹, ›Conradi‹ und ›Siebenlist‹ dazu.

»Sie wissen etwas, was wir nicht wissen«, stellte Pia fest.

»Ich habe einige aufschlussreiche Gespräche geführt«, erwiderte Bodenstein und fügte den Namen ›Zoodirektor Sander‹ hinzu.

»Warum denn der?«, fragte Pia erstaunt.

»Weil mir die Lebensgefährtin von Pauly sagte, dass er Pauly und sein Gefolge neulich bedroht und beinahe überfahren habe.«

»Ich sehe schon«, Pia seufzte, »das wird eine Heidenarbeit.«

»Übrigens, wir haben wahrscheinlich auch die Mordwaffe«, sagte Bodenstein. »Ein altes Hufeisen, an dem die Kollegen von der KTU Blut gefunden haben. Es lag direkt neben der Treppe zur Küche.«

Freitag, 16. Juni 2006

Um kurz vor acht betraten Bodenstein und Pia das Gebäude des Friedrich-Schiller-Gymnasiums. Obwohl offiziell ein Brückentag, wurde der Freitag nach Fronleichnam vom Lehrerkollegium für eine Gesamtkonferenz genutzt. Gleich links vom Eingang befand sich hinter einer Milchglastür das Sekretariat, und dort trafen Bodenstein und Pia das halbe Kollegium in erregter Diskussion an.

»... unmöglich, dass er sich nicht einmal meldet«, empörte sich ein Mann mit Schnauzbart und altmodischer Kassenbrille. »Ich habe auf jeden Fall keine Lust, seinen ganzen Unterricht zu übernehmen.«

»Es ist gar nicht seine Art, einfach nicht zu erscheinen und nicht Bescheid zu sagen.«

»Zu Hause geht niemand ans Telefon, und sein Handy ist ausgeschaltet«, verkündete die Sekretärin von ihrem Schreibtisch aus.

»Vielleicht taucht er noch auf«, ein anderer Lehrer regte sich nicht besonders auf, »es ist erst Viertel vor acht.«

»Falls Sie über Ihren Kollegen Pauly sprechen«, sagte Bodenstein, nachdem sein höflicher Gruß zweimal ignoriert worden war, »er wird heute nicht kommen.«

Alle verstummten und blickten auf. Bodenstein stellte sich und Pia vor, dann räusperte er sich. »Herr Pauly wurde gestern Morgen tot aufgefunden.«

Mit einem Schlag verstummten alle Gespräche; eine Welle kollektiver Betroffenheit ging durch den kleinen Raum.

»Nach ersten Ermittlungen gehen wir davon aus, dass er einem Gewaltverbrechen zum Opfer gefallen ist.«

»O mein Gott«, murmelte eine Frau mit erstickter Stimme und begann zu schluchzen. Die anderen schwiegen. Bodenstein blickte in die Runde, sah schockierte und erschütterte Gesichter. Die Direktorin, eine energische Mittfünfzigerin mit kurzem eisgrauem Haar und runder Brille, bat Bodenstein und Pia in ihr Büro. Auch Ingeborg Wüst war sichtlich betroffen, als sie von Bodenstein erfuhr, was mit ihrem Kollegen geschehen war. Pauly war seit sechzehn Jahren Lehrer am Schiller-Gymnasium, er hatte Biologie, Deutsch und Politikwissenschaften unterrichtet.

»Wie war er so, als Mensch und als Lehrer?«, fragte Pia.

»In fachlicher Hinsicht über alle Zweifel erhaben«, erwiderte die Direktorin. »Die Schüler respektierten ihn, er hat seine Arbeit ernst genommen und für die Probleme der Schüler immer ein offenes Ohr gehabt.«

Pia dachte an Lukas van den Berg, der durch Paulys Einfluss an die Schule zurückgekehrt war und sein Abitur gemacht hatte.

»Hatte er in der letzten Zeit Probleme mit Kollegen oder Schülern?«, wollte Bodenstein wissen.

»Probleme gibt es immer«, Ingeborg Wüst sann eine Weile über eine passende Formulierung nach. »Herr Pauly konnte Menschen begeistern – aber auch genau das Gegenteil erreichen. Man liebte oder man hasste ihn. So kann man es wohl ausdrücken.«

Die schlimme Nachricht hatte sich schon im Lehrerkollegium herumgesprochen, als Bodenstein und Pia das Lehrerzimmer betraten. Chantal Zengler, die Frau, die vorhin im Schulsekretariat in Tränen ausgebrochen war, berichtete, dass Pauly Ärger mit einem Schüler gehabt hatte. Patrick Weishaupt, ein Schüler aus der dreizehnten Jahrgangsstufe, behauptete, Pauly habe ihn durchs Abitur fallen lassen, weil er ihn nicht leiden konnte. Mit Tränen in den Augen berichtete sie von einer Auseinandersetzung, deren Zeugen sie und ihr Kollege Dr. Gerhard am Dienstag nach der Schule geworden waren. Sie hatten zu dritt das Schulgebäude verlassen, Chantal Zengler und Dr. Gerhard waren zu ihren Autos, Pauly zu seinem Fahrrad gegangen, als ein Auto angerast kam und Pauly beinahe überfahren hätte. Sie hielt inne und presste die Lippen zusammen.

»Es sah nach Ärger aus. Deshalb haben wir gewartet.«

»Warum? Wer war der Fahrer des Autos?«

»Patrick Weishaupt. Er hat Herrn Pauly beschimpft. Dr. Gerhard und ich sind näher hingegangen. Patrick hat geschrien: ›Das nächste Mal fahre ich dich über den Haufen! Ich mach dich fertig‹ und Ähnliches. Als er uns gesehen hat, ist er wie ein Wahnsinniger mit quietschenden Reifen weggefahren. Pauly war ganz außer sich. Er sagte, dass Patrick ihn dafür verantwortlich machen würde, weil er durchs Abitur gefallen sei.«

»Halten Sie den Jungen für fähig, Herrn Pauly tatsächlich etwas anzutun?«, forschte Pia. Die Lehrerin zuckte die Schultern.

»Ich weiß es nicht«, sagte sie, »aber er war wirklich sehr aufgebracht.«

Dr. Peter Gerhard, der Oberstufenleiter der Schule, bestätigte die Geschichte. Patrick Weishaupt hatte fest damit gerechnet, das Abitur zu bestehen, und sich deshalb bereits an einer Universität in den USA angemeldet. Die Enttäuschung des Jungen war nachvollziehbar.

Die Adresse in Schlossborn, die Pia von der Schulsekretärin erhalten hatte, entpuppte sich als eine Villa im mediterranen Stil mit Säulen vor der Eingangstür. Vor einer Doppelgarage stand ein schwarzer Chrysler Crossfire. Pia drückte auf die Klingel. Erst nach einem zweiten, nachdrücklichen Läuten wurde die Tür von einem jungen Mann geöffnet, der verschlafen ins helle Tageslicht blinzelte.

»Sind Sie Patrick Weishaupt?«, fragte Pia.

»Wer will das wissen?«, erwiderte der junge Mann unhöflich. Er sah aus, als sei er gerade erst aus dem Bett gekrochen, seine Haare standen in alle Richtungen ab, und er war nur mit einem grauen T-Shirt und einer schmuddeligen Jogginghose bekleidet. Seine Gesichtshaut war fettig und unrein, er roch nach abgestandenem Alkohol und altem Schweiß.

»Die Kripo«, Pia hielt ihm ihre Marke vor die Nase.

»Ja, ich bin Patrick Weishaupt. Um was geht es?«

»Gestern Morgen wurde die Leiche von Hans-Ulrich Pauly gefunden«, begann Bodenstein. »Er wurde erschlagen.«

»Oops«, Patrick Weishaupt zuckte unbeeindruckt die Schultern, »so 'n Pech. Und was hab ich damit zu tun?«

»Im besten Fall gar nichts«, erwiderte Bodenstein. »Uns wurde allerdings erzählt, dass Sie Herrn Pauly am Dienstagmittag vor der Schule beschimpft und massiv bedroht haben.«

»Pauly war'n Idiot«, der junge Mann machte keinen Hehl aus seiner Abneigung. »Der konnte mich nicht leiden, weil ich nicht auf seine bekloppte Öko-Masche abgefahren bin. Um mir eins reinzuwürgen, hat er mir das Abi versaut. Klar, dass ich sauer war.«

»Sauer sein und jemanden bedrohen ist ein Unterschied«, sagte Pia.

»Ich hab den doch nicht bedroht«, Patrick Weishaupt fuhr sich mit der rechten Hand durch sein ungewaschenes Haar.

»Ich wollte mit ihm reden. Mein Vater hat einen Anwalt eingeschaltet. Es geht um einen einzigen lächerlichen Punkt.«

»Sie hatten fest damit gerechnet, das Abitur zu bestehen, und bereits einen Studienplatz in Aussicht. Ist das so?«, fragte Pia.

»Ja«, Patrick Weishaupt musterte sie abschätzend. »Für einen Studienplatz in den USA muss man sich rechtzeitig bewerben.«

»Ohne Abitur wird nichts daraus«, sagte Bodenstein. »Was werden Sie jetzt machen?«

»Mein Anwalt meint, dass ich eine Nachprüfung machen kann«, antwortete Patrick Weishaupt. »Bei einer Notendifferenz von mehr als sechs Punkten zum vorhergehenden Halbjahr ist das möglich. Deswegen wollte ich mit Pauly reden.«

»Zeugen Ihrer Unterredung mit Herrn Pauly hatten aber einen ganz anderen Eindruck als den, dass Sie nur mit Ihrem Lehrer reden wollten«, Pia hätte dem jungen Mann am liebsten geraten, sich so schnell wie möglich unter die Dusche zu stellen, so stark roch er nach Schweiß.

»Sie meinen den Gerhard und die Zengler«, Patrick Weishaupt verzog das Gesicht. »Ist doch logisch, dass die zu ihrem Pauker-Kollegen halten. Ich war vielleicht ein bisschen aufgebracht, mehr nicht.«

»Na ja«, Bodenstein lächelte, »was haben Sie am Dienstag gemacht, nachdem Sie mit Herrn Pauly gesprochen haben?«

»Ich war bei 'nem Kumpel«, der junge Mann dachte nach. »Später haben wir uns im San Marco getroffen und das Fußballspiel Frankreich gegen die Schweiz geguckt.«

»Was ist mit Ihrer Hand passiert?« Pia wies auf den Verband, den Weishaupt um seine linke Hand gewickelt hatte.

»Hab mich an 'nem kaputten Glas geschnitten.«

»Das sieht übel aus. Sie haben einen Bluterguss bis über das Handgelenk«, stellte Pia fest. »Und mit Ihrem linken Bein ist auch irgendetwas nicht in Ordnung. Sie können kaum auftreten. Haben Sie deshalb seit Dienstag nicht mehr geduscht?«

»Wie bitte?« Patrick Weishaupt klappte beinahe der Mund auf.

»Sie riechen stark nach Schweiß«, Pia rümpfte die Nase. »Ziehen Sie doch mal bitte das linke Hosenbein hoch.«

»Warum denn das?« Der junge Mann versuchte, seine Unsicherheit mit Aggressivität zu überspielen. »Was soll das eigentlich? Ich muss mich von Ihnen hier nicht so anmachen lassen!«

Bodenstein warf seiner Kollegin einen raschen Blick zu. Er konnte sich auch nicht ganz erklären, was sie damit bezweckte.

»Wie haben Sie sich am Bein verletzt? Etwa auch durch ein Bierglas?« Pia merkte, dass der Junge etwas zu verbergen hatte. »Oder sind Sie vielleicht von einem Hund gebissen worden?«

»So'n Quatsch! Was für'n Hund denn?«

»Zum Beispiel ein Hund von Herrn Pauly.«

»Ey, jetzt reicht's mir aber«, fuhr Patrick Weishaupt auf. »Wollen Sie mir was anhängen?«

»Nein, natürlich nicht«, Pia lächelte. »Gute Besserung. Falls Ihnen noch etwas zum Dienstag einfällt, rufen Sie mich an.«

Sie drückte dem jungen Mann ihre Visitenkarte in die unverletzte Hand und wandte sich zur Haustür. Bodenstein folgte ihr hinaus. In dem Augenblick fuhr ein silberner Porsche neben den Crossfire, eine dunkelhaarige Frau in den späten Vierzigern blickte zu ihnen hinüber.

»Kann ich Ihnen helfen?«, rief sie, angelte nach ihrer Handtasche auf dem Beifahrersitz und stieg aus. Die Ähnlichkeit zwischen ihr und Patrick war unverkennbar.

»Sind Sie die Mutter von Patrick?« Pia blieb stehen.

»Ja«, die Frau blickte misstrauisch zwischen Pia und Bodenstein hin und her. »Ist etwas passiert? Wer sind Sie?«

»Kripo Hofheim. Patricks Lehrer Pauly wurde tot aufgefunden, und wir haben Ihrem Sohn ein paar Fragen gestellt.«

»Worüber? Was hat er damit zu tun?«

»Wahrscheinlich gar nichts«, Pia lächelte beruhigend. »Wir sind ja auch schon wieder weg. Aber ... eine Frage hätte ich doch noch.«

»Und die wäre?«

»Wie und wann hat sich Ihr Sohn an der Hand und am Bein verletzt?«

Die Frau zögerte ein paar Sekunden zu lange.

»Das weiß ich nicht«, sagte sie dann und lachte nervös. »Patrick ist neunzehn. In dem Alter sagen Jungs ihren Müttern nicht mehr alles.«

»Ja, natürlich«, Pia wusste, dass sie gelogen hatte, »vielen Dank.«

Die Frau sah ihnen nach, dann klapperte sie auf hohen Absätzen schnurstracks auf die Haustür der mediterranen Villa zu.

»Wie kommen Sie darauf, dass er eine Bissverletzung haben könnte?«, fragte Bodenstein auf dem Weg zum Auto.

»Der blutige Handabdruck am Tor bei Pauly«, erinnerte Pia ihn. »Es war nur so ein Schuss ins Blaue, aber für mich sah es wie ein Volltreffer aus. Und Patricks Mutter weiß genau Bescheid.«

Bodenstein schüttelte erstaunt den Kopf. »Ganz schön scharfsinnig von Ihnen.«

Auf der Fahrt zum Kommissariat wanderten Pias Gedanken von Patrick Weishaupt und Pauly zu Henning. Die Erinnerung an die vergangene Nacht stürzte sie unvermittelt in unerklärliche Düsternis. Als sie gestern zusammen auf der Terrasse gesessen, geredet und Rotwein getrunken hatten, war ihr ganz plötzlich bewusst geworden, wie sehr sie die Gesellschaft eines anderen Menschen vermisste. Sie hatte dieses Gefühl als Niederlage empfunden und sehr viel mehr getrunken, als sie vertrug. Und schließlich war sie dort gelandet, wo sie mit Henning nie mehr hatte landen wollen, nämlich im Bett. Aber statt Henning hatte sie einen anderen Mann vor ihrem inneren Auge gesehen, und der Gedanke an ihn hatte sich nicht mehr vertreiben lassen.

»Wenn wir jemanden finden würden, der das Auto von Patrick in der Nähe von Paulys Haus gesehen hat«, sagte Bodenstein, während er durch den Königsteiner Kreisel fuhr, »dann hätten wir einen Grund, ihn vorzuladen und ihm Fingerabdrücke und eine Blutprobe abzunehmen.«

»Hm«, machte Pia nur und setzte ihre Sonnenbrille auf.

»Was ist denn los mit Ihnen?«, fragte Bodenstein. »Gestern waren Sie so blendender Laune und heute blasen Sie Trübsal. Ist etwas mit dem Fohlen?«

»Nein«, entgegnete Pia, »dem geht's gut.«

»Was ist es dann?«

»Ich hab in den letzten Nächten wenig Schlaf bekommen«, redete Pia sich heraus. Es war keine gute Idee gewesen, Henning wiederzutreffen. Aber das konnte sie ihrem Chef ganz sicher nicht sagen.

Wenig später lauschten die Mitarbeiter des K11 Kathrin Fachinger, die einen Artikel mit der Überschrift *»Wilder Westen im Kelkheimer Parlament«* aus der aktuellen Ausgabe der *Taunus-Umschau* vorlas. Bodenstein lauschte mit gerunzelter Stirn.

»Zu einer handfesten Auseinandersetzung in bester Wildwest-Manier kam es am vergangenen Montagabend in der

Sitzung des Kelkheimer Stadtparlaments. Nach einem hefti-
gen verbalen Schlagabtausch zum Thema ›Weiterbau der B8‹
zwischen Hans-Ulrich Pauly (ULK) und der CDU-Fraktion
streckte der Stadtverordnete Franz-Josef Conradi (CDU),
von Pauly mehrfach abfällig als der ›Worschtkönig aus der
Bahnstraße‹ bezeichnet, Pauly kurzerhand mit einer geraden
Rechten zu Boden.

Hintergrund der Streitigkeiten: Pauly, engagierter Gegner
des B8-Ausbaus, wartete in der Sitzung in gewohnt scho-
nungsloser Manier mit pikanten Details auf, die der Öf-
fentlichkeit bisher nicht bekannt waren oder verschwiegen
wurden. Er behauptete, dass während der Planungsphase für
die B8 eklatante Fehler bei der Verkehrsprognose gemacht
wurden. Verantwortlich für die Unstimmigkeiten zwischen
Verkehrs-Vorhersage und tatsächlich gemessenen Verkehrs-
zahlen scheint Norbert Zacharias zu sein, ehemaliger Bau-
amtsleiter der Stadt Kelkheim, der erst vor kurzem einen gut
dotierten Beratervertrag als ausschließlich Zuständiger für
die B8-Umgehung erhalten hatte. Zufall oder Absicht, dass
die Consulting-Firma von Zacharias' Schwiegersohn Carsten
Bock sämtliche Gutachten für den Straßenausbau erstellt
hat? Eigenartig fand Pauly auch, dass die Herren Stadtver-
ordneten Schwarz und Conradi vor nicht allzu langer Zeit
scheinbar wertloses Grünland erworben haben, das sich rein
zufällig auf dem Gelände der geplanten B8-Trasse befindet
und im Falle einer Realisierung der Straße das Zehnfache
wert sein dürfte. Der ULK-Stadtverordnete jedenfalls wittert
Vetternwirtschaft und Vorteilsnahme und stellte die Frage,
welches Interesse ein frühzeitig pensionierter Bauamtsleiter,
ein scheidender Bürgermeister und andere an der Verwirk-
lichung einer Straße haben, deren ›Verkehrsbedarf zusam-
menschmilzt wie Eis im Sonnenschein‹.

Nach Conradis Faustschlag brach der Stadtverordneten-

Vorsteher die Sitzung kurzerhand ab. Noch am gleichen Abend verkündete Conradi, dass er nur zu gerne gegen Paulys Grabstein pinkeln würde. Auch der von Bürgermeister Dietrich Funke (CDU) tags zuvor in kleiner Runde scherzhaft gemachte Vorschlag, unangenehme Kontrahenten im Streit um den wieder aktuell gewordenen Ausbau der B8 am besten mit einem Betonklotz an den Füßen im Braubachweiher zu versenken, gewinnt vor dem Hintergrund der Ereignisse vom Montagabend an Brisanz. Die Sache schwelt auf jeden Fall heftig weiter; wir werden berichten.«

»Pauly hatte sich viele Feinde gemacht«, überlegte Bodenstein laut. »Angefangen beim Direktor vom Opel-Zoo, über seine Nachbarn bis hin zu den Vertretern der Stadt Kelkheim.«

»Seine Exfrau nicht zu vergessen«, warf Pia ein.

»Und Metzgermeister Conradi«, ergänzte Kathrin Fachinger.

»Was hat es denn mit dieser B8-Sache eigentlich auf sich?« Frank Behnke spielte gelangweilt mit einem Kugelschreiber. Als gebürtiger Sachsenhäuser betrachtete er alles, was sich außerhalb der Frankfurter Stadtgrenzen befand, als tiefste Provinz. Ostermann umriss mit knappen Worten die B8-Problematik, an der sich seit beinahe dreißig Jahren die Gemüter der Kelkheimer Bürger erhitzten. 1979 hatten junge Leute aus Kelkheim und Königstein im Liederbachtal in der Nähe der Roten Mühle den bereits für die geplante Straße aufgeschütteten Damm besetzt, ein Hüttendorf errichtet und fast zwei Jahre dort ausgeharrt. Pauly war einer jener Dammbesetzer gewesen. Später hatte er in Kelkheim die Unabhängige Liste Kelkheim, kurz ULK, mitbegründet und seitdem heftige Oppositionspolitik betrieben. Nach der Räumung des Damms im Mai 1981 war es eine ganze Weile still um den Ausbau der Straße geworden, die zurzeit bei Kelkheim-Hornau endete.

Mit dem Argument, das berüchtigte Nadelöhr des Königsteiner Kreisels zu entlasten, an dem sich zu den Hauptverkehrszeiten regelmäßig lange Staus bildeten, war vor ein paar Jahren die Diskussion um den Ausbau der Straße neu entflammt. In einem Raumordnungsverfahren wurde derzeit geklärt, ob tatsächlich Bedarf für den Ausbau der vierspurigen Schnellstraße bestehe.

»Vor ein paar Tagen haben Vertreter der Umweltschutzverbände aus Kelkheim und Königstein dem Regierungspräsidenten zweitausend schriftliche Einwendungen gegen den Straßenausbau übergeben.« Ostermann hatte sich umfassend informiert. »Die Planungsunterlagen für den Straßenausbau wurden in den Rathäusern von Kelkheim und Königstein zur Einsichtnahme durch die Bürger ausgelegt, die Einwendungen einreichen können. Es gab heftige Vorwürfe, weil die Unterlagen ausgerechnet in den Osterferien ausgelegt wurden, in Königstein sogar nur in den Büros im Rathaus, wo eine gründliche Einsichtnahme so gut wie gar nicht möglich war.«

»Komm zur Sache, Kai«, Behnke wurde ungeduldig. »Wird die Straße jetzt gebaut oder nicht?«

»Genau da kommen wir zu dem Punkt, an dem sich Pauly ziemlich weit aus dem Fenster gelehnt hat.« Ostermann räusperte sich. »Letzten Montag hat er auf seiner ›Kelkheimer-Manifest-Seite‹ im Internet ein Pamphlet veröffentlicht, in dem er behauptet, dass die automatische Zählstelle in Höhe des Königsteiner Friedhofs von der Bock Consult bei der Berechnung der Verkehrsprognosen absichtlich außer Acht gelassen wurde. Außerdem sei in den Gutachten nicht erwähnt worden, dass sich der Kreisel in Königstein bereits im Umbau befindet, der den Verkehr erheblich entlasten wird.«

Ostermann blätterte in seinen Notizen.

»Angeblich hat Pauly schriftliche Beweise für geheime

Absprachen zwischen der Stadt, dem Hessischen Straßenverkehrsamt, dem Ministerium für Straßenbau in Berlin und der Bock Consult.«

Bodenstein hörte schweigend zu. Im Großen und Ganzen waren ihm die Fakten um den Straßenausbau bekannt. Neu waren allerdings auch ihm die angezweifelten Gutachten und die offensichtliche Vetternwirtschaft. Es war durchaus denkbar, dass hinter Paulys Tod tatsächlich persönliche Motive einiger Entscheidungsträger steckten. Hatte er sterben müssen, weil er kriminelle Absprachen und illegale Vereinbarungen aufgedeckt hatte?

Bürgermeister Dietrich Funke begrüßte Bodenstein und Pia mit der offiziellen Herzlichkeit des routinierten Kommunalpolitikers. Er führte sie zu einer Sitzecke in seinem großen Büro.

»Bitte, nehmen Sie Platz«, sagte er mit einem freundlichen Lächeln. »Was führt die Kriminalpolizei zu mir?«

»Gestern Morgen wurde die Leiche von Hans-Ulrich Pauly gefunden«, begann Bodenstein ohne große Einleitung und beobachtete, wie das Lächeln vom Gesicht des Bürgermeisters verschwand und einem fassungslosen Ausdruck wich. »Wir müssen davon ausgehen, dass er einem Gewaltverbrechen zum Opfer gefallen ist.«

»Das ist ja entsetzlich«, Bürgermeister Funke schüttelte den Kopf.

»Wir haben gehört, dass es am Montagabend während einer Sitzung zu einem Eklat gekommen ist«, fuhr Bodenstein fort.

»Ja, das steht ja wohl auch heute in der Zeitung«, der Bürgermeister machte keinen Versuch, den Vorfall zu beschönigen. »Pauly und ich konnten uns nicht besonders leiden. Ich war sozusagen sein Lieblingsfeind. Es fing vor fünfundzwanzig Jahren an, als Pauly und einige andere junge Leute das legendäre Dorf auf dem Damm bauten. Ich war damals sicher, dass sie nicht lange durchhalten und vor dem Winter aufgeben würden.«

Funke setzte die Brille ab und rieb sich die Augen.

»Im Nachhinein denke ich, dass meine Haltung und Reaktion damals ein besonderer Ansporn für sie war, erst recht durchzuhalten. Später gründeten sie die ULK und erreichten bei der Kommunalwahl auf Anhieb 11,8 Prozent. Seitdem war Pauly im Stadtparlament und stets darauf bedacht, mir das Leben schwerzumachen.«

Der Bürgermeister schob sich wieder die Brille auf die Nase und lächelte wie ein gutmütiger, freundlicher Frosch.

»Am Montag ging es um die Pläne zum Ausbau der B8«, fuhr er fort. »Das Land Hessen hat ein Raumordnungsverfahren eingeleitet, und wir – die Städte Kelkheim und Königstein – trugen die erforderlichen Zahlen und Fakten zusammen. Eine unabhängige private Consultingfirma erarbeitete ausführliche Gutachten über die zu erwartende Verringerung der derzeitigen Lärm- und Umweltbelastungen und eine Entlastung des Verkehrs in den Innenstädten. Die neue Straße wird die Verkehrssituation erheblich entschärfen.«

»Auf der Webseite von Pauly klingt das ganz anders«, wandte Pia ein.

»Es ist unstrittig, dass der neuen Straße wirklich einige schöne Spazierwege und Baumbestände zum Opfer fallen werden«, erwiderte der Bürgermeister. »Aber die Verhältnismäßigkeit zwischen dem Nutzen der Straße für Zehntausende von Pendlern aus dem Hintertaunus, den Bewohnern der betroffenen Städte und dem Schaden für die Natur sollte doch bedacht werden. Pauly neigte zu Polemik.«

»Er hat einigen Magistratsmitgliedern Korruption und finanzielles Eigeninteresse vorgeworfen«, Pia lächelte freundlich. »Außerdem hat er Sie und andere Herren als ›Vordertaunus-Mafia‹ bezeichnet.«

»In diesem Tonfall hat er uns am Montag wieder einmal beschimpft, das ist richtig«, bestätigte Funke und seufzte. »Pauly wurde persönlich und unsachlich, aber das waren wir von ihm seit vielen Jahren gewöhnt. Adjektive wie ›korrupt‹ und ›mafiös‹ gehörten zu seinem üblichen Wortschatz.«

»Ich kann mir nicht vorstellen, dass er ohne jeglichen Beweis solche Verdächtigungen geäußert hat«, beharrte Pia.

»Sein unbeherrschter Auftritt hat seinen eigenen Parteifreunden missfallen«, erwiderte Funke. »Pauly hatte für nichts Beweise, wie üblich. Viele derjenigen, die von ihm so übel beschimpft und verleumdet wurden, haben es nicht so gelassen aufgenommen wie ich. Wäre er jetzt nicht tot, so könnte er sich auf einige Anzeigen wegen Rufmord und Verleumdung freuen.«

»Zum Beispiel von Carsten Bock«, merkte Pia an.

»Zum Beispiel«, der Bürgermeister nickte.

»Wenn ich das richtig sehe«, sagte Pia, »dann sind es Gutachten von Herrn Bock gewesen, die für das Misstrauen der Umweltorganisationen gesorgt haben, nicht wahr? Es ist ja schon ein wenig pikant, dass ausgerechnet Bocks Schwiegervater zum Beauftragten für das Straßenbauprojekt gemacht wurde.«

Bürgermeister Funke überlegte einen Moment.

»So betrachtet, mag es so aussehen«, bestätigte er dann. »Wenn ich ehrlich bin, habe ich darüber nicht nachgedacht. Jemand musste die Koordination übernehmen. Zacharias war jahrelang der Leiter des Bauamtes hier in Kelkheim. Er kennt sich mit dem Prozedere aus, ist ein Fachmann.«

»Aber es gibt der Sache doch wohl einen etwas eigenartigen Beigeschmack, wenn der eigene Schwiegersohn teure Gutachten erstellt, die sich bei genauerer Überprüfung als falsch herausstellen.«

»Es wurden Fehler gemacht«, räumte der Bürgermeister ein. »Wir sind alle nur Menschen. Nur jemand wie Pauly konnte da eine Absicht hineininterpretieren.«

Er warf einen Blick auf die Uhr an seinem Handgelenk.

»Ich habe nur noch eine Frage«, Pia schrieb weiter, ohne aufzublicken. »Wer hat Herrn Zacharias als Beauftragten für das Straßenbauprojekt vorgeschlagen?«

Dem Bürgermeister war diese Frage offensichtlich unangenehm.

»Nun ja, Bock fragte mich nach einem geeigneten Mann«, gab er nach kurzem Zögern zu, »und Zacharias kennt sich hervorragend mit allen Vorschriften und Anforderungen aus, die im Zusammenhang mit einem solchen Projekt stehen. Wenn ich es recht bedenke, hat Bock mich auf die Idee gebracht, Zacharias vorzuschlagen. Aber ich hielt die Wahl für gut. Zacharias ist ein Fachmann und unparteiisch dazu.«

»Sind Sie da ganz sicher?«

»Natürlich. Sonst hätte ich das nicht unterstützt«, erwiderte Funke unbehaglich. »Zweifeln Sie etwa daran?«

»Ja«, Pia nickte, »daran zweifeln wir mittlerweile.«

Der Wirt des Goldenen Löwen bestätigte wenig später, dass Erwin Schwarz am vorausgegangenen Dienstagabend beim Stammtisch gewesen sei, wie jeden Dienstag.

»Wann ist Herr Schwarz gegangen?«, fragte Pia.

»Genau weiß ich's nicht«, der Wirt hob die Schultern, »aber es war spät. Er war einer der Letzten. Einer der anderen Stammtischler hatte noch angeboten, ihn nach Hause zu fahren, weil er ganz ordentlich geladen hatte.«

»Haben Sie zufällig mitbekommen, über was sich die Herren unterhalten haben?«, wollte Bodenstein wissen.

»Ich nicht, aber vielleicht unsere Bedienung«, der Wirt winkte einer üppigen blondierten Frau Mitte fünfzig, die gerade mit einem leeren Tablett durch den Schankraum kam. Ihre Erinnerung an den letzten Stammtischabend war detailliert.

»Der Schwarze Erwin war mal wieder auf hundertachtzig«, sagte sie. »Es ging um irgendeine Sitzung und um den Pauly, den Nachbarn vom Schwarz. Mit dem haben die es mindestens einmal pro Abend.«

»Wer gehört noch zur üblichen Runde?«, erkundigte Bodenstein sich. Die Frau überlegte kurz, dann zählte sie ein paar Namen auf, unter anderem die von Metzgermeister Conradi und Norbert Zacharias.

»Waren die beiden am Dienstag auch hier?«

»Der Conradi nicht, nein«, sie schüttelte den Kopf, »der hatte irgendetwas anderes zu tun, aber der Zacharias war da. Ungefähr bis zehn, dann ist er weg. Er war den ganzen Abend ziemlich still. Danach hat der Schwarz erst richtig losgelegt.«

Zwei Männer betraten den Schankraum und gingen zu einem der Tische neben dem Tresen.

»Ist das nicht Buchhändler Flöttmann?«, erkundigte sich Bodenstein bei der Bedienung. Die Frau wandte sich um.

»Ja, das ist er«, bestätigte sie. »Der Flöttmann und der Siebenlist, zwei Freunde vom Pauly.«

»Siebenlist?«, fragte Pia. »Vom Möbelhaus Rehmer?«

»Genau der«, die Kellnerin nickte und fügte in einem vertraulichen Tonfall hinzu: »Seitdem die Frau vom Flöttmann mit dem Manthey vom Reisebüro abgehauen ist, kommt er fast jeden Mittag hierher zum Essen. Manchmal ist der Siebenlist dabei, und hin und wieder war auch der Pauly da.«

Bereitwillig offenbarte sie ihr profundes Wissen über die verschlungenen Windungen des geheimen Privatlebens ihrer Stammkunden.

» Mindestens einmal in der Woche gönnt sich der Pauly ein Schnitzel oder ein Rumpsteak. Immer nur Gemüse und Tofu, das ist wohl nicht das Wahre. Und neulich saß sogar der Zacharias dabei, aber das darf der Schwarze Erwin natürlich nicht wissen.«

Die beiden Männer bemerkten Bodenstein und Pia erst, als diese direkt neben dem Tisch standen, so vertieft waren sie in eine mit leisen Stimmen geführte, aber ziemlich erregte Diskussion. Beide hatten natürlich schon von Paulys Tod gehört, Esther Schmitt hatte sie gestern angerufen, und Flöttmann war sogar zu ihr hingefahren, um sie zu trösten. Er war groß und hager mit einem gepflegten Fünf-Tage-Bart und randloser Brille, sein graumeliertes Haar lichtete sich an der Stirn.

» Wir waren Freunde seit unserer gemeinsamen Schulzeit«, Flöttmann zog an seiner Zigarette. »Ich bin total schockiert.«

Stefan Siebenlist, der Geschäftsführer des Möbelhauses Rehmer, war ein dicklicher Mann mit Stirnglatze, Brille und einem markanten Feuermal an der linken Schläfe, dem man den früheren Dammbesetzer nicht mehr ansah. Er hatte wässrige Augen und einen feuchten Händedruck, den Pia sich unauffällig an ihrer Jeans abwischte. Flöttmann und Siebenlist hatten gemeinsam mit Pauly die Schule besucht, als Oberschüler aus Protest gegen konservative Elternhäuser mit der ultralinken Szene, den Atomkraftgegnern und der RAF sympathisiert, um Ende der siebziger Jahre ein ideologisches Zuhause bei den neu gegründeten GRÜNEN zu finden. Ihre tatkräftige Beteiligung an der Besetzung des B8-Dammes im Mai 1979 war aus voller Überzeugung geschehen. Doch während Pauly seine linke Gesinnung und seine Protesthaltung während des Studiums weiter kultiviert hatte, hatten es seine Freunde für besser gehalten, sich den sozialen Normen anzupassen. Wolfgang Flöttmann hatte die Buchhandlung seiner Eltern übernommen, Stefan Siebenlist hatte Bärbel Rehmer geheiratet und war seit zehn Jahren Geschäftsführer des renommierten Möbelhauses Rehmer. Beide galten in Kelkheim als angesehene Bürger und hatten entscheidend dazu beigetragen, die ULK in der Stadt zu etablieren. Vor ein paar Jahren hatte Siebenlist den Vorsitz übernommen, nachdem die anderen Mitglieder Pauly als zu radikal abgewählt hatten.

»Ich kann nichts Schlechtes über Ulli sagen«, Flöttmann schob mit dem Zeigefinger die Brille hoch zur Nasenwurzel. »Er konnte einerseits hitzköpfig und kompromisslos sein, andererseits aber großherzig und großzügig. Er war mein Freund, auch wenn wir oft und sehr kontrovers diskutiert haben. An Ulli konnte man sich reiben. Er wird mir fehlen.«

Er lächelte traurig und seufzte.

»Vor allen Dingen tut es mir schrecklich leid, dass wir uns bei unserer letzten Begegnung gestritten haben. Jetzt gibt es keine Möglichkeit mehr für eine Versöhnung.«

»Wieso haben Sie sich gestritten?«, fragte Bodenstein.

»Ulli hat uns mit seinen öffentlichen Verunglimpfungen in letzter Zeit leider mehr geschadet als genutzt«, Flöttmann drückte seine Zigarette im Aschenbecher aus. »Sehr viele Kelkheimer sind gegen den Ausbau der B8, wir erfahren große Unterstützung – nicht nur aus den Reihen unserer Mitglieder. Aber wir müssen bei allem Engagement und aller Leidenschaft sachlich bleiben. Ulli wollte das nicht verstehen. Als ich ihn am Montag bei der Parlamentssitzung bremsen wollte, hat er mich beschimpft. Ich habe es ihm nicht übelgenommen. Ich kannte ihn ja.«

»Was genau war denn am Montag los?«, erkundigte Bodenstein sich.

»Es ging wieder mal um den Ausbau der B8«, erwiderte Flöttmann, »ein Schreiben des Regierungspräsidenten wurde verlesen, in dem das Raumordnungsverfahren als abgeschlossen und die zweitausend Einwendungen der Bürger als unbedeutsam bezeichnet wurden. Als es von der CDU-Fraktion Beifall gab, hat Ulli losgelegt. Er behauptete, er habe Unterlagen über die falschen Zahlen, die die Bock Consult ihren sämtlichen Gutachten zugrunde gelegt hatte. Die waren übrigens keine bloße Spekulation, sondern Tatsache. Darüber hatten wir schon mit der Vorsitzenden des BUNTE und dem Vorsitzenden der Königsteiner ALK gesprochen. Wir waren uns einig, dass wir aufgrund dieser Zahlen neue Gutachten fordern würden. Pauly behauptete aber, dass wir damit keine Chance hätten, weil die Korruption bis nach Berlin reiche. Beamte des Landesamtes, des Regierungspräsidiums und des Verkehrsministeriums hätten die Finger im Spiel.«

Pia machte sich Notizen.

»Aber Ulli hatte noch mehr auf Lager«, sagte Flöttmann. »Schwarz und Conradi sind fast geplatzt, als Ulli jedes ihrer Grundstücke auf der geplanten Trasse samt Flur- und Flurstücksnummer aufgezählt hat.«

»Schwarz hat Wiesen im Liederbachtal«, ergänzte Siebenlist, »Conradi in der Nähe von Schneidhain, Zacharias überall einige und Stadtverordnetenvorsteher Nickel oben auf dem Reis. Delikat ist, dass sie diese Wiesen erst vor kurzem erworben haben, kurz bevor die Trassenführung öffentlich bekannt geworden ist.«

»Wieso ist das delikat?« Pia verstand nicht ganz.

»Weil sie dabei von ihrem Insiderwissen Gebrauch gemacht haben«, Siebenlist tupfte sich die Stirn mit einem Taschentuch ab. »Sie haben den Quadratmeter für zwei Euro gekauft, als Acker- oder Grünland. Bei einem Bau der Straße werden sie vom Land Hessen mindestens zehn Euro bekommen. Die früheren Besitzer der Grundstücke sind ziemlich verärgert und wollen sogar klagen.«

»Verständlich«, Bodenstein räusperte sich, »aber welche Beweise hatte Pauly denn nun für seinen Verdacht, verschiedene Ministerien hätten sich bestechen lassen?«

»Angeblich Kopien vom Schriftverkehr zwischen der Bock Consult und den Bestochenen. Ich habe sie aber nie gesehen.«

»Welches Interesse sollte die Firma Bock am Bau der Straße haben?«, erkundigte Pia sich. »Sie haben doch nur die Gutachten angefertigt.«

»Die Bock Consult ist nur ein Unternehmen von vielen unter dem Dach der Bock Holding«, antwortete Siebenlist. »Pauly hatte ausführlich recherchiert. Zu dieser Holding gehören Firmen für Straßenbau, Hoch- und Tiefbau, für Straßenmarkierung und die Errichtung von Leitplanken. Schon seit Jahren erhalten diese Unterfirmen sämtliche Aufträge der Städte Kelkheim und Königstein, denn sie geben eigenartigerweise bei jeder öffentlichen Ausschreibung das günstigste Angebot ab.«

»Das ist aber doch wirklich interessant«, sagte Bodenstein.

»Es wäre ein Knaller, wenn wir das hätten beweisen können«, erwiderte Siebenlist. »Aber ich fürchte, dass wir das nicht mehr hinkriegen. Durch Ullis Beschimpfungen sind jetzt alle Beteiligten gewarnt, und ich wette, die Reißwölfe sind schon heiß gelaufen.«

»Wen hat Pauly konkret verdächtigt?«, hakte Bodenstein nach.

»In erster Linie Zacharias, außerdem Georg Schäfer, den Leiter vom Bauamt des Main-Taunus-Kreises, und Carsten Bock, den Geschäftsführer der Bock Consult.«

»Warum sind Sie am Dienstagabend noch mal bei Pauly gewesen?«, wollte Bodenstein wissen. Siebenlist zögerte.

»Ich wollte noch mal mit ihm reden. In Ruhe.«

»Worüber?«

»Na ja, über den Montagabend eben.«

»Sie haben Pauly aber auch vorgeworfen, er wolle Sie mit einer alten Kamelle erpressen«, Bodenstein bemerkte, dass Siebenlist erschrak. »Erzählen Sie uns, um was es da ging?«

»Ach, eine uralte Sache«, Siebenlist tat gelassen, aber er presste seine Finger so fest um das Apfelweinglas, dass die Fingerknöchel weiß hervortraten. »Ulli hatte das nicht so gemeint. Ich war nur erst ziemlich wütend.«

»Wie wütend?«, fragte Pia.

»Wie meinen Sie das?« Er warf ihr einen irritierten Blick zu.

»Waren Sie wütend genug, um ihn umzubringen?«

»Ich möchte doch sehr bitten«, Siebenlist gab sich konsterniert, »ich habe körperliche Aggression mein Leben lang gehasst. Für mich ist Gewalt keine Lösung.«

Pia bemerkte, wie seine Finger zitterten.

»Das ist für viele Menschen keine Lösung«, sie lächelte. »Aber oft erscheint sie jemandem, der in Bedrängnis gerät, als die einzige Lösung. Zum Beispiel dann, wenn eine längst vergessene Jugendsünde die Existenz bedroht.«

Siebenlist lief der Schweiß nun in Bächen über die feisten Wangen.

»Erzählen Sie uns von Ihrem Gespräch mit Pauly am Dienstagabend«, forderte Bodenstein den Mann auf, der ein Gesicht machte, als bereue er jedes Wort, das er gesagt hatte.

»Womit hat Pauly Ihnen gedroht, dass Sie so wütend geworden sind?«

»Es ging um einen Unfall«, erwiderte Siebenlist unbehaglich. »Das war 1982. Ich weiß gar nicht, wie er darauf gekommen ist. Aber er hat es mir immer nachgetragen, dass ich die Wahl zum Vorsitzenden der ULK gewonnen habe. Er warf mir damals vor, ich hätte Intrigen gegen ihn geschmiedet. Ulli hat sich immer als Verfolgten gesehen, als Märtyrer, als Opfer von Verschwörungen. In Wirklichkeit hat er es einfach zu nichts gebracht.«

»Aber Sie schon«, warf Pia ein. »Sie sind ein angesehener Bürger, Vorsitzender des Kelkheimer Gewerbevereins, Geschäftsführer eines der renommiertesten Möbelgeschäfte. Ein netter kleiner Skandal – auch wenn er schon vierundzwanzig Jahre zurückliegt – würde Ihrem Ansehen ordentlich schaden, nicht wahr?«

Dem Mann drohten die Augen aus dem Kopf zu quellen.

»Ich habe Ulli nichts getan«, sagte er. »Ich habe nur mit ihm geredet, mehr nicht. Als ich weggefahren bin, war er noch höchst lebendig.«

»Wo sind Sie hingefahren?«

»In mein Büro. Ich hatte noch ein paar Angebote zu schreiben und keine Lust auf den Fußballrummel.«

»Zeugen?«

»Die Putzfrau war bis um zehn da. Danach war ich allein.«

Bodenstein und Pia wechselten einen Blick, der bei Siebenlist einen erneuten, heftigen Schweißausbruch hervorrief.

»Nach unseren Erkenntnissen starb Herr Pauly etwa gegen 22:30 Uhr«, sagte Pia. »Sie waren wütend auf ihn und am selben Abend sogar noch bei ihm. Sie haben kein Alibi für die Tatzeit.«

»Aber das ist doch Unsinn«, meldete sich Flöttmann zu Wort. »Wir waren Freunde, hatten nur eine Meinungsverschiedenheit. Andere hatten viel eher einen Grund, ihm den Tod zu wünschen.«

»Wer denn zum Beispiel?«

Flöttmann zögerte einen Moment.

»Ich will hier niemanden zu Unrecht verdächtigen«, er blickte rasch zu seinem Freund Siebenlist hinüber. »Es war eine sehr emotionsgeladene Situation, in der man schon mal etwas sagt, was man nicht so meint.«

»So wie Conradi, der gesagt hat, er würde gerne an Paulys Grabstein pinkeln?«, fragte Bodenstein.

»Genau«, Flöttmann rückte seine Brille gerade. »Das ist doch Quatsch.«

»Möglich«, erwiderte Bodenstein, während sich die Kellnerin mit den bestellten Essen der beiden Herren näherte, »aber vor dem Hintergrund dessen, dass Pauly einen Tag später ermordet wurde, gewinnt eine solche Bemerkung unwillkürlich an Bedeutung.«

Flöttmann ließ sich sein Mittagessen schmecken, aber Siebenlist schien der Appetit vergangen zu sein, er rührte seinen Teller kaum an.

Behnke und Kathrin Fachinger hatten in der Zwischenzeit mit vielen Nachbarn aus dem Rohrwiesenweg gesprochen, die entweder Fußball geguckt oder in ihren Gärten gesessen hatten. Niemand hatte etwas gehört oder gar etwas Auffälliges bemerkt. Allerdings hatten einige der Nachbarn die Aussagen von Erwin Schwarz und Elisabeth Matthes bestätigt, dass bei Pauly immer etwas los gewesen sei. Man war leidlich an geräuschvoll an- und abfahrende Mopeds und Autos gewöhnt, an bellende Hunde, eine immer zugeparkte Straße, an lautes Gelächter und Geschrei – selbst wenn Dienstagnacht etwas geschehen wäre, hätte es niemand als ungewöhnlich empfunden. Hendrik Keller, der Verfasser des Artikels bei der *Taunus-Umschau*, hatte Ostermann erzählt, dass er am Sonntagabend auf der Terrasse des Ausflugslokals Zum fröhlichen Landmann zufällig am Nachbartisch des Bürgermeisters gesessen und das Gespräch zwischen Funke und seinen Freunden mit angehört hatte – ohne Schwierigkeiten, wie er versicherte, denn niemand habe sich Mühe gegeben, leise zu sprechen. Die Männer hatten eine Weile auf Norbert Zacharias gewartet, dann aber ohne ihn gespeist. Funke hatte vermutet, dass dem ehemaligen Bauamtsleiter vor dem Erörterungstermin mit den Naturschutzorganisationen nicht ganz wohl sei, ein anderer hatte die Befürchtung geäußert, Zacharias könne noch umkippen. Dem hatte ein Dritter mit den Worten widersprochen, Zacharias sei nicht das Problem, viel wichtiger sei es, Pauly vor dem Termin mundtot zu machen, wenigstens vorübergehend.

»Zacharias hat für die Tatzeit kein Alibi«, stellte Pia fest. »Die Bedienung im Goldenen Löwen sagte, er sei um zehn Uhr gegangen.«

»Und im Moment sieht es so aus, als habe dieser Zacharias am meisten von allen zu verlieren«, stimmte Ostermann zu.

»Sehe ich auch so«, Bodenstein nickte und warf einen Blick auf seine Uhr. »Ich werde ihn mal besuchen.«

»Was machen wir?«, erkundigte sich Pia.

»Sie und Behnke fahren in Paulys Bistro, das müsste ja jetzt auf sein.«

Ihm entging nicht ihr missvergnügter Blick. Behnke war derjenige Kollege, den Pia am wenigsten leiden konnte. Ihre Abneigung beruhte auf Gegenseitigkeit. Entgegen ihrer ersten Annahme, er verüble ihr die Anerkennung Bodensteins, hatte sie in der Zwischenzeit begriffen, dass Behnke sie einfach nicht zu mögen schien. Pia fand ihren Kollegen arrogant, seine Vorliebe für frauenfeindliche Witze platt und kindisch und den Kult, den er mit seinem aufgemotzten Auto betrieb, peinlich.

Während sie noch überlegte, ob sie ihren Chef wohl überreden könnte, mit ihr zu tauschen, summte ihr Handy.

»Hallo, Henning«, sagte sie, als sie die Nummer des Anrufers sah. »Was gibt's?«

»Ich habe mir den Toten vom Opel-Zoo noch mal angeschaut«, erwiderte Kirchhoff. »Er hat eine Weile auf dem Rücken gelegen, bevor er auf der Wiese abgelegt wurde. Die Flecken sind zwar ziemlich verblasst, aber ich bin mir sicher, dass ich an den Aufliegestellen an der Schulter und am Gesäß Abdrücke einer Oberflächenstruktur erkenne, die an eine Holzpalette erinnert.«

»Eine Palette?« Pia blieb stehen.

»Ja, dazu passen auch die Holzsplitter, die ich gestern im Hautgewebe der Waden und Oberarme gefunden habe. Du erinnerst dich, ich bin zuerst nicht drauf gekommen, woher sie stammten.«

»Holzpaletten können überall herumstehen. Hast du nicht noch mehr?«

»Doch«, sagte Kirchhoff, »ich habe an den Rückseiten der Beine und Arme und in den Haaren Spuren von Natriumchlorid gefunden.«

»Natriumchlorid?« Pia stutzte. »Was ist das?«

»Ich weiß, dass du in Chemie schlecht warst«, Kirchhoff klang belustigt, »aber das gehört eigentlich zur Allgemeinbildung: Natriumchlorid ist Kochsalz.«

»Mit wem sollen wir denn hier reden?« Behnke blickte sich lustlos um. Es war noch nicht viel los im Grünzeug, nur an einem der hinteren Tische saßen drei junge Frauen und tranken Kaffee.

»Es werden schon ein paar Leute auftauchen«, Pia hatte sich das Grünzeug als eine schmuddelige Kneipe mit bärtigen, diskutierenden Altachtundsechzigern vorgestellt und war von dem geschmackvoll und modern eingerichteten Bistro im Erdgeschoss eines Eckhauses an der Hauptstraße angenehm überrascht. Im vorderen Bereich standen chromblitzende Barhocker an mehreren Bistrotischen, und entlang eines langen, verspiegelten Tresens weiter hinten im Gastraum gruppierten sich gemütliche, mit Leder bezogene Stühle um Holztische. Neben dem Eingang zur Küche führte eine weit geöffnete Tür in einen Innenhof, in dem Biertische und Bänke in Reihen standen. An der Wand zwischen Bar und Kücheneingang hing ein großes, gerahmtes Schwarzweißfoto von Hans-Ulrich Pauly mit einem Trauerflor. Pia blieb stehen und betrachtete den Mann, an dem sich in ganz Kelkheim offenbar die Geister geschieden hatten. Krause, graue Locken, ein schmales Gesicht, eine runde Brille. Er wirkte auf Pia nicht unbedingt charismatisch. Was hatte dieser Mann wohl an sich gehabt, um gleichermaßen Bewunderung und Hass auf sich zu ziehen? Sie steuerte auf einen der Tische zu und setzte sich. Wie aus dem Nichts erschien ein junges Mädchen und trat an ihren Tisch.

»Hallo, ich bin Aydin«, sagte sie, reichte ihnen die Speisekarte und servierte ihnen einen Berg Tacochips. Behnke stopfte sich eine Handvoll Chips in den Mund und starrte dem Mädchen anerkennend nach. Er hatte sich in den Ledersessel gefläzt und kehrte wie üblich den Macho heraus.

»Ich esse hier nichts«, verkündete er. »Von dem Tofu- und Gemüsekram krieg ich Ausschlag.«

»Ach was, haben Sie etwa gestern Gemüse gegessen?«, fragte Pia süffisant. Behnke warf ihr einen verärgerten Blick zu. Die Allergien, mit denen er gerade in den Sommermonaten zu kämpfen hatte, waren sein wunder Punkt. Er sagte aber nichts, weil Aydin zurückkehrte. Pia bestellte einen Mangosaft und einen Kräuterbagel mit Frischkäse. Vier Mädchen betraten das Bistro und setzten sich an den Tresen, hinter dem ein junger Mann an einer Stereoanlage herumhantierte. Wenig später ertönte leise Hintergrundmusik. Behnke hatte sich schließlich für ein Hawaii-Sandwich entschieden und kaute missmutig. Pia beobachtete die jungen Leute, die nach und nach von draußen hereinkamen. Die meisten von ihnen blieben im vorderen Bereich des Bistros, setzten sich an die hohen Tische oder an den Tresen. Sie wirkten traurig und betroffen, unterhielten sich mit gedämpften Stimmen und umarmten sich gegenseitig tröstend. Einige der jungen Leute schlenderten allerdings quer durch das Bistro und verschwanden hinter einer Tür mit der Aufschrift »Privat«. Es war kurz nach halb sieben, als Lukas van den Berg zur Tür hereinkam. Er war sofort umringt von trostsuchenden Mädchen, die schluchzten und sich von ihm umarmen ließen. Nach einer Weile ging Lukas hinter den Tresen und machte sich an die Arbeit. Wieder kamen zwei Jungen herein, überm Arm Motorradhelme. Sie grüßten Lukas, beachteten die vorwiegend weibliche Trauergesellschaft nicht weiter und gingen zielstrebig auf die Tür hinten im Bistro zu. Offenbar gab es unter den Jugendlichen einige, die der Tod von Pauly nicht besonders aus der Fassung brachte.

Falls das Architektenehepaar Graf das Haus, in dem sich ihr Büro befand, selbst entworfen hatte, dann waren sie Könner ihres Fachs. Bodenstein war ehrlich beeindruckt von dem ungewöhnlich restaurierten Fachwerkhaus in der Bad Sodener Altstadt. Seit einer guten Viertelstunde saß er in einem angenehm klimatisierten Besprechungszimmer im Erdgeschoss. Sein Besuch bei Norbert Zacharias war ergebnislos verlaufen. Entweder war der Mann tatsächlich nicht zu Hause gewesen, oder er hatte sich hinter herabgelassenen Rollläden in seinem Bungalow mit schlechtem Gewissen verschanzt. Bodenstein hatte seine Visitenkarte gut sichtbar an den Briefkasten geklemmt und beschlossen, später noch einmal vorbeizuschauen. Es war halb sechs, als Mareike Graf endlich

von der Baustelle zurückkehrte und sofort ins Besprechungszimmer kam. Bodenstein stellte fest, dass Pauly seinem Typ
Frau treu geblieben war. Mareike Graf war ebenso zierlich
und hübsch wie Esther Schmitt, wenn auch ungleich gepflegter. Das schmalgeschnittene Leinenkleid und der taillierte
Blazer betonten ihre mädchenhafte Figur. Sie machte nicht
den Eindruck, als sei sie gewalttätig, wie Esther Schmitt behauptet hatte.

»Entschuldigen Sie bitte meine Verspätung«, sie lächelte ein
atemloses, bezauberndes Grübchenlächeln und reichte ihm
die Hand. »Hat man Ihnen etwas zu trinken angeboten?«

»Ja, danke«, Bodenstein lächelte auch und setzte sich wieder.

»Ich habe schon gehört, dass mein geschiedener Mann
tot ist«, sagte Mareike Graf. »So etwas spricht sich schnell
herum. Herr Schwarz hat mich gestern angerufen.«

»Wie lange waren Sie und Herr Pauly verheiratet?«, fragte
Bodenstein und überlegte, wem Landwirt Schwarz gestern
wohl nicht die frohe Botschaft vom Ableben seines ungeliebten Nachbarn verkündet hatte.

»Vierzehn Jahre«, erwiderte Mareike Graf und verzog das
hübsche Gesicht zu einer Grimasse. »Er war mein Lehrer, und
ich war mir schon in der neunten Klasse darüber klar, dass
er der Mann meines Lebens sein würde.« Sie lachte gering-
schätzig. »So kann man sich irren.«

»Was hat Sie an ihm fasziniert?«

»Er hatte Visionen«, ihre Stimme klang nüchtern, »ich
fand es toll, wie überzeugt er von dem war, was er tat.«

»Was war der Grund für Ihre Trennung?«, fragte Bodenstein.

»Ich hatte ihn durchschaut«, Mareike Graf zuckte anmutig
die Schultern. »Er stellte sich gerne als selbstlosen Kämpfer
für eine bessere Welt dar, aber das war er nicht. In Wirklich-

keit war er ein schwacher Mensch, der dauernd Selbstbestätigung suchte. Am liebsten umgab er sich mit jungen Leuten, die an seinen Lippen hingen. Diese Bewunderung brauchte er wie ein Fisch das Wasser. Er lief zu Höchstform auf, je mehr Leute vor ihm saßen und ihn anbeteten. Dabei hat er sie alle betrogen. Von wegen Vegetarier.«

Sie schnaubte verächtlich.

»Den jungen Leuten predigte er das Gegenteil von dem, was er selber tat. Zuerst hat es mich nicht gestört, dass zu jeder Tages- und Nachtzeit irgendwelche Jünger von ihm bei uns herumsaßen, aber je älter ich wurde, umso eigenartiger fand ich diese Sit-ins. Ich entwickelte mich weiter, Ulrich nicht. Vor allen Dingen seine Vorliebe für Achtzehnjährige, die ihn kritiklos anhimmeln, war geblieben.«

»Hat er Sie betrogen?«

»Wahrscheinlich. Keine Ahnung. Wir waren in den letzten acht Jahren unserer Ehe ohnehin getrennt von Tisch und Bett.«

»Die Lebensgefährtin Ihres Exmannes ist aber keine achtzehn mehr«, stellte Bodenstein fest.

»Eine Achtzehnjährige hat kein Geld«, Mareike Graf schnaubte mit einer Mischung aus Belustigung und Verachtung. »Esther gehört immerhin das Haus, in dem das Bistro ist. Außerdem hat sie ohne zu murren Ulrichs Schulden beglichen.«

»Er hatte Schulden?«

»Wie ein Stabsoffizier«, Mareike Graf lächelte spöttisch. »Mein Exmann liebte es, Leute anzuzeigen. Eigentlich wäre es schlauer von ihm gewesen, er hätte sich eine Rechtsanwältin geangelt.«

»Wieso haben Sie das Haus Ihrem geschiedenen Mann überlassen, als Sie ausgezogen sind?«

»Ich habe ihm gar nichts überlassen, diesem Schnorrer«, Mareike Graf richtete sich auf, ihre blauen Augen blitzten.

»Das hätte er gerne gehabt, aber ich habe ihm an dem Tag, als ich ausgezogen bin, gesagt, dass er nur noch so lange in dem Haus wohnen kann, bis er etwas anderes gefunden hat. Ich wollte das Haus verkaufen und ihn abfinden.«

»Wir haben eine Nachricht von Ihnen auf dem Anrufbeantworter von Herrn Pauly gefunden«, sagte Bodenstein. »An dem Abend, an dem er gestorben ist, waren Sie noch einmal bei ihm.«

»Stimmt«, Mareike Graf nickte, »meine Geduld war am Ende. Wir haben bisher drei der geplanten sechs Doppelhaushälften verkauft und mussten schon dreimal den Baubeginn verschieben. Ein Käufer ist mittlerweile abgesprungen, ein anderer droht mit Klage.«

»Was hofften Sie an dem Abend zu erreichen?«

»Ich habe Ulrich Geld angeboten, wenn er innerhalb von einem Monat aus dem Haus auszieht«, sie lächelte. »Fünfzigtausend Euro.«

»Das ist viel Geld.«

»Verglichen mit dem, was es uns kostet, die Bebauung des Grundstücks immer wieder zu verschieben, ist es erträglich.«

»Hatten Sie das Geld am Dienstagabend dabei?«

»Ja.«

»Hat Herr Pauly das Geld genommen?«

»Dem Anblick konnte er nicht widerstehen«, erwiderte Mareike Graf. »Er hat das Geld nachgezählt und mir die Einwilligung unterschrieben, dass er bis zum 31. Juli ausziehen wird.«

Zwar hatte Bodenstein noch keinen abschließenden Bericht der Spurensicherung vorliegen, aber wenn die Beamten so viel Bargeld gefunden hätten, hätte man es ihm mitgeteilt. Hatte Pauly das Geld noch verstecken können, bevor sein Mörder gekommen war? War er vielleicht des Geldes wegen ermordet worden? Menschen mordeten schon für sehr viel weniger als fünfzigtausend Euro. Aber wer hatte überhaupt gewusst, dass Pauly von seiner Exfrau an dem Abend Geld bekommen hatte?

»Eine Zeugin hat erzählt, dass Sie und Ihr Exmann am Dienstagabend heftig gestritten haben«, sagte Bodenstein. »Stimmt das?«

»Das wird die Matthes-Else von gegenüber gesagt haben«, Mareike Graf strich sich eine blonde Strähne hinter das Ohr. »Sie hat recht. Zuerst haben wir uns angeschrien – wie immer, wenn wir uns gesehen haben. Nach der Geldübergabe war er dann ganz friedlich.«

Sie rollte die Augen und lachte.

»Zeigen Sie mir die Einwilligung, die Herr Pauly unterschrieben hat?«, bat Bodenstein.

»Selbstverständlich«, Mareike Graf ergriff ihre Aktentasche, legte sie auf den Tisch und ließ die Schlösser aufschnappen. Wenig später reichte sie Bodenstein ein Blatt in einer Klarsichthülle.

»Darf ich das behalten?«

»Wenn es Ihnen nichts ausmacht, gebe ich Ihnen eine Kopie.«

»Das Original wäre mir lieber«, Bodenstein lächelte. »Ich versichere Ihnen, dass Sie es von mir zurückbekommen.«

»Gut«, Mareike Graf erhob sich und wollte hinaus zum Kopierer gehen, der im Nachbarraum stand.

»Nehmen Sie es bitte nicht aus der Hülle«, Bodenstein folgte ihr. Sie wandte sich um und warf ihm einen seltsamen Blick zu.

»Fingerabdrücke, nicht wahr?«, schloss sie messerscharf. »Sie glauben mir nicht.«

»Ich glaube erst einmal alles«, entgegnete Bodenstein und lächelte entwaffnend. »Bis ich vom Gegenteil überzeugt werde.«

»Passiert hier mal bald was? Ich hab heute noch was vor«, nörgelte Behnke, und Pia fragte sich zum wiederholten Mal, weshalb ihre sämtlichen Kollegen den Kerl zu mögen schienen. In ihren Augen war er schlicht ein Kotzbrocken.

»Ich geh mal kurz für kleine Mädchen«, sagte sie und stand auf. In Wahrheit war sie neugierig, was sich hinter der Tür mit der Aufschrift »Privat« verbarg, durch die mittlerweile bestimmt schon fünf oder sechs junge Männer verschwunden, aber nicht wieder herausgekommen waren. Rasch vergewisserte sie sich, dass ihr niemand Beachtung schenkte, öffnete die Tür und ging hindurch. Sie ging einen Flur entlang, bis sie vor einer massiven Metalltür stand, die keine Klinke hatte. Links neben der Tür war ein Kartenlesegerät in die Wand eingelassen. »*For members only*« stand da, »*bitte Karte einführen*«.

»Was ist denn das?«, murmelte Pia und lauschte an der Tür. Außer der gedämpften Musik aus dem Bistro war kein Laut zu hören. Plötzlich öffnete sich die Tür, durch die sie eben gekommen war. Zwei junge Männer betraten hinter ihr den Flur.

»... der Tarek hat wohl echt einen an der Klatsche«, sagte einer der beiden. »Wie kann er nur so was machen, der Arsch? Wenn mein Alter das rauskriegt, reißt der mir den Kopf ab!«

Er verstummte, als er Pia erblickte.

»Hey«, der andere, ein pickliger Dürrer mit fettigen, schmutzigblonden Haaren, musterte sie anzüglich von Kopf bis Fuß. »Wo willst du denn hin, Süße?«

Pia überlegte kurz, ob sie den Jungen erklären sollte, sie habe sich auf der Suche nach der Toilette verirrt, dann entschied sie sich aber für die Wahrheit.

»Ich würde gerne wissen, was da hinter der Tür los ist«, sagte sie.

»Hast du 'ne Clubkarte?«, fragte der Picklige und beantwortete die Frage im nächsten Satz. »Eher nicht. Ich kenn dich nämlich nicht.«

»Und wer bist du? Der Manager?«, konterte Pia.

»Ich bin Dean Corso«, grinste das pubertäre Pickelgesicht frech. »Und das ist mein Freund, Boris Balkan.«

»Wie Johnny Depp siehst du aber nicht gerade aus«, erwiderte Pia, die den Film »Die neun Pforten« gesehen hatte, und zog ihren Ausweis hervor, »Kripo Hofheim.«

»Oh, das Auge des Gesetzes«, spottete der Picklige, unbeeindruckt von Pias Ausweis und ihren cineastischen Kenntnissen. »Sie sind trotzdem nicht im Club und müssen deshalb draußen bleiben.«

Pia sah den anderen Jungen an. Er war ungefähr achtzehn oder neunzehn, hatte dunkle, lockige Haare, die ihm bis auf die Schultern hingen, und wirkte abwesend. In der Hand hielt er eine Plastikkarte. Ein dritter Junge tauchte auf. Wie der dürre Pickelhering trug auch er eine viel zu große Skaterhose, ein schlabberiges T-Shirt und offene Turnschuhe. Pia fragte sich, wie sich die Mädchen heutzutage in solche schlampigen Gestalten verlieben konnten.

»Was geht ab?«, fragte er die beiden anderen lässig und starrte Pia an. Pia starrte zurück.

»Was läuft da drin?«, wollte sie wissen. »Wenn's nichts Illegales ist, müsst ihr es nicht vor mir verstecken.«

»Es ist nicht illegal«, sagte der Picklige, »es ist einfach nur – privat. Es geht Sie nichts an, okay?«

»Nein, nicht okay«, Pia tippte Behnkes Nummer.

»Sind Sie ins Klo gefallen?«, fragte Behnke charmant wie üblich.

»Kommen Sie mal durch die Tür, auf der ›Privat‹ steht«, entgegnete Pia, »sofort.«

»Verstärkung nützt Ihnen auch nichts«, der Picklige breitete die Arme aus und verstellte ihr grinsend den Weg, während der Lockige rasch seine Karte durch den Schlitz des Lesegerätes zog. Die Tür sprang mit einem Summen auf, die drei Jungen huschten hindurch, und Pia blieb alleine zurück. Da erschien Behnke. Pia erklärte ihm, was geschehen war, aber ihr Kollege zuckte nur uninteressiert die Schultern.

»Wenn die uns nicht reinlassen, haben wir keine Chance«, sagte er.

»So schnell gebe ich mich nicht geschlagen«, Pia klopfte mit der Faust gegen die Eisentür. »Ich lass mich doch nicht von diesen Pubertätspickelgesichtern aussperren!«

»Holen Sie sich einen Durchsuchungsbeschluss«, Behnke blickte auf die Uhr, »ich hab übrigens seit elf Minuten Feierabend.«

»Dann hauen Sie doch ab!«, fuhr Pia ihn wütend an.

»Stellen Sie sich vor, das tue ich auch«, damit drehte er sich auf dem Absatz um und ging. In dem Augenblick, als er durch die Tür zurück ins Bistro verschwand, öffnete sich die Eisentür. Der lockige Junge hielt Pia mit genervtem Gesichtsausdruck die Tür auf.

»Kommen Sie rein«, sagte er. »Sonst geben Sie ja doch keine Ruhe.«

»Das hast du gut erkannt«, antwortete Pia. »Was ist das hier?«

»Ein Internetcafé«, der Junge ging vor ihr her. »Wir wollen nicht jeden hier drin haben, deshalb die Karte.«

Sie gingen eine Treppe hinunter und einen Flur entlang. Ein dumpfes, rhythmisches Wummern drang aus einem Raum, dessen Tür der Lockige jetzt öffnete. Die Musik war ohrenbetäubend. Pia blickte in einen großen, fensterlosen Kellerraum mit kahlen Wänden und einer Neonröhre an der Decke. Armdicke Kabelstränge liefen über den nackten Beton und verschwanden irgendwo im Boden. Etwa zehn Flachbildschirme flimmerten auf einem Tisch in der Mitte, ringsum saßen die jungen Männer, die Pia beim Verlassen des Bistros beobachtet hatte, starrten konzentriert auf die Monitore und klapperten auf den Tastaturen herum.

»Was tun die da?«, schrie Pia dem lockigen Jungen ins Ohr. Er warf ihr einen Blick zu, als ob er an ihrem Verstand zweifelte.

»Surfen«, schrie er zurück, »was sonst?«

Die zwei Stunden in der Gesellschaft von Behnke hatten Pias Laune nicht gerade verbessert, außerdem hatte sie dröhnende Kopfschmerzen. Die Wirkung von der Aspirin am Morgen hatte längst nachgelassen, und sie bereute nicht nur die Nacht mit Henning, sondern auch die fünf Gläser Rotwein, zu denen sie sich hatte hinreißen lassen. Das Bistro hatte sich mittlerweile gefüllt. Sie bemerkte, dass ihr die jungen Mädchen, die an der Bar saßen, auffällig unauffällige Blicke zuwarfen. Lukas lächelte und hob grüßend die Hand. Sie trat ans Ende des Tresens.

»Hallo, Frau Kirchhoff«, sagte er freundlich und warf sich das Handtuch, mit dem er eben Gläser abgetrocknet hatte, über die Schulter. »Möchten Sie was trinken?«

»Hallo, Lukas«, Pia war sich der Blicke aus mindestens zwanzig eifersüchtigen weiblichen Augenpaaren bewusst, die sich in ihren Rücken bohrten, »danke, nein. Ich wollte bezahlen.«

»Ich sage Aydin Bescheid«, Lukas lehnte sich näher zu ihr hin, sein Gesicht wurde ernst. »Haben Sie schon herausgefunden, wer Ulli ...?«

»Bisher leider nicht«, antwortete Pia und blickte ihm in die faszinierenden Augen. Noch nie hatte sie ein so unglaubliches Grün gesehen.

»Ist Esther heute Abend hier?«, fragte sie.

»Nein«, Lukas schüttelte den Kopf, »sie ist ziemlich fertig. Aber wir kriegen das schon hin.«

»Weißt du, was Pauly an dem Dienstagabend gemacht hat, nachdem er das Bistro verlassen hatte?«, wollte Pia wissen.

»Keine Ahnung«, Lukas hob die Schultern, »nach der Versammlung ist er mit seinem Fahrrad nach Hause gefahren, so gegen Viertel nach acht vielleicht.«

Pia bemerkte, dass plötzlich irgendetwas hinter ihr Lukas' Aufmerksamkeit auf sich zog. Er wirkte mit einem Mal abgelenkt.

Ein ganzer Schwarm junger Mädchen hatte das Bistro betreten. Für Pia sahen sie sich in ihren hautengen Hüftjeans und knappen T-Shirts alle ähnlich: hübsch, langhaarig, bauchfrei. Sie hatte den Eindruck, dass die Mädchen zu ihrer Zeit lange nicht so hübsch gewesen waren und nicht ganz so großen Wert auf dieses perfekte, beinahe uniform wirkende Styling gelegt hatten.

»Ich will dich nicht aufhalten«, sagte sie deshalb, »du musst arbeiten. Aber vielen Dank.«

»Gern geschehen. Wenn Sie noch Fragen haben – Sie wissen ja, wo Sie mich finden.«

Bodenstein hatte Pia am Grünzeug abgeholt und kein Wort über Behnkes pünktlichen Feierabend verloren. Vor dem Haus von Esther Schmitt standen zwei Streifenwagen mit blinkendem Blaulicht, Neugierige hatten sich auf den Balkonen der benachbarten Reihenhäuser und dem gegenüberliegenden Bürgersteig versammelt.

»Was ist denn hier los?« Bodenstein bremste hinter einem der Streifenwagen. »Hoffentlich nicht noch eine Leiche.«

Sie sprangen aus dem Auto und betraten den Hof. Aus dem Innern des Hauses erklangen hysterische Stimmen und lautes Gepolter. Auf der Treppe zur Küche saß eine junge Polizeibeamtin und drückte ein Handtuch gegen eine blutende Kopfwunde, ein anderer Beamter kam ihnen in der Küche entgegen. Er hatte eine Platzwunde an der Lippe.

»Was ist da drin los?«, wollte Bodenstein wissen.

»Die Nachbarn haben uns angerufen, weil sie dachten, hier wird einer umgebracht. Also, so was habe ich noch nicht erlebt«, schimpfte der Beamte, »ich habe Verstärkung angefordert.«

Bodenstein und Pia betraten das Wohnzimmer und blieben angesichts des grotesken Bildes, das sich ihnen bot, fassungslos im Türrahmen stehen. Ein Beamter hielt eine um sich tretende, nur noch halb bekleidete Esther Schmitt im Schwitzkasten, ein anderer kämpfte mit einer zierlichen blonden Frau, die heftig aus der Nase blutete. Verblüfft erkannte Bodenstein Mareike Graf, die offenbar ganz und gar nicht das anmutige, mädchenhafte Geschöpf war, für das er sie gehalten hatte.

»Ruhe!«, schrie einer der Polizisten entnervt. »Schluss jetzt!«

Die Frauen beachteten ihn nicht und zankten weiter in einer Stimmlage, die hart an der Schmerzgrenze lag.

»Wenn du glaubst, dass du auch nur noch eine Nacht in meinem Haus bleiben darfst, dann hast du dich geschnitten, du Schlampe, du!«, keifte Mareike Graf.

»*Dein* Haus, dass ich nicht lache!«, pöbelte Esther Schmitt zurück. Von Trauer um den so eben verstorbenen Lebensgefährten keine Spur.

»Was ist das hier für ein Theater?«, fragte Bodenstein mit erhobener Stimme. Die beiden Frauen verstummten und starrten ihn wild an, dann kam zumindest Mareike Graf wieder zur Besinnung und hörte auf, sich gegen den Griff des Polizisten zu wehren.

»Ich will mein Geld wiederhaben«, erklärte sie. »Die da

hat kein Recht, in diesem Haus zu leben. Das habe ich ihr gesagt, und da ist sie auf mich losgegangen.«

»Das ist doch gar nicht wahr!«, schrie Esther Schmitt aufgebracht. »Du bist auf mich losgegangen, du durchgedrehte Psychopathin!«

»Sie hat das Geld, das ich meinem Exmann gegeben habe, unterschlagen«, sagte Mareike Graf so würdevoll, wie es möglich war, während ihr das Blut aus der Nase strömte. »Sie besitzt sogar die Frechheit zu behaupten, sie hätte das Geld nie gesehen!«

»Ich hab kein Geld gesehen!«, kreischte ihre Kontrahentin, dunkelrot vor Zorn.

»Du lügst!« Mareike Graf ballte wieder die Fäuste. »Du miese Erbschleicherin!«

»Fragt sich, wer hier die Erbschleicherin ist!«, versetzte Esther Schmitt gehässig. »Du gehörst auf jeden Fall in den Knast!«

»Das ist eine gute Idee«, Bodenstein wandte sich an seine Kollegen von der Kelkheimer Polizei. »Nehmt die beiden Damen mit und lasst sie mindestens zwei Stunden in der Zelle abkühlen. Wenn sie sich beruhigt haben, könnt ihr sie wieder laufen lassen.«

Mareike Graf fügte sich widerstandslos und ließ sich hocherhobenen Kopfes abführen, Esther Schmitt dagegen wehrte sich wie eine Katze vor dem Tierfänger. Die Polizisten diskutierten noch über die Schlägerei, aber Bodenstein interessierte das Geld, das die eine gesucht und die andere angeblich nie gesehen haben wollte.

»Wenn Mareike Graf um halb neun hier war und Pauly das Geld gegeben hat«, überlegte Pia, »und er etwa um halb elf gestorben ist, dann hatte er zwei Stunden Zeit, um das Geld irgendwo zu verstecken.«

»Vielleicht hat jemand genau danach gesucht und dabei

das Haus so verwüstet«, Bodenstein blickte sich im Wohnzimmer um.

»Es könnte ein Raubmord gewesen sein«, überlegte Pia, »es sind schon Leute wegen weitaus weniger Geld umgebracht worden.«

»Raubmörder machen sich nicht die Mühe, die Leiche zu verstecken«, widersprach Bodenstein.

Eine Stunde lang durchsuchten sie verstärkt von den beiden inzwischen verarzteten Polizeibeamten das ganze Haus vom Keller bis zum Dachboden, ohne auch nur einen einzigen Geldschein zu finden.

Es war kurz nach neun, als sie die Suche ergebnislos einstellten, das Haus abschlossen und nach Hofheim aufs Kommissariat fuhren. Ostermann saß noch an seinem Computer. Er hatte bereits die von Bodenstein telefonisch erbetene Auskunft über Mareike Graf vorliegen.

»1988 gab es eine Vorstrafe, die aber gelöscht ist, weil sie nach Jugendstrafrecht verurteilt wurde«, las Ostermann vor, »1991 und 1992 wurde sie wegen Tätlichkeiten zu Geldstrafen und gemeinnütziger Arbeit verurteilt, 1998 Bewährungsstrafe wegen Körperverletzung, 2002 verurteilt wegen Hausfriedensbruch und Vandalismus, 2003 verurteilt wegen Nötigung und Körperverletzung. Sie ist zurzeit auf Bewährung.«

»Wie man sich doch in Menschen täuschen kann«, sagte Bodenstein und leistete Esther Schmitt in Gedanken Abbitte.

Ostermann ließ gerade auch ihren Namen durch den Computer laufen. Sie hatte ebenfalls gegen Gesetze verstoßen, war wegen Versicherungsbetruges, Nötigung, Beleidigung und Körperverletzung vorbestraft.

»Zwei wirklich reizende Damen«, bemerkte Pia spöttisch.

»Wir haben auch Ergebnisse aus dem Labor«, sagte Ostermann. »Die Überprüfung des Handabdrucks am Tor hat zwar nichts ergeben, aber das Blut ist identisch mit Blutspuren in Paulys Arbeitszimmer und im Wohnzimmer.«

Bodenstein und Pia wechselten einen Blick.

»Ich tippe auf Patrick Weishaupt«, sagte Pia. »Ich würde seine Verletzungen zu gerne mal begutachten lassen.«

Bodensteins Handy summte. Es war Cosima.

»Ich hatte heute einen entsetzlichen, sauerstoffarmen Tag in stickigen Schneideräumen«, sagte sie. »Kannst du vielleicht etwas vom Chinesen mitbringen, wenn du nach Hause kommst?«

Bodenstein verließ Ostermanns Büro, um in sein eigenes zu gehen. »Du klingst müde. Geht es dir gut?«

»Ja, ich liege auf der Terrasse und gucke in den Abendhimmel«, antwortete Cosima betont heiter, aber da war etwas in ihrer Stimme, das Bodenstein aufhorchen ließ.

»Mit dir stimmt doch etwas nicht«, argwöhnte er. »Ist etwas passiert?«

Cosima zögerte. »Ich hatte einen kleinen Unfall«, räumte sie ein, »nichts Tragisches, nur Blechschaden.«

»Einen Unfall? Wo? Warum?«

»Es war nichts«, wiegelte Cosima ab, »wirklich. Mach dir keine Sorgen.«

Bodenstein schwante nichts Gutes. Was Cosima als »nichts« zu bezeichnen pflegte, bedeutete für andere Leute eine mittlere Katastrophe. Erst im letzten Jahr hatte sie sich bei ihrer Anden-Expedition den Fußknöchel gebrochen, als der Jeep, in dem sie gesessen hatte, abgerutscht und in eine mehrere hundert Meter tiefe Schlucht gestürzt war. Sie hatte im letzten Augenblick aus dem Auto springen können.

»Ich bin in einer Viertelstunde zu Hause«, Bodenstein war besorgt. »Und ich bringe uns etwas zu essen mit, in Ordnung?«

Samstag, 17. Juni 2006

Um vier Uhr morgens begann das Handy von Bodenstein auf dem Nachttisch zu summen, es leuchtete und vibrierte hektisch. Schlaftrunken fuhr er hoch. Es war Elisabeth Matthes, die Bodenstein aufgeregt mitteilte, dass Paulys Haus lichterloh in Flammen stand.

»Das darf doch nicht wahr sein«, fluchte Bodenstein und drückte auf den Lichtschalter neben dem Bett.

»Was ist passiert?«, fragte Cosima schlaftrunken.

»Das Haus von dem Toten, den wir am Opel-Zoo gefunden haben, brennt«, erwiderte Bodenstein, während er schon in seine Kleider fuhr. »Schlaf nur weiter. Ich bin gleich zurück.«

Wie er befürchtet hatte, war ihr Unfall gestern alles andere als eine Lappalie gewesen. Cosima hatte auf der A66 in der Höhe von Wallau die Kontrolle über ihr Auto verloren. Dank Airbags und Sicherheitsgurt hatte sie nicht mehr davongetragen als ein Schleudertrauma und einen ordentlichen Schrecken, aber der X5 war an der Leitplanke ziemlich beschädigt worden.

Bodenstein ergriff seine Jacke, die neben der Tür zur Garage hing. Er tätschelte dem Hund zum Abschied den Kopf, öffnete die Tür zur Garage und drückte auf den Lichtschalter. Ihm blieb vor Schreck beinahe das Herz stehen, als er am Kofferraum des Oldtimers seines Sohnes zwei Gestalten in inniger Umarmung erblickte, die nun erschrocken auseinanderfuhren.

»Herrgott, Lorenz, was machst du denn um vier Uhr morgens in der Garage?«, fuhr er seinen Sohn an, erst dann erkannte er das Mädchen in seiner Begleitung.

»Hallo, Herr von Bodenstein«, Thordis Hansen war ganz rot im Gesicht und zupfte verlegen an ihrem äußerst knappen T-Shirt. Bodenstein blickte irritiert zwischen seinem Sohn und der Tochter von Inka Hansen hin und her. Er hatte gar nicht gewusst, dass sich die beiden kannten. Bei seinen Ermittlungen im vergangenen Spätsommer, als Inkas Kollege Dr. Kerstner im Verdacht gestanden hatte, seine Frau Isabel getötet zu haben, hatte er Thordis kennengelernt. Sie hatte mit dazu beigetragen, dass er den Mord an Isabel Kerstner ziemlich rasch aufgeklärt hatte.

»Wir ... äh ... ich wollte Thordis nur schnell meinen Sunbeam zeigen«, stotterte Lorenz, nicht minder verlegen. Thordis kicherte nervös, und Bodenstein kapierte, dass er die beiden nur zwei Minuten später wohl in einer sehr viel peinlicheren Situation überrascht hätte. Er erinnerte sich an seine Erlebnisse mit der jungen Frau im letzten Sommer. Sie hatte ihm damals unmissverständlich signalisiert, dass sie nichts gegen eine nähere Bekanntschaft einzuwenden gehabt hätte; der Altersunterschied und die Tatsache, dass er verheiratet war, hatten sie nicht die Bohne interessiert. Thordis Hansen war auf jeden Fall ein anderes Kaliber als die Mädchen, die sein Sohn sonst anschleppte. Woher kannten sie sich? War es etwas Ernstes zwischen den beiden? Er war sich nicht ganz sicher, ob es ihm gefiel, wenn Thordis in Zukunft in seinem Haus ein und aus gehen würde.

»Na, dann mach das mal«, bevor die Situation noch peinlicher werden konnte, drückte er auf einen Schalter, das Garagentor ging auf. »Gute Nacht.«

Die Kelkheimer Feuerwehren aus drei Stadtteilen kämpften mit einem Großaufgebot gegen ein Übergreifen der Flammen auf das benachbarte Reihenhaus. Bodenstein hatte sein Auto weiter vorne abgestellt und ging zu Fuß näher. Er blieb stehen und beobachtete die Einsatzkräfte, schwarze Silhouetten vor dem glühend roten Inferno, in das sich Haus, Bäume und Schuppen verwandelt hatten. Kreuz und quer lagen die Schläuche, die Motoren und Aggregate der Löschfahrzeuge brummten, aus mehreren Schläuchen spritzte Wasser in die hochlodernden Flammen, wo es augenblicklich zischend verdampfte. Die ganze Szenerie, das stumme Zucken der Blaulichter unter der dicken schwarzen Rauchwolke, hatte auf die Entfernung etwas Wahnsinniges an sich. Bodensteins erster Gedanke war, dass der Brand Mareike Graf ziemlich gut in den Kram passen würde. Ein Mann kam quer über die Straße auf ihn zu.

»Hallo, Bodenstein«, sagte er, »was machen Sie denn hier?«

Bodenstein erkannte Jürgen Becht, seinen Kollegen vom K10, zuständig für Brandsachen.

»In dem Haus wurde der Mann ermordet, den wir vorgestern am Opel-Zoo gefunden haben«, erklärte er. »Gestern Abend haben wir noch das ganze Haus durchsucht.«

Noch hundertfünfzig Meter vom Brandort entfernt war die Hitze des Feuers zu spüren.

»Die Feuerwehr geht von Brandstiftung aus.« Becht zog an seiner Zigarette und starrte missmutig in die Flammen.

»Wieso?«, fragte Bodenstein. »Wie können sie das beurteilen?«

»Um zehn vor vier kam der Notruf von der Nachbarin«, erklärte Becht. »Sie hat gegen zwanzig vor vier ein Auto anfahren hören, dann klirrte es, und Minuten später stand schon das Haus in Flammen. Wie klingt das für Sie?«

»Ziemlich eindeutig. Sie hat übrigens auch mich angerufen.«

Plötzlich fiel Bodenstein ein, dass er gestern die Anweisung gegeben hatte, die beiden Frauen nach zwei Stunden laufen zu lassen!

»War noch jemand im Haus, als das Feuer ausbrach?«, fragte er besorgt.

»Ja«, Becht nickte, »die beiden hatten ziemliches Glück. Die Frau ist mit einer leichten Rauchvergiftung und ein paar oberflächlichen Brandwunden davongekommen.«

»Die beiden?«, vergewisserte Bodenstein sich.

»Ja«, erwiderte Jürgen Becht, »die Bewohnerin und ein Mann. Bevor die Feuerwehr kam, ist der aber abgehauen. Die Frau ist im Krankenhaus in Bad Soden. Zur Beobachtung.«

Durch das Chaos der Löscharbeiten näherte sich Elisabeth Matthes im Morgenrock. Bodenstein begrüßte sie und bedankte sich für den Anruf.

»Ich habe in der Küche gesessen, weil ich nicht schlafen konnte«, Elisabeth Matthes glühte vor Wichtigkeit, entzückt darüber, einmal im Mittelpunkt von aufregenden Ereignissen stehen zu können und einen aufmerksamen Zuhörer gefunden zu haben. »Da habe ich das Auto kommen hören. Es fuhr bis in den Wendehammer, ganz langsam.«

Sie machte eine dramatische Pause.

»Haben Sie erkannt, was es für ein Auto war?«, fragte Bodenstein.

»Selbstverständlich«, sie nestelte einen Zettel aus der Tasche ihres Morgenrocks und reichte ihn Bodenstein. »Ein weißer Lieferwagen. Die Autonummer war seltsam. ERA-82 TL.«

Bodenstein warf einen Blick auf den Zettel. Ein polnisches Kennzeichen. Die Nachbarin hatte einen Mann aussteigen und zum Haus von Pauly gehen sehen, wenig später hatte es geklirrt, und dann hatte es auch schon nach Feuer gerochen.

»Ich habe den Mann aus dem Tor kommen und weglaufen sehen. Da hat's schon gebrannt«, Frau Matthes dachte nach, ob sie etwas bei ihrer Schilderung vergessen hatte. Bodenstein reichte den Zettel an seinen Kollegen Becht weiter und bat ihn darum, das polnische Kennzeichen zu überprüfen. Mit einem Krachen stürzten die Dachbalken ein, ein heller Funkenregen spritzte in den verrauchten Nachthimmel.

»Ich habe mich gewundert, dass die Hunde gar nicht gebellt haben«, sagte die Nachbarin, »die machen doch sonst immer sofort Theater.«

»Ist Ihnen sonst noch etwas aufgefallen? Ist der Mann, der weggelaufen ist, in den weißen Lieferwagen gestiegen?«

Frau Matthes zögerte. Ein großer, glatzköpfiger Mann, der bei den Löschfahrzeugen gestanden und mit den Feuerwehrleuten gesprochen hatte, kam näher. Bodenstein erkannte Erwin Schwarz, den Landwirt von gegenüber.

»Nein, mehr habe ich nicht gesehen«, die redselige Frau hatte ihn auch erkannt und wirkte plötzlich eingeschüchtert, beinahe verängstigt. Noch bevor Bodenstein etwas sagen konnte, war sie fluchtartig in ihrem Vorgarten und im Haus verschwunden.

Die Helligkeit des Vormittags machte das Ausmaß der Zerstörung, das Feuer und Löschwasser angerichtet hatten, wirklich sichtbar. Esther Schmitt stand mit ausdrucksloser Miene vor den rauchenden Trümmern des Hauses. Sie trug eine formlose Leinenhose, ein fleckiges T-Shirt und Sandalen, die Kleidung, in der sie aus dem brennenden Haus geflüchtet war. Ihr Gesicht und ihre Arme zierten einige Brandblasen, die rechte Hand war verbunden. Die Feuerwehr war bis auf zwei Leute, die die schwelenden Reste des Brandes überwachten, abgezogen, den gesamten Brandort hatte man weiträumig abgesperrt.

»Mir geht's gut«, Esther Schmitt wandte den Blick nicht von der Ruine, als Bodenstein sich nach ihrem Befinden erkundigte.

»Wo waren Sie, als das Feuer ausgebrochen ist?«, fragte er.

»Im Bett. Ich bin erst wach geworden, als ich husten musste. Da stand unten schon alles in Flammen.«

»Wie sind Sie aus dem Haus rausgekommen?«

»Durchs Fenster. Ich bin am Efeu runtergeklettert«, Esther Schmitt ballte die Fäuste. »Alle meine Tiere sind in dem Feuer qualvoll gestorben. Diese Mistkerle.«

»Haben Sie eine Vermutung, wer das Feuer gelegt haben könnte?«

Esther Schmitt starrte Bodenstein aus geröteten Augen an.

»Die Grafs natürlich«, ihre Stimme klang bitter. »Wer sonst hätte ein Interesse daran haben können, dass das Haus abbrennt?«

»Die Feuerwehr sagte, dass Sie Besuch von einem Mann hatten«, bemerkte Bodenstein. »Wer war das? Warum ist er weggelaufen?«

»Ich hatte keinen Besuch und bestimmt nicht von einem Mann«, sagte Esther Schmitt knapp. »Vielleicht war es der Brandstifter.«

»Frau Schmitt«, Bodenstein zog eine Kopie der Vereinbarung zwischen den Grafs und Pauly hervor, »haben Sie wirklich nichts von dem Geld gewusst, das Frau Graf Ihrem Lebensgefährten gegeben haben will?«

»Nein«, Esther Schmitt streifte das Blatt mit einem uninteressierten Blick, »wieso sollte ich Sie anlügen? Das Geld ist mir auch völlig egal.«

Ein grüner Lieferwagen mit Werbeaufschrift vom Bistro Grünzeug näherte sich, hielt ein paar Meter entfernt an. Ein junger dunkelhaariger Mann stieg aus und kam näher. Er war etwa Mitte zwanzig und hatte leicht asiatisch anmutende Gesichtszüge.

»Hallo, Esther«, er wirkte besorgt. »Bist du in Ordnung?«

»Hallo, Tarek«, sie zwang sich zu einem Lächeln, »ja, mir geht's gut. Danke, dass du mich abholst.«

»Ist doch selbstverständlich«, der junge Mann nickte Bodenstein und Pia kurz zu, dann wandte er sich wieder an Esther Schmitt.

»Ich warte im Auto«, sagte er.

»Nein, warte«, sie griff nach seinem Arm und brach plötzlich in Tränen aus. Der junge Mann legte den Arm um sie.

»Ich habe nur noch eine Frage«, sagte Pia.

»Muss das jetzt sein?« Der junge Mann warf Pia einen verständnislosen Blick zu. »Sie sehen doch, dass sie unter Schock steht.«

Pia wusste auch nicht weshalb, aber trotz allem, was der Frau in den letzten achtundvierzig Stunden an Schicksalsschlägen widerfahren war, empfand sie kein Mitleid. Sie hatte das Gefühl, dass Esther Schmitt in Wirklichkeit nicht so niedergeschmettert und schockiert war, wie sie sich gab. Gestern Abend, beim Kampf mit Mareike Graf, war ihr auf jeden Fall von der Trauer um ihren ermordeten Lebensgefährten nichts anzumerken gewesen.

»Ich war gestern in Ihrem Bistro«, sagte Pia. »Mir ist aufgefallen, dass einige junge Leute durch eine Tür, auf der ›Privat‹ steht, verschwunden und nicht wieder aufgetaucht sind. Was befindet sich hinter dieser Tür?«

In den verweinten Augen von Esther Schmitt erschien ein wachsamer Ausdruck. Das erste Mal an diesem Morgen sah sie Pia richtig an.

»Nichts weiter. Da geht es in den Keller«, erwiderte sie mit einer leisen, unsicheren Kleinmädchenstimme, die nicht zu ihr passte.

An der Art, wie ihr Blick für einen winzigen Augenblick nervös hin und her zuckte, merkte Pia, dass irgendetwas nicht in Ordnung war mit dem angeblichen Internetcafé. Bevor sie etwas sagen konnte, mischte sich der junge Mann ein.

»Jetzt lassen Sie sie doch in Ruhe«, sagte er energisch. »Kommen Sie später noch mal vorbei.«

Esther Schmitt brach wieder in Tränen aus und ließ sich von dem jungen Mann zum Lieferwagen führen.

»Nicht nur Pauly scheint eine Vorliebe für Achtzehnjährige gehabt zu haben«, bemerkte Pia trocken. »Auch die Super-Vegetarierin steht auf junges Gemüse.«

Bodenstein blickte den beiden nach und grinste leicht. In dem Moment fuhr ein Traktor aus dem Hoftor des Bauern Schwarz, und Pias Handy summte. Bodenstein signalisierte ihr, dass er mit dem Fahrer des Traktors reden wollte. Pia nickte und klappte ihr Handy auf. Es war Henning, der ihr bestätigte, dass die Verletzungen an Patrick Weishaupts Hand und Wade zweifellos von Hundebissen stammten. Sie bat ihn, dem Jungen noch eine Blutprobe und Fingerabdrücke abzunehmen, dann überquerte sie die Straße und ging zu ihrem Chef, der mit dem etwa fünfundzwanzigjährigen Mann auf dem Traktor sprach.

»... keine Ahnung, was Sie meinen«, hörte Pia den Mann über den Motorenlärm sagen. Er war rotblond und stämmig, das runde Gesicht von den Narben einer grausamen Pubertätsakne gezeichnet.

»Sie haben frische Brandwunden im Gesicht und an den Unterarmen«, beharrte Bodenstein und deutete auf die Arme des Mannes, auf denen sich Brandblasen gebildet hatten. »Warum?«

»Unser Boiler ist kaputt«, behauptete der Mann. »Hab mich gestern beim Duschen verbrüht. Darf ich weiterfahren? Ich muss ins Feld.«

Bodenstein trat zurück und ließ den Traktor vorbeiknattern.

»Wer war das?«, erkundigte sich Pia.

»Der Sohn von Erwin Schwarz«, erklärte Bodenstein. »Ich habe den Verdacht, dass mir die Nachbarin gestern etwas über die Familie Schwarz erzählen wollte. Als sie den Alten erkannte, bekam sie Angst.«

Er starrte einen Moment nachdenklich vor sich hin.

»Kollege Becht meint, dass die Spur mit dem weißen Lieferwagen uninteressant ist«, sagte er dann. »Am Montag ist Sperrmüll. Viele Leute haben Sachen draußen stehen, und die Polen und Litauer fahren ja immer wieder durch die Straßen, um alles mitzunehmen, was ihnen irgendwie brauchbar erscheint. Er meint, dass es einfach Zufall war.«

Mittlerweile waren Beamte von der Spurensicherung eingetroffen, verstärkt von Spezialisten des Landeskriminalamtes. In Spezialanzügen und mit Atemschutzmasken wagten sie sich in die schwelenden Überreste des Hauses, von dem nur noch geschwärzte Mauern und glühend heißer Schutt übrig waren.

»Henning hat zweifelsfrei festgestellt, dass Patricks Verletzungen von Hundebissen stammten«, sagte Pia und verzog bei der Erinnerung an den freundlichen, zottigen Hund mit den blauen Augen das Gesicht. »Vielleicht finden die Kollegen in der Asche wenigstens noch die Zähne der Hunde. Dann hätten wir womöglich den Beweis, dass Patrick Weishaupt hier im Haus war.«

Die Metzgerei Conradi befand sich in einem Eckhaus an der Bahnstraße, Kelkheims alteingesessener Einkaufsmeile, die bei den Einwohnern noch immer höher im Kurs stand als die schicke neue Stadtmitte an der Frankenallee. Kurz vor dem Wochenende herrschte im Laden großer Andrang. Bodenstein und Pia stellten sich hinten an und warteten geduldig, bis sie an der Reihe waren. Die Chefin war schlecht gelaunt, aber Bodenstein wusste von Cosima, dass sie das immer war, vor allen Dingen, wenn sie mal wieder eine Diät machte. Viele Kunden kamen angeblich nicht nur wegen Conradis guter Wurst, sondern weil die bissigen Kommentare von Frau Conradi und die häufig im Laden ausgetragenen Wortgefechte zwischen Chef und Chefin einen hohen Unterhaltungswert besaßen. Auch heute wurden die Anwesenden nicht enttäuscht.

»Ich hätte gern ein schönes, mageres Kotelett«, sagte eine Dame.

»Wollen Sie's essen oder einrahmen?«, schnauzte Frau Conradi. Die Dame lächelte nur. Sie war offenbar Stammkundin.

»Darfssonstnochwassein?« Das klang drohend.

»Drei Scheiben gekochten Schinken. Aber nicht die oberste Scheibe.«

Frau Conradi hieb ihre Vorlegegabel in den Schinken aus der Auslage und klatschte drei Scheiben auf das gewachste Papier. Die hübsche Verkäuferin schob sich hinter ihr her zur Kasse und tippte etwas ein.

»Bitte schön?« Frau Conradi nahm Bodenstein ins Visier. In ihr verdrossenes Gesicht waren Falten der Verbitterung eingegraben.

»Mein Name ist Bodenstein, das ist meine Kollegin, Frau Kirchhoff ...«, begann Bodenstein mit seiner üblichen Vorstellung.

»Schön für Sie«, unterbrach sie ihn. »Was darf's sein?«

»Wir möchten gerne Ihren Mann sprechen.«

»Wieso? War was nicht in Ordnung? Das können Sie mir auch sagen.«

»Kripo Hofheim«, Pia zückte ihren Ausweis. »Holen Sie bitte Ihren Mann.«

Frau Conradi starrte sie aus schmalen Augen an, dann knallte sie die Gabel auf die Arbeitsfläche und verschwand.

Der Laden hatte sich wieder gefüllt, die blonde Verkäuferin bediente in Abwesenheit ihrer Chefin im Akkord. Nach ein paar Minuten erschien ein großer, dunkelblonder Mann in einem schneeweißen Kittel und einer rotweiß karierten Schürze. Metzgermeister Conradi hatte ein markantes Gesicht und strahlend blaue Augen. Die weibliche Kundschaft im Laden, die er reihum namentlich begrüßte, bekam bei seinem Anblick hungrige Blicke.

»Hallo«, Conradi lächelte freundlich. »Sie wollten zu mir? Kommen Sie doch außen herum in den Hof.«

Bodenstein und Pia verließen den Laden und betraten den Hinterhof, in dem ein Lieferwagen mit geöffneter Klappe stand.

»Kein Wunder, dass Frau Conradi Konkurrenz fürchtet«, bemerkte Pia.

»Wieso?«, fragte Bodenstein verwundert.

»Sie sehen das nicht«, sagte Pia, »Sie sind ein Mann.«

»Was sehe ich nicht?«

»Der Typ sieht einfach umwerfend aus.«

Conradi erschien in der Hintertür und bedeutete ihnen, näher zu kommen. Bodenstein und Pia folgten ihm durch die weißgefliese Wurstküche in ein kleines Büro.

»Sie kommen sicher wegen Pauly«, sagte er, nachdem Bodenstein und Pia auf zwei Stühlen vor seinem Schreibtisch Platz genommen hatten. »Der Schwarze Erwin hat mir erzählt, dass er tot ist. Ich habe schon erwartet, dass Sie früher oder später hier auftauchen.«

»Wieso das?«, fragte Pia. Aus der Nähe betrachtet, sah Conradi noch immer gut aus. Die grauen Schläfen und die Lachfältchen um seine Augen schadeten dem Gesamteindruck nicht.

»Jeder weiß, dass ich diesen rechthaberischen Körnerfresser nicht leiden konnte«, Conradi gab sich keine Mühe, seine Abneigung zu verbergen.

»Sie haben neulich einen seiner Hunde erschossen«, sagte Bodenstein.

»Stimmt«, Conradi nickte, »er hat seine Köter immer frei herumlaufen lassen. Tiere ohne Gitter, ha! Ich bin als Jagdpächter für das Wild verantwortlich und habe ihm mehrfach gesagt, dass er die Viecher wenigstens in der Schonzeit einsperren soll. Übrigens wusste ich gar nicht, dass es einer von Paulys Hunden war. Er hatte noch nicht mal ein Halsband an, und später kam raus, dass Pauly sich für vier Hunde die Steuer gespart hat. Deswegen hat er die ganze Sache auch nicht an die große Glocke gehängt, wie es sonst seine Art war.«

»Wann war das?«

»Vor ein paar Wochen. Einen Tag später marschierte er in meinen Laden und bezeichnete mich vor allen Kunden als Tiermörder und Killer«, Conradi zog eine Grimasse. »Er liebte solche Auftritte. Ich hab ihn rausgeworfen. Am nächsten Morgen waren die Fensterscheiben vom Laden mit Beschimpfungen beschmiert.«

»Haben Sie sich das einfach so gefallen lassen?«, fragte Pia. Conradi zuckte die Schultern.

»Meine Frau hat sich darum gekümmert«, sagte er, »sie hatte eh noch ein Hühnchen mit ihm zu rupfen. Wegen unserem Sohn.«

Conradis Gesicht verdüsterte sich.

»Der sollte eine Lehre machen, um irgendwann das Geschäft zu übernehmen, aber dieser verdammte Pauly hat ihm den Floh ins Ohr gesetzt, er müsse Abitur machen und studieren. Plötzlich hat sich unser Sohn vor seinen feinen Freunden für uns geschämt, hat einen großen Bogen um unseren Laden gemacht und lieber am Computer herumgeklimpert. Vor ein paar Wochen ist er ausgezogen.«

»Wo waren Sie am vergangenen Dienstagabend?«, fragte Bodenstein.

»Wieso?«, fragte Conradi misstrauisch. »Glauben Sie etwa, ich hätte was mit Paulys Tod zu tun?«

»Ganz unverdächtig sind Sie nicht«, erwiderte Bodenstein. »Sie waren wütend auf Pauly. Jemand hat uns erzählt, dass Sie ihn am Montagabend niedergeschlagen haben.«

Conradi lächelte dünn.

»Er war völlig außer Rand und Band an dem Abend«, gab er zu. »Als er mich das dritte Mal abfällig als den ›Wurschtkönig aus der Bahnstraße‹ bezeichnet hat, hat's mir gereicht.«

»Heute steht in der Zeitung, dass Sie am Montag geäußert haben, Sie würden gerne auf Paulys Grabstein pinkeln«, sagte Pia. »Das können Sie dann ja bald tun.«

Das Gesicht von Metzgermeister Conradi lief dunkelrosa an.

»Warum waren Sie am Dienstag nicht wie üblich beim Stammtisch im Goldenen Löwen?«

Wenn Conradi darüber erstaunt war, dass die Kriminalpolizei das wusste, ließ er es sich nicht anmerken.

»Ich war an dem Abend …«, begann er, verstummte aber, als seine Frau in der Tür des Büros auftauchte und mit verschränkten Armen im Türrahmen stehen blieb wie eine Abgesandte der Inquisition.

»Also?«, fragte Bodenstein nach.

»Er hat zwei Spanferkel zum Golfclub gefahren«, erwiderte Frau Conradi anstelle ihres Mannes. Der schien sich plötzlich in seiner Haut nicht mehr ganz wohl zu fühlen.

»Aha«, Pia machte sich eine Notiz. »Wann waren Sie wieder zu Hause?«

Conradi öffnete den Mund zu einer Antwort, aber seine Frau war wieder schneller. Und jetzt war klar, dass sie ihrem Mann keineswegs helfen wollte.

»Um zwei Uhr morgens«, sagte sie scharf. »Stockbesoffen war er.«

»Red doch nicht so einen Quatsch!«, fuhr Conradi seine Frau an. »Hast du im Laden nichts zu tun? Verschwinde!«

»Wo waren Sie denn bis um zwei Uhr morgens?«, fragte Pia nach.

»Ich war im Golfclub«, sagte Conradi, »bis das Essen beendet war. Dann …«

»Das würde mich auch interessieren«, unterbrach Frau Conradi ihn.

»Raus hier!« Er sprang auf und ging zur Tür. Seine Frau wich vor ihm zurück.

»Ich wette, du warst wieder bei irgendeiner Tussi«, sie lachte gehässig. »Du kannst die Finger ja nicht von den Weibern lassen!«

Conradi knallte die Tür zu und wandte sich wieder Bodenstein und Pia zu.

»Ich war nicht betrunken«, sagte er verlegen, »aber stimmt, ich war danach bei einer Bekannten.«

»Wie heißt diese Bekannte? Wo wohnt sie? Und wann sind Sie bei ihr eingetroffen?«, wollte Pia wissen.

»Ich will nicht, dass sie Schwierigkeiten bekommt«, Conradi wand sich unbehaglich.

»Die Schwierigkeiten bekommen Sie, wenn Sie uns kein nachprüfbares Alibi für die Nacht von Dienstag auf Mittwoch vorweisen können«, Pia zuckte die Schultern. Conradi ließ sich wieder auf seinen Stuhl sinken. Bodenstein und Pia warteten, bis sich der Mann endlich zu einer Antwort durchgerungen hatte.

»Also gut«, sagte er schließlich, »wahrscheinlich kriegen

Sie es sowieso raus. Ich hab mich mit Mareike getroffen. Mareike Graf.«

Diese Antwort verschlug Bodenstein und Pia kurzfristig die Sprache.

»*Die* Mareike Graf?«, vergewisserte Pia sich. »Die Exfrau von Pauly?«

»Wir kennen uns schon lange«, Conradi zuckte die Schultern. »Sie hat eine Weile beim Lehnert als Kellnerin gejobbt, als sie Pauly verlassen hatte. Eines Tages kamen wir ins Gespräch. Und seitdem, na ja …«

»Sie ist doch noch gar nicht so lange wieder verheiratet«, wandte Bodenstein ein.

»Kennen Sie ihren Mann?« Conradi winkte ab. »Der hat nur seine Arbeit, das Golfspielen und seine Oldtimerrallyes im Kopf. Zwischen dem und Mareike ist das so eine Art Vernunftehe.«

Sein Blick wanderte zur geschlossenen Tür.

»Wie bei mir«, fügte er mit bitterem Unterton hinzu.

Bodenstein und Pia wechselten einen Blick. Weder Conradi noch Mareike Graf hatten ein echtes Alibi für die Tatzeit und zweifellos ein oder sogar mehrere Motive, Pauly den Tod zu wünschen. Als Jagdpächter besaß Conradi Schlüssel für sämtliche Schranken im Wald, konnte also leicht vom Golfplatz aus direkt an Paulys Haus herangefahren sein. Er war kräftig genug, eine Leiche in seinen Lieferwagen zu heben. Motiv – Mittel – Gelegenheit, alles war vorhanden.

Auch privat schienen die Grafs gerne im Glashaus zu sitzen. Die Villa hinter mannshohen, blickdichten Buchsbaumhecken auf dem Dachberg in Bad Soden bestand zum größten Teil aus riesigen Fenstern. In der Einfahrt hinter einem hohen, schmiedeeisernen Tor parkte ein Oldtimer Jaguar-Cabrio vor einer geöffneten Garage, in der noch zwei weitere Autos standen.

»Dieses Auto würde meinem Sohn vor Neid die Tränen in die Augen treiben«, Bodenstein drückte auf die Klingel. »Wenn ich mich nicht täusche, ist das ein Jaguar XK120 aus den fünfziger Jahren.«

Ein schlanker, grauhaariger Mann in Polohemd und heller Jeans mit Bügelfalten kam aus dem Haus. Er mochte um die fünfzig sein, hatte einen Schnauzbart und trug eine Brille. Über seiner Schulter hing ein Golfsack, aus dem ein paar Schläger ragten.

Bodenstein hielt seinen Ausweis hoch.

»Kriminalpolizei Hofheim. Wir möchten zu Frau Graf.«

Der Mann öffnete das Tor und musterte Bodenstein und Pia kurz. »Meine Frau kommt sofort. Sie sind sicher wegen ihrem Exmann da.«

»So ist es«, Bodenstein nickte. »Sind Sie auf dem Weg zum Golfplatz?«

»Ja. Wir haben heute ein Turnier. Vereinsmeisterschaften.«

»Aha. Wo spielen Sie?«

»Hof Hausen vor der Sonne«, Graf warf einen raschen Blick auf die Uhr an seinem Handgelenk.

»Sie fahren ein schönes Auto«, bemerkte Bodenstein, »ein XK120, nicht wahr?«

»Stimmt genau«, Graf lächelte mit Besitzerstolz. »Baujahr 1953. Ich habe das Auto vor zehn Jahren als Schrotthaufen gekauft und komplett restaurieren lassen. Ich fahre leidenschaftlich gerne Oldtimerrallyes.«

Mit klappernden Absätzen näherte sich Mareike Graf. Selbst an einem Samstagvormittag war sie elegant gekleidet, die dreireihige Perlenkette an ihrem Hals musste ein kleines Vermögen wert sein.

»Guten Morgen«, gurrte sie strahlend und tätschelte ihrem

Mann den Arm. »Musst du nicht los, Häschen? Es ist schon Viertel nach elf.«

Es war eindeutig, dass sie ihn los sein wollte, bevor Bodenstein oder Pia mit dem Grund ihres Besuches herausrücken konnten. Der Blick, mit dem Manfred »Häschen« Graf seine hübsche Ehefrau verschlang, ließ sich ganz und gar nicht mit dem Begriff »Vernunftehe« in Einklang bringen. Mareike Graf drückte ihrem Mann einen Kuss auf die Wange und wartete, bis er sich in seinen Jaguar XK 120 gesetzt und winkend rückwärts aus der Ausfahrt gefahren war. Ihr Gesicht war makellos geschminkt, und wenn Pia nicht mit eigenen Augen gesehen hätte, wie sich dieses zierliche, gepflegte Püppchen mit Esther Schmitt geprügelt hatte, hätte sie es nicht für möglich gehalten.

»Was kann ich für Sie tun?«, flötete sie.

»Was haben Sie Ihrem Mann eigentlich erzählt, wo Sie gestern gewesen sind?«, fragte Pia. Frau Graf war ihr gestriger Auftritt kein bisschen peinlich.

»Die Wahrheit natürlich«, antwortete sie. »Mein Mann und ich haben keine Geheimnisse voreinander.«

»Aha«, Pia betrachtete Mareike Graf abschätzend, »dann weiß er ja sicher auch von Ihrem Verhältnis mit Franz-Josef Conradi.«

Das hatte Mareike Graf nicht erwartet.

»Wie kommen Sie denn darauf?« Einen Augenblick rang sie um Fassung, hatte sich aber schnell wieder im Griff.

»Herr Conradi hat es uns gesagt«, entgegnete Pia.

»Na ja, es stimmt«, räumte Mareike Graf ein, als sie merkte, dass leugnen zwecklos war. »Für Sie mag sich das eigenartig anhören, dass ich mit einem anderen Mann als meinem eigenen schlafe, aber es ist nicht so. Ich kenne Manfred seit meinem Studium. Er war Dozent an der Uni in Darmstadt, ich hatte mich in ihn verliebt.«

Sie zuckte geziert die Schultern.

»Manfred hatte als junger Mann Hodenkrebs. Er hat ihn überlebt, aber seitdem ist er ... nun ja ... Sie verstehen.«

»Nein«, sagte Pia gnadenlos, »ich verstehe nicht.«

Mareike Graf funkelte sie wütend an.

»Er kann nicht mehr«, sagte sie deutlich. »Vor unserer Hochzeit haben wir die Vereinbarung getroffen, dass ich ...«

»Dass Sie – was?«, beharrte Pia.

»Mein Verhältnis zu Herrn Conradi ist sehr diskret«, erwiderte Mareike Graf kühl. »Es geht niemanden etwas an, was sich in meiner Ehe abspielt oder nicht, und schon gar nicht die Polizei.«

»Ich fürchte doch«, mischte Bodenstein sich ein. »Herr Conradi hat für die Zeit, als Ihr Exmann ermordet wurde, kein anderes Alibi als das, dass er mit Ihnen zusammen war.«

»Wieso braucht er denn ein Alibi?«, fragte Mareike erstaunt.

»Weil er verdächtig ist«, sagte Bodenstein. »Genauso wie Sie. Wo waren Sie am vergangenen Dienstag zwischen 21:30 und 23:00 Uhr?«

»Ich war gegen halb neun bei Ulrich«, erinnerte sie sich ohne das geringste Zögern, als hätte sie mit dieser Frage gerechnet. »Nachdem er die Einverständniserklärung unterschrieben hatte, bin ich zum Golfclub gefahren. Der Vorsitzende hat seinen sechzigsten Geburtstag gefeiert.«

»Wie lange waren Sie dort?«

»Als Herr Conradi fertig war mit dem Aufräumen, sind wir nach Sulzbach in unsere Wohnung gefahren«, sie lächelte beinahe spöttisch. »Starkeradweg 52, vierter Stock.«

»Wann genau ist das gewesen?«

»Mein Gott«, Mareike Graf verdrehte die Augen, »ich

schaue doch nicht dauernd auf die Uhr! Gegen elf vielleicht.«

»Sie sind vorher nicht noch mal bei Ihrem Exmann vorbeigefahren?«

»Nein! Wieso denn auch?«

»Um sich mit Hilfe von Herrn Conradi Ihr Geld wiederzuholen.«

»Unsinn«, Mareike Graf schüttelte den Kopf.

»Sie wissen ja sicherlich schon, dass Ihr Haus im Rohrwiesenweg letzte Nacht abgebrannt ist«, sagte Pia. »Die Feuerwehr geht von Brandstiftung aus. Falls sich das Geld noch im Haus befunden haben sollte, wird nun nichts mehr davon da sein.«

Mareike Graf starrte sie einen Moment an, dann erschien ein amüsiertes Lächeln auf ihrem Gesicht.

»Na, so was«, sagte sie, »das Haus ist abgebrannt. Wie auf Bestellung.«

»Sie sagen es«, Pia nickte, »wir haben uns auch schon gedacht, dass die Brandstifter Ihnen einen großen Gefallen getan haben.«

»Wollen Sie mir unterstellen, ich hätte das Feuer gelegt?« Mareike Graf stemmte empört die Arme in die Taille. »Das ist unverschämt! Mein Mann hat mich um halb zwölf in Kelkheim bei der Polizei abgeholt, und danach war ich zu Hause. Ich war völlig erschöpft.«

»Es könnte von langer Hand geplant worden sein«, Pia beobachtete die Frau scharf.

»Warum hätte ich Ullrich dann noch das Geld geben sollen? Das ergibt doch gar keinen Sinn!«

»Haben Sie es ihm denn wirklich gegeben?«, erwiderte Pia. »Können Sie uns einen Abbuchungsbeleg zeigen?«

Mareike Graf ließ sich nicht so schnell den Schneid abkaufen.

»Selbstverständlich kann ich das«, sagte sie schnippisch. »War es das jetzt? Ich habe noch einen Termin.«

»Ja«, sagte Bodenstein, »das war's erst mal. Ein schönes Wochenende, Frau Graf.«

»Ich habe gerade alle Untersuchungsergebnisse aus dem Labor bekommen«, begrüßte Ostermann Pia und Bodenstein eine halbe Stunde später im Besprechungsraum.

»Das ist gut«, Pia hängte ihre Tasche über die Lehne eines Stuhles, »neue Spuren werden wir nämlich vom Tatort nicht mehr kriegen. Das Haus von Pauly ist letzte Nacht abgebrannt.«

Kathrin Fachinger kam herein, gefolgt von Frank Behnke, der Pia geflissentlich übersah.

Als sie alle um den Tisch Platz genommen hatten, begann Ostermann mit den Ergebnissen, die aus dem Labor des Landeskriminalamts gekommen waren. Das Hufeisen war zweifellos die Tatwaffe. Man hatte Blut und Haare des Opfers feststellen können, aber keine Fingerabdrücke des Täters. Paulys Notebook war so nachdrücklich beschädigt worden, dass die Experten dem Gerät bisher keine Daten entlocken konnten. Der abgebrochene Spiegel und die abgesplitterten gelben Plastikteile, die auf der Straße vor Paulys Hofeinfahrt gelegen hatten, stammten von einem Motorroller der Marke Honda.

»Wir haben Patrick Weishaupt mit Bisswunden an Hand und Bein ohne Alibi«, resümierte Pia, »dazu Conradi, Mareike Graf und Stefan Siebenlist mit starken Motiven und äußerst wackligen Alibis und ein unbekanntes Mädchen mit einem gelben Roller als mögliche Tatverdächtige. Im ganzen Haus gibt es Blutspuren, die identisch mit dem Handabdruck am Tor sind. Ich denke, wenn wir wissen, zu wem dieses Blut gehört, haben wir auch den Mörder von Pauly.«

»Das Mädchen scheidet aus«, erwiderte Ostermann. »Sie kann den Toten nicht weggeschafft haben.«

»Vielleicht hatte sie einen Helfer«, vermutete Kathrin.

»Aber vielleicht ist sie auch nur deshalb so überstürzt geflüchtet, weil sie die Leiche von Pauly gesehen hat«, gab Bodenstein zu bedenken, »und womöglich den oder die Täter. Das bedeutet, dass wir möglichst schnell dieses Mädchen finden müssen.«

Das Telefon auf dem Tisch klingelte. Bodenstein, der am nächsten saß, nahm ab. Er hörte einen Augenblick zu, nickte und bedankte sich.

»Das war Dr. Kirchhoff«, sagte er und blickte in die Runde. »Der blutige Handabdruck am Tor und die Blutspuren in Paulys Haus stammen von Patrick Weishaupt.«

»Ich hab's gewusst«, Pia schlug mit der flachen Hand auf die Tischplatte. »Jetzt bin ich ja mal gespannt, wie sich dieses ungewaschene Bürschchen da wieder herauswindet.«

»Ich kümmere mich um den Haftbefehl«, sagte Ostermann.

»Gut«, Bodenstein erhob sich, »Frau Fachinger und Frank, Sie hören sich mal auf Hof Hausen vor der Sonne und bei den Nachbarn im Starkeradweg in Sulzbach um. Ich möchte wissen, wann Conradi und Frau Graf den Golfclub verlassen haben und in der Wohnung eingetroffen sind.«

»Bis Patrick hier ist, würde ich gerne noch mal mit Lukas sprechen«, Pia ergriff ihre Tasche. »Er scheint im Grünzeug jeden zu kennen, vielleicht auch ein Mädchen mit einem gelben Roller.«

Die Parkplätze am Opel-Zoo waren überfüllt. Bei dem herrlichen Wetter hatte es zahlreiche Besucher in den Zoo gelockt. Pia schob sich mit den Menschenmassen den Weg hinunter zur unteren Kasse und überlegte, wie sie Lukas in diesem Gewühl finden sollte. Sie bezahlte den Eintritt, ließ sich eine Quittung geben und nahm einen Prospekt über den Zoo mit. Einen Moment blickte sie sich unschlüssig um, dann ging sie zu einem Schaukasten hinüber, in dem ein Plan des Zoos hing.

»Kann ich Ihnen helfen?«, sagte plötzlich jemand hinter ihr. Pia drehte sich um. Ihr Herz machte einen heftigen Satz, als sie in die dunklen Augen von Zoodirektor Sander blickte.

»Hallo, Frau Kirchhoff«, er reichte ihr die Hand und sah sie forschend an. »Sind Sie dienstlich hier oder als Besucherin?«

»Leider dienstlich«, erwiderte Pia. »Ich bin auf der Suche nach Lukas. Ich habe ein paar Fragen an ihn.«

»Da sind Sie umsonst hergekommen. Lukas hat frei. Kann ich Ihnen vielleicht weiterhelfen?«

»Wahrscheinlich nicht. Aber das ist nicht weiter schlimm«, sie lächelte. Sander lächelte auch.

»Hätten Sie Lust auf einen Kaffee oder ein Eis?«, schlug er vor. Pia dachte kurz an Patrick Weishaupt, entschied aber, dass der Junge ruhig auf sie warten konnte.

»Gerne«, antwortete sie. Sie folgte dem Zoodirektor zum Restaurant Sambesi, auf dessen Terrasse noch ein paar Tische frei waren. Wenig später saßen sie sich mit Kaffee und Magnum-Eis gegenüber.

»Vielen Dank«, Pia lächelte und entfernte das Papier vom Eis. »Das ist doch mal eine nette Abwechslung.«

»Stimmt«, bestätigte Sander und betrachtete kurz seine linke Hand, über die eine tiefe, blutige Schramme verlief.

»Das sieht aus, als ob es weh tut«, stellte Pia fest. »Was ist passiert? Etwa schon wieder das Kreiselmähwerk?«

Sander grinste schief. »Ein paar Erdmännchen wollten sich ihr Gehege lieber von außen als von innen ansehen«, erwiderte er. »Sie haben sich heftig gegen den Freiheitsentzug gewehrt.«

»So was kenne ich«, Pia leckte an ihrem Eis und betrachtete Sander eingehend. Seit ihrer ersten Begegnung spukte ihr der Mann im Kopf herum. Irgendetwas an ihm hatte ihr vom ersten Moment an gefallen, und sie wollte ergründen, was es war.

»Haben Sie schon eine Spur im Fall Pauly?« Sander ließ seine Frage beiläufig klingen, aber sein Gesicht wirkte plötzlich angespannt.

»Dutzende«, erwiderte Pia. »Die Lebensgefährtin von Pauly ist übrigens fest davon überzeugt, dass Sie etwas damit zu tun haben. Sie sagte, dass Sie ihm neulich damit gedroht hätten, ihn umzubringen und an die Wölfe zu verfüttern.«

Sander zwang sich zu einem Lächeln, doch seine Augen blieben ernst.

»Das hab ich im Zorn gesagt«, gab er zu.

»Eine gefährliche Formulierung, wenn man bedenkt, dass Teile von Paulys Leiche tatsächlich im Tierfutter gefunden wurden«, Pia legte den Kopf schräg. Sie durfte nicht zulassen, dass sie aus Sympathie für Sander den Blick für das Wesentliche verlor.

»Alle Indizien sprechen für eine Affekttat«, sagte sie. »Paulys Mörder war wütend und aufgebracht.«

Sander musterte sie stirnrunzelnd.

»Halten Sie mich für fähig, einen Menschen zu töten?«

»Ich kenne Sie nicht gut genug, um das beurteilen zu können«, Pia legte den Holzstiel vom Eis in den Aschenbecher, »aber ich weiß, dass Menschen im Zorn zu Dingen fähig sind, an die sie in normalem Geisteszustand nicht einmal denken würden.«

Sander betrachtete nachdenklich die Verletzung an seiner Hand. Dann blickte er wieder auf. Seine äußerliche Gelassenheit reichte nicht bis in seine Augen.

»Ich bin vielleicht aufbrausend«, gab er zu, »aber so kaltblütig, dass ich jemanden umbringen und danach quasi vor
meiner Haustür ablegen würde, bin ich sicher nicht.«

Pia stützte ihre Ellbogen auf den Tisch und legte ihr Kinn
auf die verschränkten Hände. Warum hatte dieser Mann
sie zu Eis und Kaffee eingeladen? Einfach, weil er sie leiden konnte, oder weil er ihr Informationen über den Stand
der Ermittlungen entlocken wollte? Pia wünschte sich, sie
könnte ihr berufsbedingtes Misstrauen für eine Weile vergessen.

»Worüber wollten Sie mit Lukas sprechen?«, erkundigte
Sander sich, als Pia nichts mehr sagte.

»Eine Nachbarin hat in der Tatnacht ein blondes Mädchen
mit einem gelben Roller aus Paulys Einfahrt kommen sehen.
Dieses Mädchen suchen wir jetzt. Wir gehen davon aus, dass
es Pauly gut gekannt hat.«

Pia meinte, ein winziges Aufflackern in Sanders Augen zu
sehen, aber sie konnte sich auch geirrt haben.

»Das Mädchen hat womöglich die Leiche gesehen. Oder
den Täter. Sie war so durcheinander, dass sie mit dem Roller
auf der Straße gestürzt ist. Wir haben Lackspuren und einen
abgebrochenen Außenspiegel gefunden.«

Plötzlich summte ihr Handy. Es war Ostermann, der ihr
mitteilte, dass Patrick Weishaupt eingetroffen war, zeitgleich
mit seinem wütenden Vater und einem eifrigen Anwalt.

»Ich muss los«, Pia erhob sich. »Die Pflicht ruft. Danke
für den Kaffee und das Eis. Und für das Gespräch. Haben Sie
übrigens zufällig Lukas' Handynummer?«

»Ja, die habe ich«, Sander stand ebenfalls auf.

»Können Sie sie mir per SMS schicken?«

»Klar«, der Zoodirektor grinste schief. »SMS schreiben
kann ich dank meiner Töchter mittlerweile richtig gut.«

Patrick Weishaupt wartete mit trotziger Miene in einem der Verhörräume, als Pia in Hofheim eintraf. Eigentlich verhörte Pia Verdächtige oder Zeugen in ihrem Büro, aber die nüchterne Atmosphäre des Verhörraumes mit der verspiegelten Scheibe wirkte auf die meisten Menschen einschüchternd und schien Pia im Fall von Patrick Weishaupt daher angebracht. Leider hatten sie noch keinen Beweis dafür, dass einer von Paulys Hunden dem Jungen die Bisswunden zugefügt hatte, denn die Spurensicherung hatte in dem qualmenden Schutthaufen bisher keine verwertbaren Spuren sicherstellen können.

»Ich will meinen Anwalt sprechen«, sagte der Junge zur Begrüßung.

»Später«, erwiderte Pia. Ostermann und sie setzten sich ihm gegenüber an den Tisch.

»Zuerst möchten wir von dir wissen, wie ein blutiger Abdruck deiner Hand an das Hoftor von Pauly gekommen ist und warum überall im Haus dein Blut war.«

»Ich hab den Pauly nicht umgebracht«, fuhr der Junge auf.

»Bisher sieht aber alles so aus«, sagte Pia. »Und es ist gar nicht günstig für dich, wenn du lügst. Es gibt ganz eindeutige Beweise dafür, dass du am Tatabend im Haus deines Lehrers gewesen bist. Wenn du uns erklären kannst, was du da zu suchen hattest, könnte das deine Lage verbessern. Im Moment gehen wir nämlich davon aus, dass du etwas mit dem Mord an Pauly zu tun hast.«

Patrick setzte eine ausdruckslose Miene auf, aber in seinen Augen flackerten Angst und Unsicherheit. Er war längst nicht so cool, wie er sich gab.

»Okay«, sagte er und zuckte die Schultern. »Ich war bei Pauly. Ich wollte mit ihm reden, aber er war nicht da.«

»Wann war das?«

»Keine Ahnung. Nach dem Spiel. Ich hab mit ein paar Kumpels an der Eisdiele das Fußballspiel geguckt. Wir haben was getrunken.«

»Wie heißen deine Kumpels?«, fragte Ostermann. »Und Telefonnummern hätte ich auch gerne.«

»Wieso?«

»Weil ich überprüfen will, was du uns erzählst. Also?«

Patrick nannte drei Namen und Telefonnummern, Ostermann nickte und ging hinaus.

»Was hast du gesehen, als du in Paulys Haus warst?« Pia ließ den Jungen nicht aus den Augen.

»Den Pauly auf jeden Fall nicht. Ich hab nach ihm gerufen, aber es war niemand da. Dann bin ich ins Haus rein, stand ja alles sperrangelweit offen.«

»Weiter«, Pia trommelte mit den Fingerspitzen auf die Tischfläche. Patrick hatte ein Motiv für den Mord. Er war wütend auf Pauly gewesen und dazu angetrunken.

»Ey, Scheiße, ich hab den nicht umgebracht, Mann!«, fuhr der Junge auf. »Er war gar nicht da! Ich bin in sein Arbeitszimmer. Der Laptop war an, und ich dachte, der feige Sack versteckt sich irgendwo vor mir. Plötzlich hatte ich einen Riesenzorn und hab alles kurz und klein geschlagen.«

»Hast du im ganzen Haus nach ihm gesucht? Pauly hätte ja oben sein können. Im Bad vielleicht.«

»So weit bin ich nicht gekommen«, Patrick kratzte sich an seiner pickligen Stirn.

»Wieso?«

»Weil plötzlich die Hunde aufgetaucht sind. Ich hab keine Ahnung, wo die vorher gewesen sind, aber grad, als ich nach oben gehen wollte, kamen sie durch die Küche. Das eine Vieh hat mich voll ins Bein und in die Hand gebissen. Ich bin weggerannt, hab ihnen die Küchentür vor der Schnauze zugeschlagen.«

»Versuche dich zu erinnern, wann du bei Pauly gewesen bist«, forderte Pia den Jungen auf.

»Ich bin losgefahren, als das Spiel rum war. Es war so Viertel nach elf, halb zwölf vielleicht.«

»Bist du dir sicher?«

»Ich bin mir sicher, dass ich das Spiel bis zum Schluss gesehen hab.«

Elisabeth Matthes hatte das Mädchen mit dem gelben Roller um halb elf aus der Hofeinfahrt kommen sehen. Das Fußballspiel hatte um neun Uhr angefangen, war also spätestens um elf zu Ende gewesen. Laut vorläufigem Obduktionsbericht war Pauly irgendwann zwischen 22 und 23 Uhr gestorben. Pia begann an ihrem Verdacht gegen Patrick Weishaupt zu zweifeln. Das, was der Junge erzählte, hörte sich schlüssig an.

»Warum hast du uns das alles nicht gleich gesagt?«, fragte sie.

»Mann, ich bin da eingebrochen«, gab der Junge zu. »Und dann hab ich noch aus Zorn alles verwüstet. Da hab ich lieber erst mal gelogen. Übrigens war nach mir noch jemand bei Pauly.«

»Aha. Und wer?«

»So'n alter Knacker«, erwiderte Patrick. »Ich bin zu meinem Auto gerannt und hab mir was um die Hand gebunden. Als ich wegfahren wollte, hab ich gemerkt, dass ich meinen Schlüssel verloren hatte.«

»Und? Was war dann?« Pia musste sich zur Geduld mahnen.

»Ich war grad wieder vorne am Hoftor, da kam dieser Opa angefahren«, erinnerte Patrick sich. »Die Hunde kamen angeschossen. Ich hab mich hinter dem Tor versteckt und mir fast in die Hose gemacht. Aber der Opa hat einem von den Kötern in den Hintern getreten, da sind sie alle abgezischt. Der hatte wohl auch tierisch Zorn auf den Pauly.«

»Hat er nach ihm gerufen?«, fragte Pia.

»Ja, ein paar Mal«, Patrick Weishaupt nickte. »Dann ist er ins Haus rein. Aber gerade als ich abhauen wollte, kam er wieder rausmarschiert.«

»Und was hast du gemacht?«

»Ich hab gewartet, bis er weg war. Ins Haus hab ich mich nicht mehr getraut. Dann ist mir eingefallen, dass ich den Schlüssel gehabt haben muss, weil ich ja mein Auto aufgeschlossen hab. Und so war's auch. Der Schlüssel steckte draußen im Schloss.«

Pia gab dem Beamten hinter der Glasscheibe, die als Spiegel getarnt war, ein Handzeichen, damit er die Aufnahme stoppte, und ging hinaus auf den Flur. Dort erwarteten sie Bodenstein, Ostermann und Behnke.

»Er hat mit dem Mord nichts zu tun«, sagte Pia. »Er war zwar im Haus, hat da auch vor Zorn alles verwüstet, aber Pauly war nicht mehr da.«

»Ich habe einen von seinen Kumpels erreicht«, sagte Ostermann. »Der sagte, Patrick wäre um zehn nach elf losgefahren, nachdem er gesagt hat, er würde jetzt den Pauly klatschen gehen.«

»Das hört sich nach einem echten Vorsatz an«, bemerkte Behnke.

»Den hatte er auch zweifellos«, stimmte Pia zu. »Aber ihm ist jemand zuvorgekommen. Und nach ihm war auch noch jemand im Haus, ich tippe auf Schwarz.«

»Wir lassen ihn gehen«, entschied Bodenstein. Pia nickte und blickte auf ihr Handy, das sie während des Verhörs von Patrick stumm geschaltet hatte. Sander hatte ihr die Handynummer von Lukas wie versprochen per SMS geschickt. Sie lächelte, als sie las, was er noch geschrieben hatte. *Ich hoffe, Sie halten mich nicht wirklich für den Mörder. Mit einem Tatverdächtigen würden Sie sicher nicht mal essen gehen, oder?*

»Liebesgrüße aus Moskau?« Behnke zog die Augenbrauen hoch.

»Nein«, erwiderte Pia kühl, »das ist die Nummer von Lukas. Er war nicht im Opel-Zoo, aber ich will heute noch mit ihm reden. Wir müssen das Mädchen mit dem Roller finden.«

»Ja«, Bodenstein nickte, »sie könnte wirklich etwas gesehen oder beobachtet haben. Soll ich mitkommen?«

»Vielleicht sollte ich zuerst alleine mit ihm reden«, sagte Pia. »Ich habe das Gefühl, dass er offener ist, wenn das Gespräch nicht ganz so förmlich abläuft.«

»Genau«, Behnke grinste anzüglich, »vielleicht treffen Sie sich mit ihm zu einem lauschigen Spaziergang in der Abenddämmerung.«

Pia zählte innerlich bis zehn und verkniff sich eine scharfe Antwort.

»Rufen Sie ihn an«, auch Bodenstein überhörte Behnkes Bemerkung. »Wir warten ab, was Ihnen der Junge erzählt. Ich bin auf jeden Fall heute Abend zu Hause erreichbar.«

Pia ging in ihr Büro und wählte Lukas' Nummer. Er meldete sich schon nach dem dritten Klingeln. Sie sagte ihm, dass sie gerne mit ihm sprechen würde, und schlug das Grünzeug als Treffpunkt vor.

»Heute Abend gehe ich in Königstein auf die Burg, auf ein Rockkonzert«, erwiderte Lukas.

»Dann viel Spaß«, sagte sie, »vielleicht können wir uns morgen sehen.«

»Was haben Sie heute Abend vor?«, fragte Lukas zu Pias Erstaunen.

»Nichts weiter. Warum?«

»Kommen Sie doch hin«, schlug Lukas vor. »Mittelalter rockt die Burg. Das ist echt cool.«

Pia fand die Vorstellung, auf ein Rockkonzert in der Königsteiner Burgruine zu gehen, gar nicht schlecht. Es war Jahre her, dass sie auf einem Konzert gewesen war. Tina Turner im alten Frankfurter Waldstadion, vor sieben oder acht Jahren.

»Sie können es sich ja überlegen«, sagte Lukas. »Ich warte an der Kasse auf Sie, so um acht. Okay?«

Warum eigentlich nicht?

»Okay«, erwiderte Pia, »dann bis um acht an der Burg.«

Es war ein warmer Sommerabend, die Luft samtweich und voller Düfte. Pia hatte einen Parkplatz am Ölmühlweg gefunden und schloss sich den Massen junger Leute an, die durch die Gassen der Königsteiner Altstadt hinauf zur Burg strömten. Es war ein seltsames Gefühl, alles so unverändert vorzufinden, die verwinkelten, kopfsteingepflasterten Sträßchen und Gassen, die kleinen Geschäfte, die versteckten Höfe und Hauseingänge, die ihr damals so vertraut gewesen waren, weil man sich dort gut vor den Blicken zufällig vorbeikommender Lehrer verstecken konnte, wenn man die Schule schwänzte. Viele Jahre lang war Pia den Weg von der katholischen Mädchenschule zum Busbahnhof gelaufen, später hatten sie und ihre Freundinnen nach der Schule oder in Freistunden gerne im Park am Luxemburger Schloss, in dem das Amtsgericht untergebracht war, auf den Bänken gesessen, heimlich Zigaretten geraucht und über die ersten Erfahrungen mit Jungs gekichert und getuschelt. Das dreitägige Burgfest im Sommer war das Großereignis gewesen, dem alle Jugendlichen der drei Königsteiner Gymnasien entgegengefiebert hatten. Freundschaften waren in diesen Tagen des Ausnahmezustandes entstanden oder zerbrochen. Pia hob den Kopf und blickte hinauf zu der gewaltigen, scharf gezeichneten Silhouette der Burgruine vor dem goldenen Abendhimmel. Nach dem Abitur hatte sie den Bezug zu Königstein verloren, ihr Lebensmittelpunkt hatte sich woandershin verlagert. Sie hatte lange nicht mehr an ihre Schulzeit gedacht.

Eine Menschentraube wartete in freudiger Erwartung auf das Konzert vor dem Kassenhäuschen direkt am Burgtor. Lukas lehnte an der Burgmauer, die Arme vor der Brust verschränkt, die Haare offen. Er trug ein schwarzes T-Shirt und eine enge, ausgewaschene Jeans, nicht den formlosen Schlabberlook, den die meisten Jungen heutzutage bevorzugten, und blickte suchend in die Menge. Pia lächelte bei dem Gedanken daran, was sie vor fünfundzwanzig Jahren wohl dafür gegeben hätte, mit einem solchen Jungen eine Verabredung zu bekommen. Als er sie nun sah, hob er die Hand. Wenig später stand sie vor ihm, ein wenig atemlos vom steilen Aufstieg.

»Hey, da sind Sie ja«, er musterte sie mit einem anerkennenden Lächeln, und offenbar gefiel ihm, was er sah. »Sie sehen cool aus.«

»Danke«, Pia lächelte erstaunt und ein wenig geschmeichelt. Sie gingen durch die Kasse und ließen die Tickets abreißen.

»Was steht denn da auf deinem T-Shirt?« Pia las den Schriftzug und grinste. » *Verführer* – na, so was.«

»Das ist ein Gedicht von Hermann Hesse«, erklärte Lukas ernst. »Saltatio Mortis, das ist die eine Gruppe, die heute Abend hier spielt, haben es vertont. Hintendrauf steht der Rest.«

Er drehte sich um und präsentierte ihr seine Rückseite, die nicht weniger ansehnlich war als der Rest von ihm.

» *Der Kuss, um den ich innigst mich bemühte, die Nacht, um die ich lang voll Glut geworben, war endlich mein und war gebrochne Blüte*«, las Pia. »Das klingt aber traurig.«

»Ist es nicht wirklich oft so«, sagte Lukas, »dass etwas, nach dem man sich gesehnt und auf das man lange gewartet hat, in echt dann nicht so ist, wie man es sich vorgestellt hat?«

»O ja«, stimmte Pia zu. »Die Realität ist meistens enttäuschend.«

»Nicht nur das«, Lukas wirkte plötzlich angespannt, beinahe gequält. »Die Jagd nach etwas, die Vorfreude, das, was man sich vorstellt, ist hundertmal schöner als die Wirklichkeit. Wenn man sein Ziel erreicht hat, stellt man fest, dass es die Anstrengung gar nicht wert war. Was übrig bleibt, ist nur noch ... Leere.«

»Du bist ja ein richtiger Philosoph«, Pia lächelte. Lukas blieb dicht vor ihr stehen. Seine Miene wurde düster.

»*Ich sehnte glühend fort mich vom Genuss*«, sagte er, ohne den Blick von Pias Augen abzuwenden, »*nach Traum, nach Sehnsucht und nach Einsamkeit. O Fluch, dass kein Besitz mich kann beglücken, dass jede Wirklichkeit den Traum vernichtet.*«

»Welchen Besitz meinst du?«, fragte Pia. »Materiellen Besitz oder – Liebe?«

Lukas hob die Augenbrauen, dann lächelte er flüchtig.

»Materieller Besitz macht nicht glücklich«, erwiderte er, »das beobachte ich, seitdem ich denken kann. Meine Eltern, die Eltern von meinen Freunden – die meisten von ihnen können sich alles leisten, was man für Geld kaufen kann, und sind trotzdem nicht glücklich.«

»Niemand ist immer glücklich«, sagte Pia. »Das wäre ja nicht zu ertragen.«

Sie schlenderten zur Burgmauer, ließen den Menschenstrom weiterziehen. Pia stemmte ihre Hände auf die bröckelige Mauer und blickte auf die Stadt Königstein hinunter, die von der Abendsonne in ein rosiges Licht getaucht wurde. Schwalben schossen in Pärchen durch die laue Sommerluft, ließen sich auf der Jagd nach Insekten vom Luftstrom treiben, um dann im Sturzflug wieder herabzuschießen. Die Musiker der ersten Gruppe stimmten ihre Instrumente ein, begleitet von frenetischem Jubel, der durch die dicken Mauern nur gedämpft zu hören war.

»Ich glaube, der größte Fehler, den man machen kann, ist der, dass man zu viel erwartet«, sagte sie. »Zu große Erwartungen führen häufig zu sehr großen Enttäuschungen.«

»Das ist doch spießig«, widersprach Lukas. »Ich erwarte viel, ich will *alles* erleben, nicht nur ein bisschen! Und ich will ... das Spiel selbst bestimmen.«

Ein paar junge Leute, die vorbeigingen, feixten und riefen ihm einen Gruß zu.

»Ich halte dich auf.« Pia merkte, dass sie sich ziemlich weit vom eigentlichen Grund ihres Treffens entfernt hatte.

»Nein, nein, schon gut«, sagte Lukas schnell. »Sie halten mich nicht auf, im Gegenteil. Ich find's cool, dass ich mich so mit Ihnen unterhalten kann. Der Letzte, mit dem ich das konnte, war Ulli.«

Ein Schatten flog über sein Gesicht, er seufzte niedergeschlagen.

»Alles ist anders, seitdem er nicht mehr da ist. Ohne ihn wird das Grünzeug nur noch ein Bistro wie tausend andere sein.«

Er blickte auf und straffte die Schultern.

»Aber Sie wollten mich was fragen«, sagte er.

»Wir suchen ein Mädchen, das einen gelben Roller fährt«, kam Pia zur Sache.

»Ein Mädchen mit einem gelben Roller?« Lukas sah sie aufmerksam an. »Ich kenn ziemlich viele Mädchen.«

Er sagte das nicht, um Pia zu beeindrucken, es war einfach die Feststellung einer Tatsache.

»Du kannst ja mal drüber nachdenken«, sagte Pia. »Der Roller muss beschädigt sein.«

»Okay«, Lukas nickte.

»Kennst du Patrick Weishaupt?«, fragte Pia. »Er gibt Pauly die Schuld daran, dass er durchs Abi gefallen ist. Angeblich konnte Pauly ihn nicht leiden.«

»Quatsch! Patrick ist ein fauler Sack, er ist selbst schuld«, Lukas' Gesicht verdunkelte sich. »Ulli war immer gerecht. Er hat sich nicht einschüchtern lassen, weder von Patricks Vater noch von dem von Franjo oder Jo.«

»Was meinst du damit?«

»Ulli lag unsere Zukunft am Herzen«, Lukas zuckte die Schultern. »Er wollte für jeden von uns das Beste. Nee, wirklich, Ulli hätte noch nicht mal Patrick durchs Abi fallen lassen.«

Im großen Innenhof der Burg war eine Bühne aufgebaut, vor der sich eine Menschenmenge drängte. Gewaltige Boxen sorgten für den richtigen Sound, und eine Phalanx von Scheinwerfern tauchte mit zuckenden Blitzen und bunten Farbspielen die verfallenen Gemäuer der Burg in geheimnisvolle Lichter. Der Besucherstrom wurde dünner. Vereinzelt kamen noch Gruppen von Nachzüglern, die sich beeilten, in den Burghof und zur Bühne zu kommen.

»Gehen wir nach vorne«, schlug Lukas vor. Er ergriff Pias Hand und bahnte ihnen einen Weg bis beinahe ganz vorne vor die Bühne. Unvermittelt fand sie sich umgeben von der wogenden Menge, schwitzenden jungen Leuten mit ekstatisch verzerrten Gesichtern und glänzenden Augen, die mit den Armen in der Luft herumfuchtelten und sich im Takt der Musik bewegten. Die Musik war rhythmisch und rockig, mit teilweise melancholischen und fast philosophischen Texten. Lukas kannte alle Texte auswendig, er sang, tanzte und klatschte mit. Die Menge wogte nach vorne, Pia wurde gegen andere Menschen gedrängt, was aber niemand störte, auch sie nicht. So war das bei Rockkonzerten, wenn man sich direkt vor die Bühne wagte.

In der Umbaupause nach dem Auftritt der zweiten Gruppe ergriff Lukas wieder wie selbstverständlich Pias Hand. Er zog sie einfach mit sich, und sie ließ es sich gefallen. Ein paar junge Leute folgten ihnen. Sie waren ausgelassen, lachten und diskutierten über die Musik. Pia erkannte den jungen Mann, der Esther an der Ruine des Hauses abgeholt hatte, und den pickligen Blonden aus dem Flur vom Grünzeug.

»Oh, da ist ja Mr Dean Corso persönlich«, sagte sie. »Wo ist denn heute dein Freund Boris Balkan?«

Schlagartig verstummte das Gelächter. Pia bemerkte eine betretene Anspannung und verstohlene Blicke. »Deinen richtigen Namen kenne ich ja nicht«, setzte sie nach.

»Lars«, erwiderte der Picklige verlegen. Pia schaute sich um, aber die jungen Leute wichen ihrem Blick aus. Zwei andere junge Männer stießen mit einem Tablett voller Biergläser zu ihnen. Erleichtert griffen alle zu und ließen sich das Bier schmecken, Pia lehnte dankend ab.

»Stellst du mir deine Freunde vor?«, bat sie Lukas.

»Klar«, er wischte sich mit dem Handrücken den Schaum von der Oberlippe und deutete auf einen nach dem anderen. Lars, Kathi, Tarek, Jens-Uwe, Andi, Sören, Franjo, Toni, Markus.

»Da drüben, das sind Jo und Svenja«, er wies auf ein Pärchen, das ein Stück abseits an der Burgmauer stand und offenbar miteinander stritt. Pia erkannte den jungen Mann mit den dunklen Locken wieder, der sich Boris Balkan genannt und ihr gestern die Tür zu dem Raum mit den Computern im Grünzeug geöffnet hatte. Auf der Bühne baute die nächste Band ihre Instrumente auf, bejubelt von der Menge, die begeistert die Namen der Bandmitglieder skandierte.

»Ich muss langsam los«, sagte Pia zu Lukas. »Meine Pferde sind noch auf der Koppel und müssen in den Stall. Aber es war echt ein schöner Abend. Danke.«

Lukas sah sie an. Sein Gesicht glänzte leicht vor Schweiß, er lächelte nicht.

»Ach, ich hab auch keine Lust mehr, hier zu bleiben«, sagte er leichthin. »Die anderen beiden Bands interessieren mich nicht so.«

In Pias Kopf begannen sämtliche Alarmglocken zu klingeln. Mochten es andere Frauen in ihrem Alter schmeichelhaft finden, so viel Aufmerksamkeit von einem jungen, attraktiven Mann zu bekommen – ihr war es nicht ganz geheuer. Sie verließen die Burg, nahmen den Weg durch den Wald. Der Kies knirschte unter ihren Schuhen, als sie schweigend nebeneinander hergingen. Unwillkürlich dachte Pia an Behnkes spöttische Bemerkung vom Nachmittag.

»Ich liebe die Burg«, sagte Lukas nach einer Weile. »Es ist zwar streng verboten, aber wir machen hin und wieder heimlich Partys in den Gewölben oder hängen da einfach nur ab. Mittlerweile kennen wir jeden Winkel besser als die Leute vom Burgverein.«

»Das haben meine Freunde und ich früher auch getan«, erwiderte Pia. »Gerade weil es verboten war, hat es so viel Spaß gemacht.«

»Genau«, Lukas lächelte. Sie kamen an der evangelischen Kirche vorbei. Plötzlich blieb der Junge stehen.

»Wenn ich nicht einundzwanzig wäre, sondern fünfunddreißig, dann würden Sie jetzt nicht weglaufen, stimmt's?«, sagte er leise.

»Wie meinst du das?«, fragte Pia erstaunt. »Hast du den Eindruck, dass ich weglaufe?«

»Ja«, er nickte, »vor mir. Warum?«

Pia fragte sich, was sie gesagt oder getan hatte, um irgendwelche irrigen Hoffnungen in Lukas zu wecken und in eine solche Situation zu geraten.

»Lukas«, sagte sie freundlich, »bitte geh zurück zur Burg, zu deinen Freunden. Ich könnte deine Mutter sein.«

»Sind Sie aber nicht.«

Im Schein der nahen Straßenlaterne erkannte sie zu ihrer eigenen Überraschung einen Ausdruck des Verlangens in seinen Augen.

»Ich mag Sie«, Lukas' Stimme klang rau, »sehr sogar. Ich mag Ihre Augen und Ihren Mund und die Art, wie Sie lächeln …«

Pia traute ihren Ohren kaum. Was sollte das? Versuchte er etwa, sie zu verführen? Lukas legte seine Hände auf ihre Schultern, er zog sie an sich, sein Gesicht war nur ein paar Zentimeter von ihrem entfernt. Mit einem Mal empfand sie seine Nähe und körperliche Überlegenheit als Bedrohung. Schon einmal hatte ihr jemand solche Komplimente gemacht. Damals war es ihr nicht gelungen, den Mann vorzeitig in die Schranken zu weisen, und sie hatte deshalb die schrecklichsten Erfahrungen ihres Lebens machen müssen.

»Ich mag dich auch, Lukas«, sie befreite sich mit sanftem Nachdruck aus seinen Armen. »Aber nicht so.«

»Warum nicht?« Er steckte die Hände in die Taschen seiner Jeans und wippte auf den Fußzehen. »Bin ich zu jung?«

»Ja«, erwiderte sie schließlich, »außerdem bin ich verheiratet. Was kriegst du von mir für die Eintrittskarte? Ich kann die Kosten absetzen.«

»Nein, schon gut. Ich hab Sie eingeladen«, er strich sich das Haar aus dem Gesicht. »Ich hoffe, es hat Ihnen ein bisschen gefallen.«

Er wirkte enttäuscht, trug die Zurückweisung aber mit Fassung.

»Das hat es«, erwiderte Pia.

Einen langen Moment sah er sie eindringlich an, dann lächelte er.

»Na dann. Gute Nacht«, er hob grüßend die Hand und wandte sich zum Gehen.

Sonntag, 18. Juni 2006

»Wie war's auf der Burg?«

Pia fuhr herum und sah ihren Chef an der Kaffeemaschine stehen.

»Was machen Sie denn schon so früh hier?«, fragte sie. Es war erst kurz vor acht.

»Ich wollte mal vor Ihnen da sein«, Bodenstein grinste. »Auch einen Kaffee? Sie sehen so aus, als ob es gestern spät geworden ist.«

»Eigentlich nicht«, Pia ergriff dankbar die Tasse, die er ihr hinhielt. »Um zwölf war ich zu Hause.«

»Konnte Lukas Ihnen etwas über das Mädchen sagen?«

»Er hat versprochen, sich umzuhören.«

»Mehr nicht?«

»Nichts Konkretes. Er hat mir von Pauly vorgeschwärmt«, sagte Pia. »Man liebte oder man hasste ihn, wie es Direktorin Wüst gesagt hat. Gleichgültig war er wohl den wenigsten.«

»Hat Lukas etwas über dieses Internetcafé im Grünzeug gesagt?«, erkundigte sich Bodenstein.

»Nein. Es gab keine Gelegenheit mehr, darüber zu sprechen.«

»Bei einem Konzert ist das schwierig«, Bodenstein schenkte sich noch einen Kaffee nach. Pia war froh, dass ihr Chef nicht mehr wissen wollte. Sie hatte die halbe Nacht wach gelegen und über Lukas' Verhalten nachgedacht. Um halb zwei morgens hatte er ihr noch eine SMS geschickt. »*Ich hoffe, Sie nehmen mir mein Verhalten nicht übel*«, hatte er geschrieben, »*aber ich habe alles so gemeint, wie ich es gesagt habe.*«

Sie hatte nicht darauf geantwortet.

»Wir waren gestern Abend bei meinem Bruder zum Essen, und ich habe von ihm ein paar sehr interessante Dinge erfahren«, sagte Bodenstein gerade. Pia wusste, dass Quentin von Bodenstein, der das familieneigene gleichnamige Hofgut samt Landwirtschaft, Reitbetrieb und Gastronomie betrieb, ein absoluter Gegner des Straßenausbaus war.

»Die letzte Vorstandssitzung des Königsteiner BUNTE-Ortsverbandes hat vor zehn Tagen bei Quentin stattgefunden«, berichtete Bodenstein. »Pauly hatte einen Tag zuvor der Vorsitzenden erzählt, dass er an vertrauliche E-Mail-Korrespondenz zwischen der Bock Consult und Sachbearbeitern beim Hessischen Landesamt für Verkehrswesen und beim Bundesverkehrsministerium gelangt ist. Aus diesen E-Mails soll angeblich hervorgehen, dass die beiden Ministeriumsmitarbeiter hohe Summen von Bock erhalten sollten, wenn verschiedene Straßenbauprojekte durch seine Firmen realisiert werden könnten. Unter anderem eben auch die B8.«

Pia stellte die Kaffeetasse auf ihren Schreibtisch und setzte sich.

»Wo sind diese E-Mails?«, fragte sie. »Und wer hat sie Pauly besorgt?«

Sie ließ ihren Computer hochfahren, rückte die Tastatur ihres Computers zurecht und gab ihr Passwort ein.

»Wahrscheinlich sind sie auf dem Notebook, das Patrick demoliert hat. Die Identität seines Informanten hat Pauly nicht preisgegeben, aber er hat versichert, dass es jemand sei, der Bock gut kennt.«

»Warum die Heimlichtuerei?«, wollte Pia wissen. »Pauly hat doch sonst alles sofort publik gemacht.«

»Entweder«, überlegte Bodenstein, »wollte er seinen Informanten schützen, oder er ist auf illegalem Weg an die Informationen gelangt und hatte keinen eindeutigen Beweis für die Echtheit der E-Mails.«

»Damit können wir Bock leider gar nichts nachweisen«, Pia öffnete ihr E-Mail-Postfach und überflog die eingegangenen Mails. »Ich habe eine E-Mail vom Labor bekommen. Ach, schau mal einer an. Sie haben die Fingerabdrücke auf dieser Einverständniserklärung zwischen Mareike Graf und Pauly analysiert.«

»Und?«, fragte Bodenstein neugierig.

»Es sind nicht nur die von Mareike Graf und Pauly drauf«, erwiderte Pia. »Na, das ist ja interessant.«

Das Bistro Grünzeug war geschlossen, aber das Tor zum Hof stand offen. Bodenstein und Pia trafen Esther Schmitt im Innenhof an, der mit seinen zahllosen Topfpflanzen wie eine grüne Oase wirkte. Sie saß an einem der Tische im morgendlichen Sonnenschein, vor sich ein Becher mit Kaffee und die Sonntagsausgabe der *FAZ*. »Guten Morgen«, grüßte Bodenstein höflich.

»Guten Morgen«, erwiderte sie erstaunt. »Was führt Sie denn um diese Uhrzeit an einem Sonntagmorgen hierher?«

»Ihre Fingerabdrücke, die wir an einer Stelle gefunden haben, an der sie nicht sein dürften.«

»Und wo sollen sie sein?«, fragte sie. Bodenstein neigte den Kopf zur Seite und schenkte ihr ein warmes und vertrauliches Lächeln, als seien sie Komplizen.

»Es erscheint uns rätselhaft«, er senkte seinen Bariton beinahe zu einem Flüstern, so dass sie sich ein Stück zu ihm hinbeugen musste, »aber Ihre Fingerabdrücke sind auf der Einverständniserklärung, die Herr Pauly ein paar Stunden, bevor er ermordet wurde, unterschrieben hat. Für seine Unterschrift hat er von Mareike Graf angeblich fünfzigtausend Euro erhalten, die bis jetzt spurlos verschwunden sind.«

Pia verdrehte die Augen. Wenn Bodenstein diese Verhörtaktik anwandte, kam sie sich überflüssig vor. Allerdings verfing sein Charme unbestreitbar bei der spröden Esther, denn sie war so zugänglich wie noch nie.

»Dafür gibt es eine Erklärung«, sagte sie bereitwillig. »Mareike war am Donnerstag gleich bei mir, kaum dass der Schwarz ihr erzählt hatte, was mit Ulli passiert ist. Sie hielt mir das Blatt hin und sagte, sie gebe mir achtundvierzig Stunden, um aus dem Haus zu verschwinden.«

Pia musste sich beherrschen, ruhig und gelassen zu bleiben.

»Also haben Sie doch von dem Geld gewusst«, stellte sie fest. »Warum haben Sie uns angelogen?«

Esther Schmitts Blick streifte Pia nur flüchtig und saugte sich sofort wieder an Bodensteins Gesicht fest.

»Ich dachte mir, dass die Grafs das Geld schon verschmerzen können«, gab sie freimütig zu. »Ich wollte es als kleine Entschädigung behalten.«

»Wo war es denn?«, erkundigte Bodenstein sich. »Und wo ist es jetzt?«

»Ulli hatte es in eine leere Hundefutterdose gesteckt und in den Kühlschrank gestellt«, erwiderte Esther Schmitt. »Diese Dose war unser Geheimversteck, wenn es denn mal etwas zu verstecken gab. Ich schätze mal, dass es mit dem Kühlschrank verbrannt ist. Es war mir nicht gegönnt.«

Sie seufzte.

»Aber ich bin unhöflich. Setzen Sie sich doch. Möchten Sie einen Kaffee trinken?«

Pia wollte schon ablehnen, aber Bodenstein kam ihr zuvor.

»Wir möchten Ihnen keine Mühe machen«, er lächelte treuherzig, »aber ein Kaffee wäre wirklich wunderbar.«

»Natürlich«, Esther Schmitt sprang auf und verschwand wie der Blitz durch die Hintertür ins Bistro, nachdem sie sich genau nach Bodensteins Kaffee-Vorlieben erkundigt hatte.

»Trainieren Sie Ihren Löwenbändiger-Charme eigentlich regelmäßig vor dem Spiegel?«, fragte Pia spöttisch.

»Was heißt hier Löwenbändiger-Charme?« Bodenstein tat konsterniert. »In bestimmten Situationen kommt meine angeborene Freundlichkeit eben besser an als Ihre direkte Art.«

»Passen Sie bloß auf, dass die Rote Zora das nicht missversteht«, warnte Pia ihn. »Die verspeist Sie mit Haut und Haaren zum Frühstück.«

»Ich kann mit rothaarigen Frauen umgehen«, versicherte Bodenstein.

»Na dann, viel Glück«, Pia ließ den Blick durch den Hof wandern. Sie glaubte sich daran zu erinnern, dass der Innenhof am Freitagabend, als sie einen flüchtigen Blick aus dem Flurfenster geworfen hatte, noch ganz anders ausgesehen hatte. Kahl, bis auf ein paar Topfpflanzen.

»Erinnern Sie sich an die Pflanzen in Paulys Hof?«

»Ja, natürlich«, Bodenstein blickte sie verwundert an. »Wieso?«

»Schauen Sie sich mal um«, sagte Pia. »Das ist ja hier der reinste Dschungel. So sah es vorgestern noch nicht aus.«

»Ich verstehe nicht ganz«, erwiderte Bodenstein.

»Vielleicht ist das Haus gar nicht so überraschend in Flammen aufgegangen«, sagte Pia. »Ich bin mir ziemlich sicher, dass ich diese blauen Hortensien in Paulys Hof gesehen habe. Außerdem finde ich es erstaunlich, dass unsere Kollegen in den Resten des Hauses nicht die kleinste Spur von einem der Hunde gefunden haben. Keine Zähne, keine Knochen, kein Halsband – nichts.«

»Sie denken, Frau Schmitt hat ihre Pflanzen und Tiere in Sicherheit gebracht und dann das Haus angezündet?«

»Genau«, Pia nickte. Mehr konnte sie nicht sagen, weil Esther Schmitt schon wieder mit einem Tablett in der Tür erschien. »Vergessen Sie das Internetcafé nicht«, zischte Pia.

Esther Schmitt servierte Bodenstein strahlend eine große Tasse Latte macchiato mit extra Sahne. Pia stellte sie die Tasse hin, ohne sie auch nur anzusehen. Bodensteins Strategie schien aufzugehen. Ausführlich berichtete Esther Schmitt von Paulys Meinungsverschiedenheiten mit seinen Freunden Siebenlist und Flöttmann, über die Recherchen, die er angestellt hatte, um an die Geheimnisse der Kelkheimer »Mafia« zu gelangen. Sie erzählte von jahrelangen Zwistigkeiten mit Bürgermeister Funke, Schwarz, Conradi und anderen, dabei blieb sie erstaunlich sachlich. Was hatte sie mit Pauly verbunden? Die große Liebe schien es nicht gewesen zu sein.

»Wie ist Herr Pauly an die Beweise gekommen, die er angeblich gegen Zacharias und Bock in der Hand hatte?«, fragte Bodenstein.

»Darüber hat er mit mir nicht gesprochen«, gab Esther Schmitt zu. »Er hat immer furchtbar geheimnisvoll getan und stundenlang mit Lukas und Tarek am Computer gesessen. Er wollte mir alles erzählen, sobald er genaue Fakten in der Hand hatte. Aber dazu ist er nicht mehr gekommen.«

Pia glaubte ihr nicht.

»Lukas van den Berg?«, wagte sie eine Zwischenfrage.

»Ja.«

»Kennt er sich gut mit Computern aus?«, fragte Bodenstein.

»O ja«, Esther Schmitt nickte, »er und Tarek sind Genies! Sie haben nicht nur unsere Webseite gemacht, sondern auch ein spezielles Abrechnungsprogramm für das Bistro geschrieben, so ganz nebenbei, wie andere einen Einkaufszettel schreiben.«

»Die beiden sind sicherlich auch auf die Idee mit diesem

Internetcafé gekommen, stimmt's?«, bemerkte Bodenstein beiläufig. Pia, die sich aufs Zuhören und Beobachten verlegt hatte, bemerkte, dass Esther Schmitt für den Bruchteil einer Sekunde die Gesichtszüge entgleisten.

»Das Internetcafé, ja, ja«, sagte sie schnell. »Möchten Sie noch einen Latte macchiato trinken, Herr Hauptkommissar?«

»Ich fürchte, das verzeiht mir mein Blutdruck nicht«, lehnte Bodenstein höflich ab, obwohl er noch nie Probleme damit gehabt hatte. »Dabei habe ich wirklich selten einen so guten Kaffee getrunken.«

Pia verdrehte die Augen, aber Esther Schmitt schien unter seinen Blicken beinahe dahinzuschmelzen; sie drückte ihre kleinen Brüste heraus und kicherte wie ein Backfisch. Kaum vier Tage nach dem Tod ihres Lebensgefährten war sie ganz offensichtlich auf der Suche nach einem neuen Mann.

»Ach ja«, Bodenstein tat, als würde es ihm gerade wieder einfallen. »Würden Sie uns noch schnell den Keller zeigen?«

Jetzt war die Rote Zora in der Klemme. Pia hätte sie vielleicht mit einer knappen Absage beschieden, zu Bodenstein wollte sie aber nicht unhöflich sein. Sie betraten das Haus, gingen durch die Tür mit der Aufschrift »Privat«. Esther Schmitt sortierte eine Weile klappernd die Schlüssel. Schließlich steckte sie einen Schlüssel ins Schloss. Ihre Miene verdunkelte sich, sie warf Bodenstein einen hilfesuchenden Blick zu.

»Geht nicht auf«, sie stellte sich ratlos, »ich weiß auch nicht, wieso.«

»Sie brauchen eine Chipkarte«, half Pia ihr auf die Sprünge.

»Ach, richtig. Das ist ja seit kurzem so«, Esther Schmitt lächelte verlegen. »Da habe ich gar nicht mehr dran gedacht.

Tut mir leid, wirklich. Ich kann Ihnen im Moment nicht weiterhelfen.«

Wenig später gingen sie die Bahnstraße entlang.

»Was für eine Schauspielerin«, grinste Bodenstein.

»Nur halb so gut wie Sie«, entgegnete Pia. »Mit diesem Internetcafé ist irgendetwas faul. Ich würde gerne Ostermann mit einem Durchsuchungsbeschluss hinschicken.«

»Das machen wir«, Bodenstein warf einen Blick auf die Uhr im Armaturenbrett. »Zwanzig vor elf. Zeit für die Kirche.«

Das Kelkheimer Kloster mit seinem markanten Kirchturm beherrschte weithin sichtbar als Wahrzeichen der Stadt die Landschaft. Begleitet vom Läuten der Kirchenglocken strömten die Gläubigen in die Kirche, vorwiegend ältere Leute, aber auch junge Familien mit Kindern.

»Was machen wir hier?«, fragte Pia, als Bodenstein auf dem Parkplatz anhielt.

»Wir holen Herrn Zacharias ab«, entgegnete Bodenstein. »Er hatte die Gelegenheit, sich bei uns zu melden, was er nicht getan hat.«

»Woher wissen Sie, dass er hier ist?«, wollte Pia erstaunt wissen.

»Er ist im Pfarrgemeinderat von St. Josef und geht jeden Sonntag hier in die Kirche.«

»Und woher wissen Sie das nun schon wieder?«

»Weil ich auch dort in die Kirche gehe«, erwiderte Bodenstein, »leider nur noch unregelmäßig in der letzten Zeit. Ah, da ist er!«

Er stieg aus seinem Auto aus. Pia folgte ihm. Norbert Zacharias war ein feiner älterer Herr, schlank und hochgewachsen, mit einem weißen Haarschopf und einem schmalen, sonnengebräunten Gesicht, der bei Bodensteins Anblick erschrocken zusammenzuckte.

»Ich hätte mich gleich morgen bei Ihnen gemeldet«, versicherte er und verriet damit, dass er Bodensteins Visitenkarte gefunden hatte.

»So lange können wir nicht mehr warten«, entgegnete Bodenstein höflich. »Sie müssen uns aufs Kommissariat begleiten.«

»Hat das nicht noch eine Stunde Zeit?« Zacharias blickte sich unbehaglich um, seine weißgelockte Frau machte ein Gesicht, als würde sie vor Scham am liebsten im Erdboden versinken. Bodenstein blieb unnachgiebig. Zacharias händigte seiner Frau den Autoschlüssel aus und ergab sich widerspruchslos in sein Schicksal.

»Sie sitzen ganz schön in der Bredouille«, stellte Bodenstein fest, als sie sich wenig später in seinem Büro gegenübersaßen. »Wieso haben Sie überhaupt diesen Beratervertrag angenommen?«

»Der Bürgermeister hat mich dazu gedrängt«, antwortete Zacharias, »er sagte, ich würde mich mit den Vorschriften und Abläufen besser auskennen als jeder andere, außerdem sei der Vertrag gut dotiert.«

»Aber gerade vor dem Hintergrund dessen, dass Sie damals wegen des Vorwurfs der Bestechlichkeit von Ihrem Amt als Bauamtsleiter der Stadt Kelkheim zurücktreten mussten, hätten Sie eigentlich ablehnen müssen«, sagte Bodenstein.

Zacharias errötete leicht.

»Ich musste nicht zurücktreten«, protestierte er schwach, »ich bin in Rente gegangen. Ich habe mich weder damals noch heute bestechen lassen.«

»Pauly hat etwas anderes behauptet«, erwiderte Bodenstein. »Er hat Ihnen vorgeworfen, dass Sie von den falschen Zahlen, die die Ingenieure Ihres Schwiegersohnes allen Gutachten zugrunde gelegt haben, gewusst hatten. Er behauptete weiterhin, die Dauerzählstelle in Königstein sei absichtlich vergessen worden, weil sich die dort gemessenen geringeren Verkehrszahlen ungünstig auf die Gutachten ausgewirkt hätten. Was sagen Sie zu diesen Vorwürfen?«

»Ich gebe zu, dass es auf den ersten Blick so aussehen mag.« Zacharias hatte sich sehr gründlich auf die Befragung durch die Leute vom Bund für Umwelt-, Natur- und Tierschutz in Europa, kurz BUNTE, und andere B8-Gegner vorbereitet. »Die Berechnungen und Messungen, die im Vorfeld eines Raumordnungsverfahrens gemacht werden müssen, sind außerordentlich umfangreich und komplex. Weder ich noch die Mitarbeiter der Firma Bock haben die Zahlen der Zählstelle in Königstein mit Absicht unberücksichtigt gelassen. Es ist ein Fehler passiert.«

»Ein Fehler, der allerdings weitreichende Folgen hatte«, sagte Bodenstein, »denn der geplante Ausbau der B8 wurde ja in erster Linie mit einer Verkehrsentlastung begründet. Wenn aber die Verkehrszahlen viel niedriger sind als den Berechnungen zugrunde gelegt, dann entfällt das Hauptargument für den Ausbau der Straße, oder nicht?«

»Es geht ja nicht nur um den Verkehr«, erwiderte Zacharias. »Eine große Rolle spielt auch die Umweltbelastung durch Schadstoffe und Lärm.«

»Wie auch immer«, Bodenstein blätterte in seinen Unterlagen, »Pauly hat behauptet, es gäbe Mauscheleien zwischen den Verantwortlichen der Städte Kelkheim und Königstein und dem Hessischen Landesamt für Straßenbau und Verkehr und sogar dem Bundesministerium. Er sagte, es gehe einzig und allein um das finanzielle Interesse der Firma Bock und um Eigeninteressen verschiedener Grundstücksbesitzer im Gebiet der geplanten Trasse.«

»Das ist doch Unsinn und typisch für Pauly«, Zacharias winkte ab. »Vermutungen und Spekulationen, die jeder

Grundlage entbehren. Warum beschäftigt sich die Polizei überhaupt damit?«

»Weil wir den Mörder von Herrn Pauly suchen«, sagte Pia. »Er hatte herausgefunden, dass die Herren Schwarz und Conradi und auch Sie vor nicht allzu langer Zeit ziemlich wertloses Grünland erworben haben, das sich genau im Bereich der geplanten Straße befindet. Es kann Ihnen nicht recht gewesen sein, dass er diese Tatsachen publik gemacht hat.«

Darauf erwiderte Norbert Zacharias nichts.

»Sie haben am Dienstagabend gegen 22 Uhr den Stammtisch im Goldenen Löwen verlassen«, kam Bodenstein zum eigentlichen Kern seines Anliegens. »Wo sind Sie danach gewesen?«

»Ich bin eine Weile herumgefahren und war dann in meinem Garten im Schmiehbachtal. Ich wollte für eine Weile allein sein.«

»Wo genau sind Sie ... herumgefahren?« Pia ging um den Schreibtisch herum und lehnte sich neben dem Stuhl ihres Chefs ans Fensterbrett. »Zufällig auch im Rohrwiesenweg?«

Die Röte in Zacharias' Gesicht wurde um ein paar Nuancen dunkler. Er fuhr sich mit einer Hand übers Kinn.

»Ach, warum soll ich lügen?«, sagte er nach einer Weile mit müder Stimme. »Ja, ich war im Rohrwiesenweg. Ja, ich war bei Pauly im Hof. Ich hatte eigentlich nur vor, mit ihm zu reden, ganz vernünftig, von Mann zu Mann.«

»Haben Sie es getan?«, fragte Pia.

»Was getan?« Zacharias blickte sie misstrauisch an.

»Mit Pauly geredet.«

»N... nein«, er schüttelte den Kopf. »Ich hatte gerade den Hof betreten, als ein Mädchen mit einem Moped auftauchte. Das Mädchen guckte mich an und stellte das Moped ab. Da verließ mich der Mut, und ich bin wieder zu meinem Auto gegangen.«

Bodenstein wandte sich um und sah Pia an, dann stand er auf.

»Diese Geschichte sollen wir Ihnen glauben, Herr Zacharias?«, sagte er. »Ich denke, es war ganz anders. Sie waren im Hof und gerieten mit Pauly in Streit. Im Zorn erschlugen Sie ihn, genau in dem Moment, als das Mädchen mit dem Moped kam. Sie hat Sie und Pauly gesehen.«

»Nein, nein, das ist nicht wahr!«, unterbrach Zacharias ihn und sprang auf. »Ich habe Pauly gar nicht gesehen, ich …«

»Setzen Sie sich wieder hin«, Bodensteins Stimme wurde scharf, »ich glaube Ihnen kein Wort. Sie hatten ein starkes Motiv, Sie waren zum Tatzeitpunkt am Tatort, und Sie hatten die Mittel, um den Mann zu töten und seine Leiche später abzutransportieren. Ich nehme Sie hiermit vorläufig fest wegen des Verdachtes, Hans-Ulrich Pauly getötet zu haben.«

»Aber ich habe es nicht getan«, flüsterte Zacharias beschwörend, »wirklich nicht. So glauben Sie mir doch!«

»Dann drücken Sie die Daumen, dass wir das Mädchen mit dem Moped finden«, erwiderte Bodenstein und griff zum Telefon, um einen Beamten zu rufen, der Zacharias in eine der Zellen bringen sollte.

Montag, 19. Juni 2006

Nach der kriminaltechnischen Untersuchung von Zacharias'
Mercedes Kombi sah es düster für ihn aus. Obwohl das Auto
vor nicht allzu langer Zeit äußerst gründlich gereinigt, der
Teppichboden im Kofferraum sogar shampooniert und mit
chemischen Reinigungsmitteln behandelt worden war, hatte
man zweifelsfrei Blutspuren festgestellt. Aufgrund dieser
Beweise hatte der Haftrichter am Montagmittag eine Ent-
lassung Zacharias' gegen Zahlung einer Kaution abgelehnt
und den Haftbefehl bestätigt. Vor seinem Abtransport ins
Untersuchungsgefängnis Weiterstadt hatte Bodenstein noch
einmal mit dem Mann gesprochen. Zacharias hatte zusam-
mengesunken auf der Pritsche in seiner Zelle gesessen, ohne
Gürtel, Krawatte und Schnürsenkel bot der Mann ein Bild
des Jammers. Immer wieder hatte er beteuert, er habe Pauly
nicht einmal gesehen, geschweige denn getötet, und das Blut
im Kofferraum seines Autos stamme nicht von einem Menschen, sondern von einem Wildschwein, das er von einem
befreundeten Jäger gekauft und zu Conradi zwecks fachge-
rechter Zerlegung transportiert habe.

»Erzählen Sie mir irgendetwas, das Sie entlastet«, hatte
Bodenstein gesagt. »Nennen Sie mir einen Zeugen, der Sie zu
einem bestimmten Zeitpunkt irgendwo gesehen hat und so
Ihre Unschuldsbeteuerungen untermauern kann. So, wie es
sich im Moment darstellt, sieht es nicht gut für Sie aus.«

Zacharias hatte sein Gesicht in den Händen verborgen und immer nur den Kopf geschüttelt. Er sei direkt von Pauly zu seinem Gartengrundstück gefahren und dort bis zum nächsten Morgen geblieben. Warum? Weil er allein sein wollte. Weil er begriffen hatte, dass sein eigener Schwiegersohn ihn nur benutzt hatte. Weil er das Gejammer seiner Frau nicht mehr hören konnte. Ganz zum Schluss, als Bodenstein schon hatte gehen wollen, hatte er endlich etwas Vernünftiges von sich gegeben.

»Ich kenne das Mädchen mit dem Moped«, hatte Zacharias mit dumpfer Stimme gesagt. »Es war die Freundin meines Enkelsohnes Jonas.«

Bodenstein und seine Mitarbeiter hielten Staatsanwalt und Haftrichter am Montagvormittag ordentlich auf Trab. Ein Paar, das im zweiten Stock des Hauses Starkeradweg 52 in Sulzbach wohnte, hatte Mareike Graf und Conradi Dienstagnacht um halb eins im Treppenhaus gesehen. Den Golfclub hatten beide laut Aussage mehrerer Gäste aber bereits um kurz nach zehn verlassen. Weder Frau Graf noch ihr Liebhaber konnten oder wollten erklären, wo sie sich in diesen gut zwei Stunden aufgehalten hatten. Dazu kam der Befund aus der Rechtsmedizin, dass Paulys Leiche Totenflecken mit dem Muster einer Palette aufgewiesen hatte, wie sie in einem der beiden Lieferwagen der Metzgerei Conradi lag. In Kombination mit den Motiven, die Mareike Graf und auch Conradi hatten, war die Ausstellung der Haftbefehle kaum mehr als eine Formsache. Für eine Vorführung von Vater und Sohn Schwarz in der Rechtsmedizin reichte der Verdacht, dass Erwin Schwarz am Dienstagabend noch einmal in Paulys Haus gewesen war und wahrscheinlich gemeinsam mit seinem Sohn das Haus drei Nächte später angezündet hatte. Außerdem hatte Pia einen Durchsuchungsbeschluss für die

Räume des Bistros Grünzeug erhalten. Mit diesem in der Tasche machte sich Ostermann in Begleitung von einigen Beamten auf den Weg in die Hauptstraße.

Die ausgebrannten und inzwischen abgekühlten Trümmer des Hauses von Pauly wurden ein weiteres Mal gründlich von Experten des Landeskriminalamtes untersucht, als Pia an der Ruine vorbei auf den Hof von Erwin Schwarz fuhr.

Bodenstein hörte sich gerade mit unbewegter Miene die Vorwürfe von Frau Schwarz an. Renate Schwarz war eine stämmige, energische Person mit einem harten Gesicht, in das Wind und Wetter, aber auch viele Sorgen tiefe Falten gegraben hatten.

»Mein Mann und mein Sohn sollen das Haus vom Pauly angezündet haben?« Sie stemmte die Arme in die Seiten. »Sind jetzt alle auf einmal bekloppt geworden? Warum hätten die das denn tun sollen?«

Bodenstein überhörte die Beschimpfungen.

»Ist Ihnen in der Nacht zu Samstag nicht aufgefallen, dass Ihr Mann nicht im Haus war?«, fragte er.

»Natürlich ist mir das aufgefallen«, entgegnete die Frau in einer Stimmlage, die in den Ohren schmerzte, »er war draußen bei der Feuerwehr. Wir mussten ja befürchten, dass der Brand auf unseren Hof übergreift.«

»Beruhigen Sie sich«, sagte Bodenstein besänftigend.

»Beruhigen!«, schnaubte die Bauersfrau empört. »Sie haben meinen Mann und meinen Sohn verhaftet! Wie soll ich denn da ruhig sein?«

»Sie sind nicht verhaftet«, berichtigte Bodenstein. »In ein paar Stunden sind sie wieder da.«

»Sie sollten ganz woanders nach dem Mörder von diesem Pauly suchen als hier bei uns«, riet sie Bodenstein und Pia, »der halbe Ort hatte Gründe, ihn zur Hölle zu wünschen.

Wir haben zu seinen Lebzeiten genug unter diesem grässlichen Kerl gelitten.«

»Inwiefern?«

»Wissen Sie, wie oft die die Straße so zugeparkt haben, dass wir mit den Traktoren und Maschinen nicht mehr durchgekommen sind?«, erregte sich die Frau. »Im Sommer haben sie bis morgens früh im Garten gesessen, gelacht und gesungen, die Köter vom Pauly haben bei uns das Heu voll-geschissen und eine von unseren Katzen totgebissen!«

Frau Schwarz redete sich immer mehr in Rage und präsen-tierte dabei unabsichtlich ein potenzielles Mordmotiv nach dem anderen. Bodenstein und Pia lauschten interessiert und hüteten sich davor, sie zu unterbrechen.

»... und diese rothaarige Zicke«, ereiferte sich die Bauers-frau, »wie die mit unserem Matthias umgesprungen ist, das war eine Frechheit! Sobald der Pauly aus dem Haus war, hat sie ihn rüber gerufen und im Garten schuften lassen wie ei-nen Leibeigenen! Ich hab ihm immer gesagt, dass die ihn nur ausnutzt, aber das wollte er ja nicht hören. Er hat sich einge-bildet, er hätte Chancen bei der! Pah! Die hat dem Bub nur den Kopf verdreht, damit sie einen billigen Sklaven hat, sonst gar nichts!«

Pias Handy summte. Es war Ostermann, und er hatte schlechte Nachrichten.

Zehn Minuten später stand Pia in einem völlig leer geräum-ten Keller unterhalb des Bistro Grünzeug.

»Mist«, sagte sie. »Zu spät.«

»Die Vögel sind ausgeflogen«, bestätigte Ostermann. »Was jetzt?«

Pia überlegte einen Augenblick. Wenn sie wollte, hätte sie das Lokal schließen und durchsuchen lassen können, aber das erschien ihr als reine Zeitvergeudung. Sie hatte die Computer mit eigenen Augen gesehen, die Kabelstränge, die vielen Bildschirme, das elektronische Kartenlesesystem, die Überwachungskamera am Eingang. Wenn jemand die Energie aufgewandt hatte, das alles innerhalb kürzester Zeit an einen anderen Ort zu transportieren, dann war sicherlich auch alles andere, was irgendwie verdächtig oder verboten sein konnte, längst aus den Räumen des Grünzeug entfernt worden. Sie wusste ja nicht einmal, wonach sie genau suchte.

»Wir nehmen uns die direkten Nachbarn vor«, entschied sie deshalb und schickte die Beamten in die Nachbarhäuser, Ostermann und sie gingen zurück ins Bistro. Esther Schmitt stand hinter dem Tresen und sonnte sich unverhohlen in ihrem Triumph.

»Und?«, rief sie und grinste hämisch.

»Sie haben ordentliche Mieter gehabt«, erwiderte Pia. »Die haben Ihnen die Räume besenrein übergeben.«

»Tatsächlich?« Esther Schmitt riss die Augen auf. »Na, so was!«

»Zeigen Sie uns bitte den Mietvertrag? Und die Kontoauszüge des Kontos, auf das die Mietzahlungen eingegangen sind?«

Da verging der Frau das Grinsen.

»Es gibt keinen Mietvertrag«, sagte sie schroff, »und auch keine Mietzahlung. Ich habe den Raum kostenlos zur Verfügung gestellt.«

»Ich weiß ja, dass Sie gerne nur die halbe Wahrheit erzählen«, Pia lächelte. »Das mit den fünfzigtausend Euro fiel Ihnen ja auch erst etwas später ein. Aber vielleicht können Sie sich daran erinnern, wem Sie den Raum zur Verfügung gestellt haben und wozu.«

Esther Schmitt lief rot an.

»Wir haben jetzt nichts zu tun. Meine Kollegen können Ihnen gerne suchen helfen«, schlug Pia vor. »Ich gehe doch davon aus, dass Sie die Miete nicht schwarz kassiert haben. Und auch die Stromkosten für die vielen Computer müssen erheblich gewesen sein.«

»Ist ja gut«, Esther Schmitt knallte das Handtuch auf die Spüle. »Ein paar von den Jungs hatten irgendwann die Idee, ein Internetcafé zu eröffnen. Sie hatten nicht viel Geld und wollten auch nicht lauter Fremde dabeihaben. Deshalb haben Ulli und ich Ihnen diesen Raum zur Verfügung gestellt. Unentgeltlich. Dafür haben sie hin und wieder im Bistro ausgeholfen oder uns mit ihrem Know-how unterstützt.«

»Die Jungs. Das klingt ziemlich vage. Gibt es auch Namen?«

»Lukas und Tarek. Die anderen kenne ich nur mit Spitznamen.«

»Vielleicht kennen Sie ja die Namen Ihrer weiblichen Kundschaft besser«, sagte Pia. »Wir suchen nämlich nach einem Mädchen mit einem gelben Roller, bei dem der Außenspiegel abgebrochen ist. Sie war am Tatabend bei Ihrem Lebensgefährten und ist möglicherweise eine sehr wichtige Zeugin. Angeblich ist sie die Freundin eines Jungen namens Jonas Bock. Kennen Sie den?«

Esther Schmitts Gesicht verfinsterte sich. Es konnte ihr nicht gefallen, dass in ihrer Abwesenheit junge Mädchen in ihrem Haus ein und aus gegangen waren.

»Nie gehört«, erwiderte sie schroff.

»Na gut«, Pia zuckte die Schulter. »Aber wenn Sie ein Mädchen kennen, das einen beschädigten gelben Roller fährt, rufen Sie uns bitte an. Wir sind davon überzeugt, dass sie regelmäßig hier verkehrt.«

»Ich höre mich um«, versprach Esther Schmitt zurückhaltend, »aber hier wimmelt es von kleinen Mädchen mit Rollern.«

»Ich gehe davon aus, dass Ihnen an einer Aufklärung des

Mordes an Ihrem Lebensgefährten gelegen ist«, erwiderte Pia kühl. »Sie haben meine Nummer.«

Die Beamten, die im Nachbarhaus gewesen waren, kehrten zurück und berichteten, dass tags zuvor alle Computer von ein paar jungen Männern mit einem Miettransporter der Firma Turtle Rent abtransportiert worden waren. Sie hatten dreimal fahren müssen, aber offenbar nicht sehr weit, denn sie waren immer nach einer Stunde wieder zurück. Das würde sich überprüfen lassen, denn irgendjemand musste das Auto angemietet haben.

Pias Handy meldete sich just in dem Augenblick, als sie unter der Dusche stand und sich die Haare wusch. Mit einem Fluch drehte sie das Wasser ab und stürzte aus der Dusche. Das Handy lag in der Küche auf dem Tisch.

»Kirchhoff!«, meldete sie sich atemlos und betrachtete verärgert die Wasserlache, die sich unter ihren Füßen bildete.

»Christoph Sander«, sagte eine Männerstimme, »entschuldigen Sie bitte die Störung um diese Uhrzeit.«

Pias Herz machte unwillkürlich ein paar rasche Schläge.

»Sie stören nicht«, erwiderte sie schnell. »Was macht Ihre Hand?«

»Meine Hand?« Sander klang irritiert. »Ach so, das. Ist schon fast wieder verheilt.«

Pia merkte, dass sie ihn aus dem Konzept gebracht hatte.

»Ich habe über unser Gespräch am Samstag nachgedacht«, sagte Sander, »über das Mädchen, das Sie suchen.«

Pia war ein winziges bisschen enttäuscht, dass es ihm nur um den Fall ging.

»Die beste Freundin meiner Tochter fährt einen gelben Roller«, fuhr Sander fort. »Als die beiden eben zusammen weggefahren sind, habe ich gesehen, dass bei Svenjas Roller ein Spiegel abgebrochen ist. Da ist mir wieder eingefallen, was Sie mir gesagt haben.«

»Wie heißt das Mädchen?«, fragte Pia aufmerksam.

»Svenja. Svenja Sievers.«

Der Name löste bei Pia eine verschwommene Erinnerung aus. Sie hatte ihn vor nicht allzu langer Zeit schon einmal gehört. Aber wo? Und in welchem Zusammenhang?

»Meine Tochter ist mit Svenja eng befreundet«, erklärte Sander, »aber seit ein paar Tagen ist das Mädchen völlig verändert. Am Samstag muss sie auch noch Streit mit ihrem Freund gehabt haben und ist seitdem nur noch am Heulen.«

Pia richtete sich auf und versuchte ihre Gedanken zu ordnen.

»Kannten die Mädchen Pauly?«, fragte sie.

»Bedauerlicherweise, ja«, antwortete Sander. »Durch Svenjas Freund sind sie in die Pauly-Clique geraten. Zum Glück besaß meine Tochter genug gesunden Menschenverstand, um diesen Typen zu durchschauen, aber Svenja hat sich von Pauly schwer beeindrucken lassen.«

Pia ging zurück ins Badezimmer und wickelte sich ein Handtuch um ihren Körper, als könnte Sander sie sehen.

»Wo sind die Mädchen jetzt?«, fragte sie.

»Ich weiß es nicht. Antonia hat nichts gesagt.«

»Wo wohnt Svenja?«, wollte Pia wissen. »Was ist mit ihren Eltern? Wissen die vielleicht, wo die Mädchen sind?«

»Ich fürchte, die wissen noch weniger als ich«, antwortete Sander. »Svenja versteht sich nicht gut mit ihrer Mutter, und ihr Stiefvater arbeitet Nachtschicht am Flughafen.«

»Es ist wohl aussichtslos, jetzt einfach aufs Geratewohl nach den beiden zu suchen«, Pia setzte sich auf den Rand der Badewanne und dachte nach.

»Der Mann, der das Mädchen gesehen hat, sagte, es könne

sich um die Freundin von Dr. Bocks Sohn Jonas handeln. Das kann dann ja nicht die Freundin Ihrer Tochter sein.«

Einen Moment war es still in der Leitung.

»Doch, natürlich«, sagte Sander, »Svenja ist die Freundin von Jo.«

Svenja. Jo. Plötzlich kehrte die Erinnerung zurück. *Da drüben, das sind Jo und Svenja.* Das hatte Lukas vorgestern Abend auf der Burg zu ihr gesagt, und Pia erinnerte sich, dass sie diesen Jo am Tag zuvor im Grünzeug gesehen hatte. Allmählich begriff sie die Zusammenhänge. Boris Balkan hieß in Wirklichkeit Jonas und war der Sohn von Dr. Carsten Bock, der auf dem Anrufbeantworter von Pauly die Ankündigung hinterlassen hatte, er werde ihm seine Anwälte auf den Hals hetzen. Jonas' Großvater war also Norbert Zacharias, der bis an den Hals im Schlamassel und unter Mordverdacht in U-Haft saß. Aber Jonas war ein Freund von Pauly und Stammgast im Bistro Grünzeug. Auf wessen Seite stand der Junge?

Cosima hatte für den Abend ihre Mitarbeiter eingeladen, die mit ihr in den vergangenen Monaten an dem Filmprojekt gearbeitet hatten. Sie wollten noch einige Details besprechen, aber in erster Linie die Fertigstellung des Films feiern. Bodenstein half ihr, den Tisch auf der Terrasse zu decken, stellte Sekt kalt und holte einen guten Rotwein aus dem Keller. Er war gerade dabei, die Flaschen zu entkorken, als Rosalie mit ihrem Mopedhelm über dem Arm aus der Garage in die Küche kam. Sie sah Cosima wie aus dem Gesicht geschnitten ähnlich, hatte zu ihrem Ärger auch ihr tizianrotes Haar geerbt, das sie im Moment allerdings platinblond gefärbt hatte.

»Du bist ja schon da«, sagte sie ohne große Begeisterung zu ihrem Vater, öffnete die Kühlschranktür und blickte hinein.

»Nette Begrüßung«, Bodenstein dachte an die Zeiten zurück, als ihm seine Tochter abends noch vor Freude um den

Hals gefallen war, und musterte sie missbilligend. »Fährst du in dem Aufzug mit dem Moped durch die Gegend?«

Rosalie trug eine Jeans, die so tief auf den Hüften saß, dass man die Bändchen ihres Strings sehen konnte, ihr Hemdchen ließ den ganzen Bauch frei. So liefen die Nutten im Bahnhofs-Viertel herum.

»Was bleibt mir anderes übrig?«, erwiderte sie spitz. »Ich hab ja kein eigenes Auto, und Mama hat ihr's zu Schrott gefahren.«

Bodenstein schüttelte den Kopf. Lorenz wurde allmählich wieder vernünftig, aber Rosalie durchlebte noch die letzten Trotzphasen einer ziemlich heftigen Pubertät mit allen Begleiterscheinungen. »Übrigens«, verkündete sie nun, »ich hab für die Sommerferien einen megacoolen Job.«

»Sag bloß, du hast die Praktikantenstelle bei Lovells bekommen?«

»Nö«, sagte Rosalie und tauchte die Spitze ihres Zeigefingers in eine der Grillsoßen. »Ich hab einen Job im Cas Viajes in Soller auf Malle.«

»Wie bitte?« Bodenstein warf seiner Tochter einen irritierten Blick zu. »Als was denn?«

»Du findest es wahrscheinlich nicht so doll«, Rosalie platzierte ihren kleinen Popo auf der Arbeitsplatte geschickt zwischen einer Platte mit eingelegten Auberginen und Zucchini und einer Schale mit Salat, »als Küchenhilfe und Kellnerin. Aber es gibt immerhin achthundert Euro, Kost und Logis sind frei. Und mein Chef ist Claudio Belcredi!«

Bodenstein stellte die Weinflasche ab.

»Du willst als *Küchenhilfe* auf Mallorca arbeiten?«, vergewisserte er sich. »Hast du einen Sonnenstich abbekommen? Ich denke, du wolltest Jura studieren und im Sommer ein Praktikum bei dieser Kanzlei in Frankfurt machen!«

»Jura ist doch öde«, Rosalie schüttelte den Kopf. »Ich will

Köchin werden. Weißt du, wer mir diesen geilen Job auf Malle vermittelt hat?«

»Ich ahne es schon«, Bodenstein stieß einen Seufzer aus. »Den Floh hat dir Maître St. Clair ins Ohr gesetzt.«

Jean-Yves St. Clair war der französische Starkoch, den seine Schwägerin vor einer Weile für ihr Schlosshotel engagiert hatte. Cosima hatte Bodenstein erzählt, dass Rosalie heimlich für den temperamentvollen Südfranzosen schwärmte.

»Er hat mir gar nichts ins Ohr gesetzt«, bestritt Rosalie und schlenkerte lässig mit den Beinen, aber Bodenstein sah, dass sie rot geworden war. »Er hat mir nur geraten, dass ich Erfahrungen in einer Küche sammeln soll, bevor ich mich ernsthaft entscheide, Köchin werden zu wollen.«

Cosima betrat die Küche.

»Geh da runter, Rosalie«, sagte sie. Das Mädchen gehorchte, schlängelte sich an der Mutter vorbei und öffnete wieder den Kühlschrank.

»Lass das«, Cosima zog sie vom Kühlschrank weg und schloss wieder die Tür.

»Ich will doch bloß was trinken«, beschwerte Rosalie sich.

»Hol dir was aus der Garage.«

»Das ist pisswarm ... ich ...«

»Raus jetzt hier!«, schrie Cosima ihre Tochter an.

»Wer schreit hat unrecht«, erwiderte Rosalie beleidigt und verschwand.

»Sie geht mir auf die Nerven«, Cosima lehnte sich gegen die Spüle und stieß einen Seufzer aus. »Alles geht mir auf die Nerven.«

Bodenstein betrachtete seine Frau. Cosima war immer schlank gewesen, aber mittlerweile wirkte sie ungesund dünn. Sie war blass, unter den Augen lagen bläuliche Schatten, die er nie zuvor an ihr bemerkt hatte.

»Du brauchst dringend ein bisschen Ruhe«, sagte er. »Ich bin froh, dass du den Film endlich fertig hast.«

»Das glaube ich, dass du froh bist«, erwiderte Cosima sarkastisch. »Ich weiß, dass es dir nicht passt, dich den ganzen Abend über den Film unterhalten zu müssen, weil du in Gedanken nur bei deinem *Fall* bist.«

Dieser Vorwurf war ungerecht und entsprach in keiner Weise der Wahrheit.

»Ich habe hier alles am Hals«, Cosimas Stimme wurde schrill. »Ich bin hier nur noch die Köchin und Putzfrau und muss zusehen, wie ich das alles unter einen Hut kriege!«

Bodenstein konnte sich die Heftigkeit von Cosimas Ausbruch nicht erklären und war sich keiner Schuld bewusst. Eine Weile hörte er ihren Tiraden schweigend zu.

»Du verschwindest jeden Morgen und überlässt mir alles«, warf Cosima ihm schließlich vor. »Und was deine Kinder tun, interessiert dich überhaupt nicht.«

»Moment mal«, unterbrach Bodenstein sie konsterniert, »ich interessiere mich sehr wohl für alles, was du und die Kinder tun. Ich habe …«

»Lüg doch nicht!« Cosima wurde laut. »Aber weißt du was? Setz dich doch einfach in dein Auto und kümmere dich um deinen *Fall*! Ich komme hier auch gut ohne dich klar, wenn du keine Lust hast, mit meinen Freunden zu reden.«

»Was ist denn in dich gefahren?«, erwiderte Bodenstein nun auch mit erhobener Stimme. Rosalie tauchte in der Küche auf.

»Oh, ein Ehekrach«, sagte sie, und im nächsten Moment brach Cosima, die Unerschütterliche, in Tränen aus, drängte sich an Rosalie vorbei und rannte aus der Küche. Vater und Tochter blickten sich hilflos und verwirrt an.

»Was ist denn in die gefahren?«, fragte Rosalie. »Wechseljahre oder was?«

»Sprich nicht so respektlos von deiner Mutter«, Bodenstein hatte seinen Ärger sofort vergessen und folgte Cosima besorgt die Treppe hinauf ins Schlafzimmer. Aus dem Badezimmer hörte er lautes Schluchzen. Cosima saß auf dem Rand der Badewanne, die Wimperntusche lief in schwarzen Streifen über ihre Wangen. Bodenstein ging neben ihr in die Hocke und berührte vorsichtig ihr Knie. Sie schluchzte hysterisch, dann lachte sie genauso hysterisch, und plötzlich sackte sie ohnmächtig in sich zusammen. Bodenstein konnte nur knapp verhindern, dass sie mit dem Kopf auf die Fliesen schlug. Er nahm Cosima in die Arme, trug sie ins Schlafzimmer und legte sie aufs Bett. Rosalie stand mit betroffenem Gesicht in der Tür.

»Ich glaube, die Party können wir absagen«, sagte Bodenstein.

Vor dem Grünzeug standen einige Fahrräder, Mopeds und Motorroller. Ein gelber Roller war nicht dabei. Pia betrat das Bistro. Der Anblick von Lukas hinter dem Tresen verursachte ein hohles Gefühl in ihrem Magen. Es war nicht viel los an diesem Abend, das übliche jugendliche Stammpublikum schien sich woanders zu amüsieren. Lukas begrüßte sie erfreut und schien ihr die Zurückweisung vom Samstagabend nicht nachzutragen.

»Hallo«, Pia setzte sich auf einen der Barhocker, die alle unbesetzt waren, »hier ist ja nicht sehr viel los.«

»Fußball«, er deutete mit dem Daumen hinter sich Richtung Hof. »Möchten Sie etwas trinken?«

»Gerne. Was kannst du mir empfehlen?«

»Meine Spezialität ist Sex on the beach«, er zwinkerte ihr zu und sah dabei einfach umwerfend aus. Pia vermutete, dass mindestens fünfzig Prozent aller Mädchen nur seinetwegen Stammgast im Grünzeug waren.

»Das Thema haben wir doch geklärt« entgegnete sie trocken. »Ich habe Lust auf eine Piña Colada. Aber sei sparsam mit dem Rum.«

»Alles klar.«

Pia beobachtete, wie Lukas gekonnt den Drink für sie mixte.

»Sag mal«, sie stützte ihr Kinn in die Hand, »was weißt du über dieses mysteriöse Internetcafé im Hinterzimmer, das seit heute plötzlich nicht mehr existiert?«

»Daran war doch nichts mysteriös«, erwiderte Lukas erstaunt. »Es hat sich nach und nach entwickelt und natürlich auch herumgesprochen. Als immer mehr Leute auftauchten, die Ulli und Esther hier nicht so gerne haben wollten, haben wir es zu einer Art Club gemacht. Off limits sozusagen.«

»Und weshalb ist es jetzt nicht mehr da?«

»Esther wollte auf einmal einen Mietvertrag und Miete haben. Das hat einigen von uns nicht gepasst.«

Er stellte Pia den fertigen Cocktail hin, hübsch verziert und mit exotischem Obst garniert. Das klang glaubwürdig. Esther Schmitt war geldgierig.

»Zum Wohl«, er lehnte sich ihr gegenüber an den Tresen.

»Verstehst du dich gut mit ihr?« Pia probierte die Piña Colada und war begeistert. »Hm, lecker …«

»Mit Esther? Ja, doch«, Lukas zögerte. »Sie ist zwar nicht wie Ulli, aber eigentlich in Ordnung.«

Er stützte sich mit den Ellbogen auf den Tresen.

»Wie meinst du das?«, fragte Pia neugierig.

»Esther ist die Geschäftsführerin hier. Sie muss auf die Kosten schauen. Ulli waren Umsatzzahlen, Lohnkosten, Einkaufspreise oder die Steuererklärung völlig egal. Er hatte dauernd neue Ideen und spontane Einfälle, aber Esther hat ihn immer gebremst.«

Er lächelte traurig.

»Ulli meinte, sie sei eine kleinkarierte Erbsenzählerin. Er hatte große Visionen und keine Lust, sich mit Alltäglichem herumzuschlagen.«

»Wo habt ihr die Computer hingebracht?«, erkundigte Pia sich.

»In ein Lagerhaus, drüben im Gewerbegebiet in Münster«, antwortete Lukas. »Es gehört dem Vater von einem Kumpel. Da machen wir dann weiter.«

»Mit was?«

»Mit dem Internetcafé nur für Mitglieder«, er grinste, und Pia dachte unwillkürlich an den Ausdruck des Verlangens in seinen Augen. Auf die Art und Weise kriegte er sicher jedes Mädchen rum – ein paar Komplimente, tiefe Blicke aus seinen grasgrünen Augen, ein Hauch von Melancholie, ein Gedicht ...

»Hast du eigentlich keine Freundin?« Pia schlürfte den letzten Rest der Piña Colada mit dem Strohhalm aus dem Glas.

»Nein«, Lukas ergriff das leere Glas. »Möchten Sie noch eine?«

»Aber dann bitte ganz ohne Alkohol«, Pia nickte. »Warum nicht? So wie du aussiehst, müssen dir die Mädchen doch scharenweise nachlaufen.«

Für den Bruchteil einer Sekunde verdüsterte sich Lukas' Gesicht.

»Es gibt für mich nichts Langweiligeres als kleine Mädchen, die mich kritiklos anhimmeln. Ich hasse leichte Beute.«

Pia sah den Jungen nachdenklich an. Haderten nicht nur Hässliche, Dicke und Picklige mit ihrem Aussehen? Konnte auch Schönheit eine Bürde sein?

»Du bist schon oft enttäuscht worden«, Pia wusste, dass sie sich auf gefährliches Terrain begab, aber es interessierte sie wirklich. Lukas ließ den Cocktailshaker sinken. Zwischen seinen Augenbrauen erschien eine Falte.

»Meine Erwartungen sind wohl einfach zu hoch«, erwiderte er.

»Deine Erwartungen, was die Mädchen betrifft?«

»Nein, was das Leben betrifft«, er widmete sich wieder der Herstellung von Pias Drink. »Sie können es mit diesem Cocktail vergleichen. Sie wissen, wie er schmecken sollte, und freuen sich darauf, aber dann schmeckt er nur nach Wasser. Fade. So geht es mir häufig.«

Er stellte Pia die zweite, diesmal alkoholfreie Piña Colada hin.

»Das klingt ja furchtbar frustrierend«, sagte Pia.

»Die meisten Dinge sind mir nicht wichtig genug, als dass sie mich frustrieren könnten«, Lukas verschränkte die Arme und sah sie mit geneigtem Kopf an. »Ich suche Herausforderungen. Am liebsten solche, die auf den ersten Blick unüberwindlich erscheinen.«

Er lächelte entwaffnend. Pia ging auf diese Bemerkung nicht ein und nahm einen Schluck. Es war an der Zeit, zum eigentlichen Grund ihres Besuches zu kommen.

»Dein Freund Jo heißt in Wirklichkeit Jonas Bock, stimmt's?«

»Ja.«

»Und seine Freundin heißt Svenja?«

»Stimmt«, Lukas blickte Pia aufmerksam an. »Wieso?«

»Weil Svenja einen gelben Roller fährt«, entgegnete Pia. Lukas zog überrascht die Augenbrauen hoch, aber bevor er etwas sagen konnte, rauschte Aydin mit ein paar Bestellungen herein. Im Hof grölten die Fußballzuschauer, wahrscheinlich war ein Tor gefallen. Aydin warf Pia einen argwöhnischen Blick zu, lehnte sich wartend an den Tresen und beobachtete Lukas dabei, wie er die Getränke fertig machte. An der Art und Weise, wie sie ihn anschmachtete, erkannte Pia, dass auch sie leichte Beute für den Jungen wäre.

»Also ist Svenja das Mädchen, das Sie suchen«, sagte Lukas, als Aydin mit dem vollen Tablett wieder abzog. »An sie hätte ich gar nicht gedacht.«

»Was kann Svenja am Dienstag von Pauly gewollt haben?«, wollte Pia wissen.

»Keine Ahnung«, Lukas spülte die benutzten Gläser, die Aydin hingestellt hatte. »Vielleicht weiß Toni das. Antonia Sander.«

»Ich weiß, wer Antonia ist. Hast du eine Ahnung, wo die Mädchen jetzt sein könnten?«

Lukas rutschte ein Glas aus der Hand und zerbrach.

»Mist«, murmelte er und sammelte die Scherben auf. »Vielleicht tauchen sie später noch hier auf.«

»Weißt du, ob Jo und Svenja wegen irgendetwas in der letzten Zeit Streit hatten?«, erkundigte sich Pia.

»Sie stellen ja Fragen«, Lukas lächelte, aber Pia hatte den Eindruck, als sei er plötzlich auf der Hut. »Woher soll ich das denn wissen?«

»Ich habe gehört, dass sich Jonas und Svenja am Samstag noch heftig gestritten haben«, sagte Pia.

»Davon habe ich nichts mitbekommen«, sagte Lukas. »Aber ich bin auch nicht mehr auf die Burg zurückgegangen.«

»Und am Sonntag, als ihr die Computer abgebaut habt, hat Jonas auch nichts darüber zu dir gesagt?«, fragte Pia.

»Kein Wort. Er war mies drauf, aber ich hab gedacht, das wäre wegen dem Krach mit Esther.«

Eine Gruppe junger Leute betrat das Bistro, ließ sich lachend und Stühle rückend vorne an den Bistrotischen nieder. Lukas hatte keine Zeit mehr zum Plaudern. Weil er ihr kein Geld abnehmen wollte, legte Pia zehn Euro auf den Tresen, bedankte sich und stand auf.

»Svenja hat ganz sicher nichts mit dem Mord an Ulli zu tun«, sagte Lukas, »sie hat ihn gemocht, wie wir alle hier.«

»Aber vielleicht hat sie den Mörder gesehen«, erwiderte Pia. »Wenn er sie auch gesehen hat, ist sie in großer Gefahr. Falls du sie heute Abend noch siehst, sag ihr bitte, dass sie sich unbedingt bei mir melden soll, okay?«

»Klar. Mach ich«, er nickte und beugte sich vor, »und Frau Kirchhoff ...«

»Ja?«

»Meine SMS war übrigens ernst gemeint.«

Dienstag, 20. Juni 2006

Die halbe Nacht hatte Bodenstein über den wahren Grund für Cosimas Aus- und Zusammenbruch nachgedacht. Insgeheim hoffte er, dass es nur am Stress der letzten Tage gelegen hatte, aber die Sorge, seine Frau könnte ernsthaft krank sein, beunruhigte ihn tief. Es war sechs Uhr, als er aufstand und nach unten ging, um Pia Kirchhoff anzurufen. Er hatte kein gutes Gewissen, sie und seine Mitarbeiter zu diesem Zeitpunkt der Ermittlungen im Stich zu lassen, aber er wollte Cosima heute nicht alleine lassen.

Als Pia bei der morgendlichen Besprechung verkündete, dass sich Bodenstein aus privaten Gründen für den Tag abgemeldet hatte und sie deshalb die Leitung der Ermittlungen übernehmen würde, begehrte Frank Behnke sofort auf. Unnötigerweise wies er darauf hin, er habe als Dienstältester das Recht auf die Vertretung Bodensteins.

»Wenn der Chef das so sehen würde, hätte er Sie angerufen und nicht mich«, sagte Pia. »Wir haben viel zu tun und sollten uns jetzt nicht um Kompetenzen streiten.«

Behnke lehnte sich zurück und verschränkte die Arme.

»Wie möchten Sie denn die Arbeit aufteilen, Frau Kollegin?« Seine Stimme troff vor Sarkasmus. Pia ging nicht darauf ein. Sie griff nach der Akte, die in der Mitte des Tisches lag, aber Behnke war schneller und zog sie zu sich hin. Er grinste boshaft.

»Ja, werfen Sie ruhig mal einen Blick rein«, Pia lächelte kühl. »Ich kenne den Inhalt, aber Sie müssen ja einiges nachlesen, so oft, wie Sie in den letzten Tagen pünktlich Feierabend gemacht haben.«

Das saß. Behnke lief rot an und gab der Akte einen Stoß, so dass sie in Pias Richtung über den Tisch schlitterte und mit einem Knall auf dem Boden landete.

»Leute, hört doch auf damit«, mahnte Ostermann, erhob sich und bückte sich nach dem Ordner, »ihr benehmt euch kindisch. Wir werden wohl einen Tag ohne den Chef rumkriegen.«

Pia und Behnke starrten sich quer über den Tisch feindselig an.

»Ich schlage vor«, sagte Ostermann, »Frank und Kathrin reden mit Mareike Graf, Conradi und Zacharias. Pia macht sich auf die Suche nach diesem Mädchen ...«

»Genau. Am besten in ihrer neuen Lieblingskneipe, diesem Öko-Bistro«, warf Behnke ein. »Vielleicht ist der schöne Lukas auch da, mit dem unterhält sie sich ja so gerne.«

Pia spürte, wie sich ihr Magen zu einem zornigen Knoten zusammenzog. Sie konnte sich kaum noch beherrschen.

»Das Mädchen mit dem gelben Roller heißt Svenja Sievers«, sagte sie, »das habe ich gestern erfahren.«

»Ach? Und wann wollten Sie uns das verraten?«

»Sie wüssten es schon, wenn Sie mich nicht unterbrochen hätten«, entgegnete Pia eisig. »Hat jemand ein Problem mit der Arbeitseinteilung, die Kai vorgeschlagen hat?«

Sie blickte in die Runde. Kathrin Fachinger betrachtete eingehend ihren Kugelschreiber, Ostermann sah Behnke an, und der zuckte nur die Schultern. Ein tolles Team, wahrhaftig!

»Gut«, sie erhob sich, »dann bis später.«

Kurz darauf stand Ostermann in der Tür zu seinem Büro und suchte nach den passenden Worten.

»Ich kenne Frank schon seit fünfzehn Jahren«, sagte er schließlich, »wir waren zusammen auf der Polizeischule und auf Streife. Er ist eigentlich kein übler Kerl.«

»Ach ja?« Pia ergriff ihre Tasche. »Das hat er bis jetzt vor mir aber gut geheim gehalten. Ich finde, er ist ekelhaft arrogant und hält sich für was Besonderes.«

Ostermann zögerte.

»Dasselbe denkt er auch von dir«, sagte er. Pia starrte ihn an, als ob er versucht hätte, ihr hinterrücks ein Messer in den Hals zu rammen.

»So ist das also. Ihr redet hinter meinem Rücken über mich. Das hätte ich von dir nicht gedacht, Kai.«

»Ich habe Frank gefragt, was er für ein Problem mit dir hat«, gab Ostermann zu. »Ich mag dich gut leiden, Pia. Ich schätze dich sehr als Kollegin. Es tut mir einfach leid, dass du und Frank keinen Draht zueinander findet.«

»Das liegt nicht an mir«, Pia ging an ihm vorbei in ihr gemeinsames Büro. Ostermann folgte ihr.

»Viele hier denken, dass du eigentlich nur aus Spaß arbeitest«, Ostermann setzte sich an seinen Schreibtisch, der dem von Pia gegenüberstand. »Ich meine, du hast dir diesen Hof gekauft, hast Pferde … Das ist bei einem Beamtengehalt nur schwer möglich, oder?«

Pia musterte ihn aus schmalen Augen.

»Jetzt kapiere ich, wie der Hase läuft«, sagte sie kühl, »und deshalb verrate ich dir jetzt etwas, worüber ich sonst nicht spreche. Mein Schwager ist Börsenspezialist und hat mir in der Zeit des Neuen Marktes gelegentlich Tipps gegeben. Im Gegensatz zu vielen anderen war ich so clever und habe auf seinen professionellen Rat hin im richtigen Moment verkauft. Meinen Hof verdanke ich einigen Start-ups am Neuen Markt, von denen heute keiner mehr spricht.«

Ostermann machte ein verblüfftes Gesicht. In dem Moment summte Pias Handy. Es war Zoodirektor Sander. Der Klang seiner Stimme besänftigte augenblicklich ihren Zorn. Er entschuldigte sich, dass er nicht früher angerufen hatte, aber er war die ganze Nacht im Dienst gewesen, weil eine Giraffe gekalbt hatte. Als er heute Morgen nach Hause gekommen war, war seine Tochter schon auf dem Weg in die Schule.

»Wo könnte Svenja jetzt wohl sein?« Pia angelte nach Notizblock und Kugelschreiber.

»Sie macht eine Lehre als Arzthelferin in Kelkheim«, erwiderte Sander, »bei einem Dr. Kohlmeyer. Aber ich rufe eigentlich aus einem anderen Grund an.«

»Und der wäre?«

»Ich habe gerade meine E-Mails durchgesehen und dabei eine gefunden, die mich ziemlich beunruhigt. Absender ist Jonas Bock, und Inhalt ist ein Link zur Homepage von Svenja.«

»Und?«

»Schauen Sie sich's mal an. Ich leite Ihnen die E-Mail weiter.«

Pia bedankte sich und ließ ihren Computer hochfahren. Wenig später klickte sie die E-Mail von Sander an und den Link, der sie auf die Webseite »www.svenja-sievers.de« führte. Auf der Startseite öffnete sich ein Fenster mit der Überschrift »Nackte Tatsachen von der geilen Svenja …«. Ungläubig betrachtete Pia amateurhaft aufgenommene Fotos, die ein junges Mädchen in peinlichen Situationen zeigten: nackt, halbnackt, offensichtlich völlig betrunken und sogar beim Geschlechtsverkehr mit einem Mann, dessen Gesicht nicht zu erkennen war. Pia verstand überhaupt nichts mehr. Absender der E-Mail, bei der der Verteiler unterdrückt war, war Jonas Bock. Aber wieso sollte er einen solchen Link verschicken? Er war der Freund des Mädchens, angeblich sogar mit Svenja verlobt! Wie kamen diese wirklich peinlichen Fotos auf die private Homepage des Mädchens? Pia schickte den Link weiter an Kai und bat ihn herauszufinden, wer der wahre Absender der E-Mail war.

»Ich glaube nicht, dass das wirklich der Freund des Mädchens verschickt hat«, sagte sie, nachdem sie ihrem Kollegen kurz den Grund ihres Misstrauens erläutert hatte.

»Wer sonst?«

»Jemand, der dem Mädchen schaden will«, Pia klickte sich durch den Rest der ansonsten harmlosen Webseite. »Jemand, der eifersüchtig auf sie und Jonas ist. Mich würde auch interessieren, wem diese E-Mail geschickt worden ist.«

»Ich sage dir Bescheid, wenn ich etwas herausfinde.«

»Okay«, Pia ergriff ihre Tasche und stand auf, »und Kai?«

»Ja?« Ihr Kollege blickte fragend auf.

»Danke für deine Vermittlungsversuche. Das ist echt nett von dir.«

Eine halbe Stunde später hatte Pia von Dr. Kohlmeyer, dem Chef von Svenja Sievers, erfahren, dass das Mädchen seit über einer Woche nicht mehr zur Arbeit erschienen war. Der Arzt war verständlicherweise verärgert, und die Tatsache, dass pornographische Fotos seiner Auszubildenden im Internet kursierten, machte es nicht eben besser. Auf dem Weg zum Ausgang des neuen Kelkheimer Gesundheitszentrums an der Frankenallee, in dem sich die Praxis von Dr. Kohlmeyer befand, rief Pia bei Zoodirektor Sander an.

»Svenjas Chef hat diese E-Mail auch bekommen«, erklärte sie ihm, »sie war seit Mittwoch nicht mehr arbeiten, und wegen dieser Fotos will er ihr jetzt den Ausbildungsvertrag kündigen. Was meinen Sie, wo ich Jonas finden kann?«

»So ein Drecksack«, sagte Sander, und Pia wusste nicht

genau, ob sich diese Aussage auf Jonas Bock oder Dr. Kohlmeyer bezog, »ich schätze, Jonas ist in der Schule. Wenn ich
mich richtig erinnere, steckt er mitten im Abi.«

Aber Jonas Bock war nicht in der Schule. Er erschien nicht
zur mündlichen Prüfung um Viertel vor zehn und auch später
nicht. Die Schulsekretärin rief bei den Eltern zu Hause an,
aber dort meldete sich am Telefon nur eine Haushälterin, die
nicht wusste, wo Jonas war. Im Büro seines Vaters hieß es,
Dr. Bock sei außer Haus. Die Großzügigkeit der Schulleitung
und der Prüfer des Staatlichen Schulamtes kannte schließlich Grenzen. Um zwölf Uhr galt die mündliche Prüfung von
Jonas Bock als nicht erbracht. Damit war er durchs Abitur
gefallen. Die anderen Abiturienten tuschelten in den Gängen
und vor der Schule miteinander und spekulierten, weshalb
Jo Bock wohl nicht erschienen war. Pia verließ das Schulgebäude und ging zu einer Gruppe von jungen Leuten, die zu
ihrem bestandenen Abitur die Sektkorken knallen ließen.

»Er hat gestern wohl zu wild gefeiert«, vermutete einer der
Schüler, der einen Pappbecher mit Sekt in der Hand hielt.
»Vielleicht hat er verpennt.«

»Gefeiert?«, fragte Pia überrascht nach. »Was denn?«

»Seinen Geburtstag«, erwiderte der Junge trocken. »Jo
hatte gestern Geburtstag.«

Als Pia sich in ihr Auto setzte, rief Kathrin Fachinger an, die
in den vergangenen zwei Stunden gemeinsam mit Behnke erst
Mareike Graf und dann Franz-Josef Conradi verhört hatte.
Beiden schien über Nacht der Ernst ihrer Lage klar geworden
zu sein, denn sie hatten unabhängig voneinander zugegeben,
was sie in der Zeit zwischen ihrer Abfahrt am Golfplatz und
dem Eintreffen im Starkeradweg getan hatten.

»Sie sind vom Golfplatz aus in den Wald gefahren und
haben sich im Wald auf einem Hochsitz vergnügt«, sagte Ka-

thrin, »und später dann noch mal auf der Motorhaube von Conradis Lieferwagen.«

Pia spielte kurz mit dem Gedanken, Bodenstein zu fragen, was sie tun sollte. Aber wenn sie in seiner Abwesenheit die Leiterin des K11 sein wollte, musste sie solche Entscheidungen selber treffen können.

»Lasst die beiden gehen«, sagte sie zu ihrer Kollegin. Mareike Graf und Franz-Josef Conradi hatten feste Wohnsitze, es drohte keine Flucht- oder Verdunklungsgefahr. »Habt ihr auch schon mit Zacharias gesprochen?«

»Ja. Aber der sagt kein Wort ohne seinen Anwalt.«

»Auch gut«, Pia startete den Motor. »Wir sehen uns später.«

Familie Sievers wohnte in Bad Soden im vierten Stock eines hässlichen Mehrfamilienhauses aus den sechziger Jahren in der Königsteiner Straße gegenüber dem Bahnhof. Pia fand einen Parkplatz im Hof, der um diese Uhrzeit beinahe leer war. Ihre Gedanken kreisten um Lukas. Weshalb hatte er ihr gestern nichts von Jonas' Geburtstagsfeier gesagt? Ganz sicher waren Svenja und Sanders Tochter auf dieser Feier gewesen, aber warum Lukas nicht? Er war doch ein guter Freund von Jonas. Seltsam. Pia musste eine ganze Weile suchen, bis sie die richtige Klingel auf einem der vierzig Schildchen mit vorwiegend ausländischen Namen gefunden hatte. Gerade als sie klingeln wollte, rief Ostermann an. Die E-Mail mit dem Link zu Svenjas Homepage war von einem Hotmail-Konto, das auf den Namen Jonas Bock lautete, an 147 Adressen verschickt worden.

»Da wollte jemand das Mädchen richtig übel bloßstellen«, sagte Pia. »Kriegst du raus, wer wirklich hinter der Hotmail-Adresse steckt?«

»Ich glaube nicht«, nahm Ostermann ihr jede Hoffnung.

»Aber sag mal, hast du schon einmal von *Double Life* gehört?«

»Nein«, antwortete Pia verwundert. »Was soll das sein?«

»Ein Internetspiel, eine virtuelle Welt. Die Mitspieler können sich eine Figur kaufen und in der Welt von *Double Life* leben, einkaufen, eine Wohnung einrichten ...«

»Ein Abklatsch von *Second Life* also«, sagte Pia.

»Mehr als das. In *Double Life* kann man Menschen umbringen, betrügen, stehlen, einbrechen. Das ist sogar das Ziel des Spiels. Für jede kriminelle Handlung gibt es Geld vom Paten, den niemand kennt. Die Figuren wissen auch nicht, welche von ihnen ein Killer ist.«

»Ich verstehe nicht ganz, auf was du hinauswillst.«

»*Double Life* ist vor ein paar Monaten verboten worden, weil es Gewalt verherrlicht. Seitdem sind die Leute wie verrückt danach. Es gibt keine offizielle Webseite mehr, keinen einzigen Zugang. Die *Double-Life*-Community ist in die Unterwelt des Internet abgetaucht, hat aber einen rasenden Zulauf. Seit Wochen versuchen Computerexperten vom BKA und von Interpol vergeblich, den Server zu finden, auf dem *Double Life* läuft.«

»Wie kommst du überhaupt darauf?« Pia verstand nur noch Bahnhof.

»Ich habe den Link zu *Double Life* auf der Homepage von Svenja Sievers gefunden«, sagte Ostermann. »Und das ist echt ein Hammer.«

Das Mädchen, das Pia an der Wohnungstür im vierten Stock erwartete, war nicht Svenja Sievers, sondern ihre Freundin Antonia. Pia musterte die Tochter von Zoodirektor Sander. Sie hatte ein hübsches, frisches Gesicht, dunkles, lockiges Haar und die Augen ihres Vaters.

»Solltest du nicht eigentlich in der Schule sein?«, fragte

Pia. Antonia zog eine Augenbraue hoch, dann zuckte sie die Schultern.

»Svenja geht's mies. Ich konnte sie nicht alleine lassen. Kommen Sie rein.«

Pia folgte ihr in die Wohnung.

»Wo seid ihr gestern gewesen, Svenja und du? Und warum ist Jonas heute nicht zu seinem mündlichen Abi erschienen?«

Antonia warf einen Blick zu einer Tür, die nur angelehnt war.

»Svenja hat gestern Abend mit Jo Schluss gemacht«, sagte sie mit gesenkter Stimme. »Nach allem, was er getan hat, konnte sie gar nicht anders. Aber seitdem ist sie total fertig.«

»Was ist denn passiert?«

»Svenja und Jo hatten am Samstagabend Streit«, erzählte Antonia und blickte immer wieder zu der Tür. »Auf der Burg, in Königstein. Erst war alles okay, aber dann ... dann ...«

Sie zögerte, entschloss sich für einen goldenen Mittelweg.

»Jo ist einfach abgehauen, hat Svenja stehen lassen. Den ganzen Sonntag hat er sich nicht gemeldet, und dann ... das!«

»Du meinst diese E-Mail und die Fotos auf Svenjas Homepage?«

»Woher wissen Sie davon?«, fragte Antonia misstrauisch.

»Von deinem Vater«, erwiderte Pia. »Er hat heute Morgen die E-Mail bekommen. Genau wie Svenjas Chef und 145 andere Leute.«

»Ich fasse es nicht!« Antonia schüttelte fassungslos den Kopf. »Gestern Abend hat Jo noch steif und fest behauptet, er hätte nichts damit zu tun. So ein verlogener Mistkerl!«

»Wann habt ihr von den Fotos erfahren?«, fragte Pia.

»Gestern Nachmittag«, antwortete Antonia. »Tarek hat mich angerufen. Er hat die E-Mail so um vier bekommen.

Wir haben dann gleich nachgesehen und hatten sie auch beide. Svenja ist ausgetickt.«

»Verständlich«, Pia nickte. »Woher stammen die Fotos? Wer hat sie gemacht?«

»Wer wohl«, Antonia schnaubte, »Jonas natürlich! Mit seinem Handy. Das hätte ich ihm echt niemals zugetraut.«

»Warum löscht ihr die Bilder nicht einfach?«

»Das haben wir ja versucht, aber es geht nicht! Svenja hat keinen Zugriff mehr auf ihre eigene Seite«, sagte Antonia. »Jo kennt sich mit so was aus. Er hat sicher irgendeine Sperre eingebaut.«

»Aber warum soll er das gemacht haben? Er ist doch Svenjas Freund. Da kann er sie doch nicht so bloßstellen!«

Antonia zuckte die Schultern. Pia sah ein, dass sie von ihr nichts über den Grund des Streits zwischen Svenja und ihrem Freund erfahren würde.

»Hast du Hans-Ulrich Pauly gekannt?«, fragte sie deshalb.

»Ja, klar«, das Mädchen verzog das Gesicht. »Wir sind ja dauernd im Grünzeug. Der Pauly war nie mein Fall. Svenja ist aber total auf ihn abgefahren. Sie hat ihn angebetet.«

»Warum?«, wollte Pia wissen.

»Keine Ahnung«, antwortete Antonia. »Ich hab mich erst drüber lustig gemacht, aber ihr war es voll ernst. Sie hat für ihn Flyer verteilt, stundenlang an Info-Ständen herumgestanden und war sogar einmal mit bei meinem Vater im Zoo. Er ist … Sie wissen, wer mein Vater ist, oder?«

»Ja.«

Antonia knabberte nachdenklich an ihrer Unterlippe.

»Ich konnte Pauly nicht besonders leiden. Er war ein Besserwisser und irgendwie schleimig. Und die Esther, die ist total ätzend. Ich habe nie kapiert, was die alle an den beiden finden.«

»Hat Svenja dir erzählt, dass sie an dem Abend, als Pauly ermordet wurde, bei ihm war?«

»Was?« Antonia sah ehrlich erstaunt aus. »Nein, das hab ich nicht gewusst. Sie war nachmittags kurz bei mir. Später hat sie noch mal angerufen und voll geheult. Ich konnte nicht weg, weil ich ...«

Im Türrahmen des Zimmers, zu dem Antonia immer wieder hinübergeschaut hatte, erschien ein Mädchen. Antonias Erklärung, sie sei hier, weil es ihrer Freundin schlecht gehe, war nicht gelogen. Svenja sah schrecklich aus, das hübsche Gesicht verwüstet und verquollen vom Weinen, die dunkelblonden Haare strähnig.

»Hallo«, flüsterte sie. Antonia eilte zu ihrer Freundin und legte den Arm um sie.

»Bleib doch im Bett«, sagte sie energisch, »komm.«

Sie führte sie zurück ins Zimmer und drängte sie sanft auf das zerwühlte Bett. Pia blickte sich in dem kleinen Raum um. Stereoanlage, Fernseher, Computer – das schien heutzutage beinahe zur Standardausstattung eines Jugendzimmers zu gehören. Poster an den Wänden, Robbie Williams, Justin Timberlake, Herbert Grönemeyer. Dazu jede Menge Klamotten, die auf dem Boden und in einem Sessel lagen. Die Rollläden waren heruntergelassen, nur durch eine Ritze fiel Sonnenlicht. Es roch muffig.

»Soll ich Sie und Svenja alleine lassen?«, fragte Antonia höflich.

»Nein, nein, bleib nur da«, erwiderte Pia. Svenja hüllte sich in ihre Bettdecke ein, Antonia setzte sich auf den Bettrand.

»Svenja«, begann Pia mit ihrer sanftesten Stimme, »ich muss dringend mit dir über Dienstagabend sprechen. Es kann sein, dass du in großer Gefahr bist.«

Svenja schwieg, wandte nur den Kopf zur Seite. Ihr langes Haar fiel wie ein Vorhang über ihr Gesicht.

»Warum bist du bei Pauly gewesen?«, fragte Pia. Sie wartete geduldig, aber vergeblich auf eine Antwort.

»Wir haben einen Mann festgenommen, der gesehen hat, wie du in den Hof gefahren bist«, fuhr sie fort, »und später hat eine Nachbarin beobachtet, wie du mit dem Roller gestürzt bist. Was ist passiert? Hast du den Mörder von Pauly gesehen?«

Das Mädchen hob den Kopf. Pia schauderte, als sie die Hoffnungslosigkeit und Verzweiflung hinter dem Schutzschild der Ausdruckslosigkeit in Svenjas Augen erkannte. Sie hatte große Probleme, aber wenn sie nicht darüber sprechen wollte, konnte sie sie nicht zwingen.

»Hast du Pauly am Dienstag noch gesehen?«, fragte Pia weiter. »Hast du mit ihm gesprochen? Bitte, Svenja, antworte mir. Es ist wirklich sehr wichtig.«

Keine Antwort, keine Reaktion.

»Was war gestern Abend auf Jo's Geburtstagsfeier? Warum hattest du Streit mit ihm?«

Eine Träne rann über die Wange des Mädchens. Dann noch eine. »Wie kann er nur so gemein sein«, flüsterte sie plötzlich. »Ich schäme mich so! Ich kann mich nie mehr irgendwo sehen lassen!«

Svenja schluchzte auf. Mit dem Handrücken wischte sie die Tränen ab, die aber immer weiter flossen. Antonia stand auf und holte ein Kleenex. Svenja putzte sich die Nase.

»Ich versteh das nicht«, murmelte sie undeutlich, »wir hatten uns doch wieder vertragen. Und dann lügt er noch und behauptet, er hätte das nicht gemacht. Ich bin total ausgerastet, hab ihn angeschrien, er soll wenigstens ehrlich sein. Und dann bin ich einfach weggerannt ...«

Pia blickte zu Antonia, die bestätigend nickte.

»Wo seid ihr hingegangen?«, fragte Pia. »Seid ihr noch im Grünzeug gewesen?«

Svenja schüttelte heftig den Kopf.

»Da geh ich nie wieder hin«, stieß sie hervor. »Ich geh überhaupt nie wieder irgendwohin!«

»Wo könnte Jonas jetzt sein?«, erkundigte Pia sich. »Er ist heute nicht zum mündlichen Abi erschienen.«

Svenja senkte den Blick und ergriff ihr Handy, das neben dem Kopfkissen lag.

»Er hat mir gestern Nacht noch eine SMS geschickt, aber ich hab ihm nicht drauf geantwortet. Ich kann ihm niemals verzeihen, dass er das gemacht hat und dass er mich auch noch angelogen hat! Ich will ihn nie, nie mehr sehen!«

Sie verbarg ihr Gesicht in beiden Händen, begann hemmungslos zu weinen. Pia vermutete, dass eher das Gegenteil der Fall war.

»Zeigst du mir die SMS?«, bat sie freundlich. Das Mädchen hielt ihr das Handy hin, ohne aufzusehen.

»*Es tut mir solied was ibh getan habe*«, las Pia, »*ich war nur sp wutend auf dibb. Ich wünschue, ibh hätte es nichu getbn und ich wunschte, du wüqdest mir verzdihen. Ich weip, das ibh das nie mer gutmachen knn, aber ogne dich kann ibh nicht lebn. Verzeih mir, mein Sbhatz. Vfrzeih mir ales. Deim JB.*«

Die vielen Fehler im Text bewiesen, dass der Junge die SMS entweder in Eile oder im betrunkenen Zustand geschrieben hatte. Pia schaute auf das Display des Handys. Jonas hatte Svenja die Nachricht um kurz vor elf geschickt, etwa anderthalb Stunden nachdem Svenja mit ihm Schluss gemacht hatte. Plötzlich beschlich Pia eine düstere Vorahnung. Der Inhalt der SMS klang verzweifelt, fast wie ein Abschiedsbrief. Pia machte Antonia ein Zeichen. Sie ging hinaus, das Mädchen folgte ihr.

»Wo hat die Party stattgefunden?«

»Auf dem Gartengrundstück von Jo's Opa«, sagte Antonia, »warum?«

»Wo ist das genau?« Pia überhörte ihre Frage. Antonia erklärte es, so gut sie konnte.

»Hör zu, Antonia«, sagte Pia eindringlich, »bitte tu mir einen Gefallen. Bleib bei Svenja und ruf deinen Vater an. Sag ihm, wo du bist, er macht sich große Sorgen um dich und Svenja.«

»Der reißt mir den Kopf ab, wenn er hört, dass ich schwänze«, erwiderte Antonia und verdrehte die Augen.

»Dann ruf deine Mutter an.«

»Geht schlecht«, das Mädchen verzog das sommersprossige Gesicht. »Sie ist tot.«

»Wie bitte?« Pia, die gerade die Nummer von Ostermann eintippen wollte, hielt inne und starrte Antonia verblüfft an.

»Hirnschlag. Ich war erst zwei, als sie gestorben ist.«

»Das tut mir leid«, sagte Pia, aufrichtig betroffen.

»Sie können ja nichts dafür«, antwortete Antonia. »Ich rufe meinen Vater an. Und ich bleibe hier bei Svenja. Versprochen.«

Pia fuhr die Alleestraße hoch Richtung Sinai, bog in Höhe des Wasserturmes ins Feld ab und raste die betonierten Feldwege entlang. Hinter Eberhards Scheune, einem beliebten Ausflugslokal, lenkte sie ihren Nissan durch die Unterführung der B8 und erreichte das Schmiehbachtal, das sich mit malerischen Streuobstwiesen, Wald und Äckern zwischen Kelkheim-Hornau, Bad Soden und Liederbach erstreckte.

Ein eingezäuntes Grundstück am Wald mit einem Tor, hatte Antonia gesagt. An einer mächtigen Eiche bog Pia rechts in einen geschotterten Weg ein, holperte am Waldrand entlang, bis sie an eine Abzweigung kam. Weiter geradeaus. Nach ungefähr fünfhundert Metern erblickte sie auf der linken Seite das hölzerne Tor, das Antonia beschrieben hatte. Sie bremste so heftig, dass die Schottersteinchen spritzten, und sprang aus dem Auto. Das Tor stand offen. Pia betrat das ordentlich gemähte Grundstück, das etwas abschüssig am Hang lag. Unter ein paar mächtigen Fichten stand ein Gartenhaus, umgeben von einem Jägerzaun und sorgfältig beschnittenen Büschen. Vor der Hütte erwarteten sie die Reste einer Party. Pia ließ ihren Blick über leere Red-Bull-Dosen, zerbrochene und halbleere Bier- und Wodkaflaschen, benutzte Pappteller und Becher, Essensreste und anderen Müll schweifen, dann blickte sie auf. Ihr Herz setzte einen Schlag aus. Die düstere Vorahnung hatte sie nicht getrogen.

»Verdammt, Jonas«, sagte sie beim Anblick der Leiche, die am Giebel der Hütte hing, »warum hast du das getan?«

Nur zwanzig Minuten später wimmelte das Grundstück von Menschen. Zuerst war der Notarzt eingetroffen, Minuten später der erste Streifenwagen, dann erschien auch Frank Behnke, zeitgleich mit den Kollegen von der Spurensicherung. Pia hatte kurz überlegt, ihn aber dann angerufen, auch wenn sie ganz gut alleine klargekommen wäre. Sie wollte sich nicht nachsagen lassen, alle Arbeit und Verantwortung in Bodensteins Abwesenheit an sich zu reißen.

»Wie kommen Sie darauf, dass es sich um Jonas Bock handelt?«, fragte Behnke von oben herab, kaum dass er aus seinem Auto ausgestiegen war. Er blickte sich um, ohne seine Sonnenbrille abzusetzen.

»Weil ich ihn kenne«, Pia ging über den Rasen hinunter zur Hütte. »Außerdem gibt es Fotos von ihm auf der Webseite seiner Freundin.«

»Scheint 'ne wilde Party gewesen zu sein«, Behnke blickte zu der Leiche des Jungen hinüber, die gerade vom Polizeifotografen aus allen Winkeln fotografiert wurde. »Er hatte wohl keine Lust, das alles alleine aufzuräumen, da hat er sich lieber aufgehängt.«

Spätestens jetzt bereute Pia ihren Anruf. Behnkes blöde Sprüche gingen ihr schon nach zwei Minuten auf die Nerven. Der Notarzt hatte mit der Leichenschau begonnen.

»Tod durch Erhängen«, sagte er zu Pia. »Voll ausgeprägte Leichenstarre, großflächige Leichenflecken mit Blutaustritten an den Füßen, Fingerspitzen und Unterschenkeln.«

»Suizid«, kommentierte Behnke, die Hände in den Taschen seiner Jeans vergraben, und wandte sich an die Streifenpolizisten. »Ihr könnt ihn abhängen.«

»Moment noch«, sagte Pia auf das Risiko hin, von ihrem Kollegen vor allen Anwesenden abgekanzelt zu werden. Sie trat näher an den Leichnam heran, blickte in das im Tod erstarrte, viel zu junge Gesicht. Der Kopf des Jungen war nach vorne gekippt, sein Gesicht blau angelaufen, grün schillernde Schmeißfliegen summten um ihn herum. Sein linker Schuh lag einen Meter entfernt auf der obersten Stufe der kleinen Treppe, die auf die Veranda führte, an der Tür der Hütte lag eine umgekippte leere Bierkiste. War Jonas durch den Streit mit seiner Freundin wirklich so verzweifelt gewesen, dass er sich am Abend seines neunzehnten Geburtstags das Leben genommen hatte, oder steckte noch mehr dahinter?

»Sind Sie fertig mit der Leichenschau, Frau Doktor?«, sagte Behnke sarkastisch. »Darf jetzt auch mal der echte Arzt an die Arbeit gehen?«

Pia verspürte ein beinahe unbezähmbares Verlangen, ihm gegen das Schienbein oder besser noch einen halben Meter höher zu treten, aber sie beherrschte sich.

»Bitte«, sagte sie und trat zurück. Zwei Beamte befreiten den Toten aus der Schlinge und legten ihn nach Anweisung des Arztes auf ein einigermaßen müllfreies Stück Rasen neben der Hütte. Pia hatte in den vergangenen sechzehn Jahren viele Leichen auf dem Seziertisch der Frankfurter Rechtsmedizin gesehen und gelernt, auf kleinste Hinweise zu achten, auf scheinbar unbedeutende Details, die mehr verrieten, als auf den ersten Blick sichtbar war. Sie wusste selbst nicht, weshalb sie an einem Suizid zweifelte, obwohl alles auf den ersten Blick perfekt zu passen schien.

»Woher kommt das Blut an seinen Lippen?«, fragte sie den Arzt. »Kann er sich auf die Zunge gebissen haben?«

»Nein, das glaube ich nicht«, der Arzt schüttelte den Kopf. »Wegen der Leichenstarre kann ich den Kiefer nicht öffnen. Aber er hat irgendetwas im Mund.«

Er wies auf eine Rötung an der linken Gesichtshälfte des Toten.

»Sehen Sie hier. Das könnte von einem heftigen Schlag stammen. Dadurch, dass wenig später der Tod eingetreten und durch das freie Hängen in der Luft das Blut in die unteren Extremitäten gesackt ist, kam es nicht zu einem Bluterguss.«

»Man kann sich einen Mord auch konstruieren«, bemerkte Behnke mürrisch und blickte auf die Uhr.

»Auf dem T-Shirt sind Blutflecken«, der Arzt ließ sich nicht beirren. »Es ist möglich, dass die von einer anderen Person stammen, weil ich an der Leiche keine Verletzungen feststellen kann, bei denen Blut geflossen ist.«

Pia nickte nachdenklich. Einer der Beamten, die das Grundstück nach Spuren absuchten, machte rufend und winkend auf sich aufmerksam. Pia und Behnke gingen ein Stück die Wiese hinauf. Der Boden war von der Sonne ausgedörrt und steinhart, der gelbliche Rasen so kurz rasiert, dass weder Fuß- noch Reifenspuren zu erkennen waren.

»Da«, der Beamte wies auf den Boden, »ein Handy.«

Pia bückte sich und ergriff das Gehäuse des Mobiltelefons mit ihrer behandschuhten Rechten. Es handelte sich um ein silberfarbenes Modell von Motorola, das vor allen Dingen bei jungen Leuten beliebt war. Der Rückendeckel fehlte, ebenso Akku und SIM-Karte. Das Telefon sah nicht so aus, als ob es schon lange hier liegen würde. Pia bat die Kollegen, nach den anderen Teilen des Telefons zu suchen, und blickte sich nachdenklich um. Neben den Polizeiautos waren einige Spaziergänger stehen geblieben und starrten neugierig zu ihnen hinüber. Pia rief Bodenstein an und berichtete ihm von dem Leichenfund.

»Wir sind uns noch nicht ganz sicher, ob es wirklich ein Selbstmord war«, bezog sie ihren Kollegen mit in den Kreis der Zweifler ein. »Es gibt ein paar Ungereimtheiten.«

Behnke verdrehte die Augen und ging wieder hinunter zur Hütte.

»Hören Sie auf Ihren Instinkt«, riet Bodenstein. »Brauchen Sie mich?«

»Ich muss den Eltern von Jonas die Nachricht vom Tod ihres Sohnes überbringen«, Pia senkte die Stimme. »Das mache ich nicht gern allein, aber noch weniger gern mit Behnke.«

»Holen Sie mich ab«, erwiderte Bodenstein. »Ich bin zu Hause.«

Pia klappte ihr Handy zu und ging zurück zur Hütte.

»Was meinen Sie, Doktor?«, wandte sie sich an den Arzt.

»Sieht nach Suizid aus«, erwiderte der, »aber sicher bin ich nicht.«

»Dann rufe ich den Staatsanwalt an«, sagte Pia. »Ich möchte, dass der Junge obduziert wird. Was denken Sie, Herr Behnke?«

»Wer bin ich, dass ich Ihre Meinung anzweifeln könnte?«, entgegnete Behnke mit übertriebener Unterwürfigkeit. »Nach Ihrer jahrelangen einschlägigen Erfahrung auf dem Gebiet der Rechtsmedizin werden Sie das schon alles richtig einschätzen.«

Pia blickte ihn an. Jetzt reichte es ihr wirklich.

»Gibt es irgendeinen Grund?«, wollte sie wissen.

»Einen Grund wofür?«, erwiderte Behnke.

»Für Ihr Verhalten mir gegenüber. Habe ich Sie irgendwann beleidigt, gekränkt oder verärgert? Mit niemandem habe ich Probleme, nur mit Ihnen.«

»Ich weiß nicht, wovon Sie reden«, Behnke behielt stur die Sonnenbrille auf der Nase.

»Wir sind ein Team«, antwortete Pia, »wir sollten zusammenarbeiten und nicht gegeneinander. Es ist mir wichtig, dass wir uns gut verstehen.«

»Ach ja?«, erwiderte er und ging ohne ein weiteres Wort zu seinem Auto. Pia spürte, wie der Zorn in ihr hochkochte. Sie fühlte sich wie eine Idiotin.

»Arrogantes Arschloch«, sagte sie, gerade laut genug, damit er es hörte. Fast wünschte sie sich, er würde stehen bleiben und etwas erwidern, aber das tat er nicht.

Der Johanniswald in Königstein war eine noble Wohngegend im Wandel der Zeiten. Immer mehr Hauseigentümer der ersten Generation verkauften ihre Bungalows und Villen aus den sechziger und siebziger Jahren an gutverdienende junge Anwälte oder Investmentbanker aus der Frankfurter City. Die neuen Bewohner rissen sie entweder ab, um neu zu bauen, oder gestalteten die Häuser völlig um. Auf dem Weg zum Rotkehlchenweg passierten Pia und Bodenstein drei Baustellen, der Asphalt der Straße bestand nur noch aus Schlaglöchern und Flickwerk. Aber es war nicht zu übersehen, dass hinter den hohen Mauern und Hecken Menschen wohnten, die sich keine Gedanken darum machen mussten, was der Liter Superplus kostete. Kaum eines der am Straßenrand parkenden Autos hatte weniger als zweihundert PS unter der Motorhaube. Die Villa von Carsten Bock stellte selbst die protzigsten Häuser in einer Wohngegend wie dem

Johanniswald in den Schatten. Pia lenkte ihren alten Nissan durch ein schmiedeeisernes Tor, das weit offen stand. Rechts und links von der Auffahrt, die durch einen parkartig angelegten Garten führte, standen jede Menge Autos.

»Nette Bude«, bemerkte Pia, als sie das Haus erblickte. Der Begriff »Haus« war eindeutig untertrieben. Vor ihnen stand ein aus hellem Sandstein erbautes normannisches Schloss mit Spitzdächern, Türmchen und hohen Sprossenfenstern. Sechs Stufen führten zu einer drei Meter hohen dunkelgrünen Haustür, deren Vordach von massiven Säulen getragen wurde. Pia erinnerte sich an die Informationen, die Ostermann über die Geschäfte des Herrn Dr. Bock herausgefunden hatte. Die Bock Holding war ein weitverzweigtes Firmenkonglomerat, das weltweit agierte. Gegründet worden war dieses Imperium von Carsten Bocks Vater, der durch Patente in der Baubranche eine Unmenge Geld gescheffelt hatte. Der Aufsichtsratsvorsitzende, ein Mann namens Heinrich van den Berg, war allerdings überraschend Anfang Juni von seinem Posten zurückgetreten.

Vom Garten her schallten Gelächter und die Stimme eines Fußballkommentators zu ihnen herüber, in der Luft lag der Duft von gegrilltem Fleisch.

»Sie haben eine Party«, stellte Pia unbehaglich fest. »Ich glaube, ich will nicht da reingehen.«

»Ich kann mir auch etwas Angenehmeres vorstellen«, versicherte Bodenstein seiner Kollegin. Er betätigte den Türklopfer aus Messing. Nichts geschah.

»Die gucken das Fußballspiel«, Pia hatte es sich heute ein halbes Dutzend Mal von allen Beamten am Fundort der Leiche anhören müssen, dass um sechzehn Uhr die Übertragung des Spiels Deutschland gegen Ecuador begann. »Da drüben ist auch eine Klingel.«

Bodenstein drückte auf die Taste. Wenig später näherten

sich Schritte, die große Tür wurde geöffnet. Eine Frau erschien im Türrahmen und musterte sie.

»Sie wünschen bitte?«

Sie war genau der Typ Frau, den Pia in diesem Schloss erwartet hatte. Schlank, fast knochig, flachbrüstig und sehr gepflegt vom perfekten blonden Pagenkopf bis zu den kurzgeschnittenen Fingernägeln. Trotz der hochsommerlichen Temperaturen trug sie ein Kaschmirtwinset Größe 34, die in diesen Kreisen obligate schlichte, aber sicherlich echte Perlenkette und Designerjeans. »Mein Name ist Bodenstein, das ist meine Kollegin Frau Kirchhoff. Wir sind von der Kripo in Hofheim«, übernahm Bodenstein und zog seinen Ausweis hervor. »Sind Sie Frau Bock?«

»Ja. Worum geht es?«

»Wir müssen mit Ihnen und Ihrem Mann sprechen«, sagte Bodenstein. Frau Bock trat einen Schritt zurück und ließ sie in eine gewaltige Eingangshalle eintreten. Ein Blick in den übermannshohen goldgefassten Spiegel neben der Tür ließ Pia bewusst werden, weshalb sie sich in der Gesellschaft von Damen wie Frau Bock niemals wohl fühlen würde – der Unterschied zwischen ihnen war überdeutlich: sie selbst in Jeans und einem von Körbchengröße 85C ziemlich prall gefüllten T-Shirt, blondem Pferdeschwanz und Sommersprossen, das war wie eine MTV-Moderatorin neben Sabine Christiansen. Swatch und Chopard. C & A und Armani. Die Hausherrin führte sie durch die Halle in einen großen Salon. Weit geöffnete Fenstertüren führten hinaus auf eine große Terrasse. Über den Garten hinweg bot sich ein spektakulärer Ausblick auf das Rhein-Main-Gebiet. Am anderen Ende der Terrasse, oberhalb eines blau schimmernden Pools saßen etwa dreißig Leute in bequemen Rattansesseln und verfolgten das Fußballspiel auf einer riesigen Leinwand. Ein Mann erhob sich bei ihrem Anblick von einer Gartenliege, überquerte die Terrasse und betrat den Salon. Groß, grauhaarig, mit kantigen Gesichtszügen entsprach Dr. Carsten Bock äußerlich ganz der Vorstellung, die sich Pia von dem Mann gemacht hatte, nachdem sie dessen sonore Stimme auf Paulys Anrufbeantworter gehört hatte.

»Carsten, die Herrschaften sind von der Kriminalpolizei«, sagte Frau Bock.

»Aha«, ihr Mann nickte unbeeindruckt. »Womit können wir Ihnen helfen? Ich habe wenig Zeit.«

»Wir haben eine schlimme Nachricht für Sie«, Bodenstein ließ sich nicht einfach abwimmeln. Das Gesicht von Frau Bock versteinerte. Ihre Augen weiteten sich angstvoll, ihre Fingernägel gruben sich in ihre vor der mageren Brust verschränkten Arme.

»Jonas«, flüsterte sie. »O mein Gott, Jo ist etwas passiert.«

»Geht es um unseren Sohn?«, fragte Bock. »Um Jonas?«

»Ja«, Bodenstein nickte ernst, »es tut mir sehr leid, Ihnen das sagen zu müssen, aber Ihr Sohn Jonas ist tot.«

Ein paar Sekunden lang geschah nichts. Die Eltern des toten Jungen starrten ihn mit jener schockierten Mischung aus Verständnislosigkeit und Unglauben an, die Bodenstein nur zu gut kannte. Es war immer dasselbe.

»Nein«, flüsterte Frau Bock, »das ist nicht wahr.«

Das Gesicht von Carsten Bock war zu Stein erstarrt, er wollte den Arm um die Schultern seiner Frau legen, aber die stieß ihn heftig weg.

»Nein!«, schrie sie unvermittelt, »nein! *Nein!*«

Sie stürzte sich in sprachloser Verzweiflung auf Bodenstein, ihre Fäuste trommelten auf ihn ein, die Tränen rannen über ihr Gesicht. Pia ergriff ihre Handgelenke und hielt sie fest. Daraufhin brach die Frau weinend zusammen. Ein etwa sechzehnjähriger Junge erschien in der offenen Tür, stürzte zu ihr hin und fiel neben ihr auf die Knie.

»Mama!«, rief er verstört. »Mama, was hast du denn? Was ist los?«

»Dein Bruder ist tot«, sagte sein Vater mit tonloser Stimme. Draußen johlten die Fans im Fußballstadion, der Reporter kommentierte begeistert die Spielzüge der deutschen Mannschaft. Die Gäste der Bocks hatten offenbar mitbekommen, dass etwas Schlimmes geschehen war, denn jemand schaltete den Ton des Fernsehers ab. Plötzlich war es ganz still, bis auf das verzweifelte Schluchzen von Jonas' Mutter, die zusammengekrümmt auf dem Boden lag. Carsten Bock beugte sich über seine Frau und berührte sie an der Schulter.

»Fass mich nicht an!«, kreischte sie und schlug und trat nach ihm. Dann blieb sie wimmernd liegen. Der Junge stand hilflos daneben.

»Soll ich einen Arzt anrufen?«, fragte Pia leise.

»Es ist einer im Haus«, erwiderte Bock. Diesmal wehrte sich seine Frau nicht, als er sich bückte, sie hochhob und durch die Halle zur Treppe trug. Bei jedem Schritt pendelte ihr Kopf hin und her, das Wimmern war verstummt.

»Kommen Sie mit«, sagte Bock knapp. »Du auch, Benjamin.«

Bodenstein und Pia wechselten einen raschen Blick. Das war die bei weitem schlimmste Situation, die sie seit langem erlebt hatten. Pia ging hinaus auf die Terrasse. Die Gäste hatten sich von ihren Plätzen erhoben, starrten sie mit betroffenen Mienen an. Niemand sprach ein Wort, hinter ihnen lief stumm das Fußballspiel auf der riesigen Leinwand weiter.

»Die Feier ist vorbei«, sagte Pia und ging zurück ins Haus.

Bodenstein und Pia warteten in der Bibliothek, in der verglaste Bücherschränke bis unter die hohe, stuckverzierte Decke reichten. Minuten später betrat Carsten Bock den Raum und schloss die Tür hinter sich.

»Was ist passiert?«, fragte er leise, sein Gesicht war blass, aber beherrscht. Er trat hinter einen der Sessel und legte seine Hände auf die Lehne.

»Wir haben Jonas auf dem Grundstück Ihres Schwiegervaters im Schmiehbachtal gefunden«, sagte Pia. »Er ist heute nicht zu seiner mündlichen Abiturprüfung erschienen und hat seiner Freundin eine SMS geschickt, die wie ein Abschiedsbrief klang. Deshalb sind wir zu dem Grundstück gefahren. Dort hat er gestern Abend seinen Geburtstag gefeiert.«

»Ich muss Ihnen erklären, weshalb wir Jonas nicht ... nicht vermisst haben«, Bock räusperte sich und suchte einen Moment lang nach den passenden Worten. »Er ist vor einer Weile hier ausgezogen und wohnte seitdem bei ... einem Freund.«

»Wieso das?«, erkundigte Bodenstein sich.

»Wir hatten Meinungsverschiedenheiten«, Bock setzte sich auf die vorderste Kante des Sessels und vergrub sein Gesicht in den Händen.

»Wie ... wie ist er ...?«, fragte er dumpf und blickte auf.

»Er wurde erhängt aufgefunden. Allerdings können wir im Moment noch nicht eindeutig sagen, ob es ein Suizid war oder nicht«, sagte Bodenstein. Obwohl er das sichere Gefühl hatte, dass Bock ihm die Wahrheit über den Auszug seines Sohnes verschwieg, tat ihm der Mann leid. Ein Kind zu verlieren war das Schlimmste, was Eltern widerfahren konnte. Wie viel schlimmer musste es erst sein, wenn man die letzten Worte mit seinem Kind im Streit gewechselt hatte?

»Was bedeutet das?«, fragte Bock.

»Es ist nicht auszuschließen, dass er ermordet wurde«, sagte Bodenstein. »Aus diesem Grund hat der Staatsanwalt eine Obduktion angeordnet.«

Carsten Bock fuhr sich mit der Hand über das Gesicht.

»Wie geht es jetzt weiter? Muss ich ... ich meine ...«, er konnte nicht mehr weitersprechen.

»Nein. Wir haben Ihren Sohn zweifelsfrei identifiziert«, sagte Bodenstein.

»Aber wir müssen in den nächsten Tagen noch einmal mit Ihnen und Ihrer Frau sprechen«, fügte Pia hinzu.

»Warum?« Bock starrte sie aus blutunterlaufenen Augen an. »Jonas ist tot. Was gibt es da noch zu reden?«

»Wenn Ihr Sohn tatsächlich einem Gewaltverbrechen zum Opfer gefallen ist, ist es unsere Aufgabe, den Täter zu finden«, antwortete Pia. »Dazu brauchen wir Informationen über Jonas, seinen Freundeskreis und sein ganzes Umfeld.«

»Außerdem«, sagte Bodenstein, »wurde am Dienstagabend ein Mann namens Hans-Ulrich Pauly getötet. Wir haben eine Nachricht von Ihnen auf seinem Anrufbeantworter gefunden. Vielleicht haben Sie schon gehört, dass wir Ihren Schwiegervater unter dringendem Tatverdacht verhaftet ...«

»Sie haben ... *was* getan?«, unterbrach Bock ihn entgeistert und ließ die Hände sinken. Pia bemerkte ein winziges, panisches Flackern in seinen Augen, das sogleich wieder erlosch.

»Das wissen Sie noch nicht?« Bodenstein war überrascht. »Wir haben Herrn Zacharias am Sonntag festgenommen. Er hat für die Tatzeit kein Alibi und wurde am Tatort gesehen, was er übrigens nicht bestreitet.«

Carsten Bock erhob sich ruckartig, trat ans Fenster und starrte hinaus.

»Bitte gehen Sie jetzt«, sagte er, ohne sich noch einmal umzudrehen. »Ich muss das jetzt alles erst einmal verarbeiten.«

»Glauben Sie ihm, dass er das mit seinem Schwiegervater nicht gewusst hat?«, fragte Pia, als sie wenig später wieder zurück nach Kelkheim fuhren.

»Das ist schon seltsam«, sagte Bodenstein nachdenklich, »aber vielleicht hat Zacharias' Frau vor lauter Scham selbst ihrer Tochter nichts darüber erzählt.«

»Oder Frau Bock hat ihrem Mann nichts davon erzählt«, vermutete Pia. »Zwischen den beiden scheint es nicht zum Besten zu stehen. Haben Sie gesehen, wie sie ihn weggestoßen hat?«

»Ja, das habe ich.«

»Bock hat komisch reagiert, als Sie ihm von Zacharias erzählt haben.«

»Er hatte zehn Minuten vorher erfahren, dass sein Sohn tot ist«, gab Bodenstein zu bedenken. »Da reagieren Menschen eben irrational.«

»Nein«, widersprach Pia, »ich finde, er hat überhaupt nicht irrational reagiert. Als Sie Zacharias erwähnten, hat er richtig erschrocken ausgesehen. Dabei sollte man meinen, dass ...«

Ihr Handy summte.

»Kirchhoff«, meldete sie sich.

»Handy am Steuer. Dreißig Euro Strafe«, murmelte Bodenstein, und Pia schnitt eine Grimasse. Es war Ostermann.

»Hier wartet ein Matthias Schwarz auf dich. Du hast ihn herbestellt.«

Pia hatte den Sohn von Landwirt Schwarz glatt vergessen. Sie sagte Ostermann, dass sie in ein paar Minuten da sein würde.

»Ach, ich muss Sie ja noch nach Hause fahren, Chef«, fiel ihr dann ein.

»Lassen Sie nur«, erwiderte Bodenstein, »ich fahre mit. Was ist eigentlich mit unseren Verdächtigen?«

Pia drosselte das Tempo in der Höhe der Ausfahrt zur Roten Mühle auf sechzig, passierte die Abfahrt nach Hornau und zur B8 und gab dann wieder Gas. Sie berichtete Bodenstein vom Ergebnis der Verhöre, die Behnke gemeinsam mit Kathrin Fachinger durchgeführt hatte, und von ihrem gestrigen Besuch im Bistro Grünzeug. Über ihre Probleme mit Behnke verlor sie kein Wort.

Matthias Schwarz war untersetzt und vierschrötig. Sein Gesicht war beinahe kreisrund und krebsrot, sein Blick irritierend unstet. Pia bot ihm einen Platz an, wies darauf hin, dass ein Aufnahmegerät mitlaufen würde, und ließ ihn Angaben zu seiner Person machen. Matthias Schwarz, 26, gelernter Fliesenleger, derzeit arbeitslos und wohnhaft bei seinen Eltern im Rohrwiesenweg, fühlte sich sichtlich unwohl. Pia betrachtete ihn forschend.

»Wie ist Ihr Verhältnis zu Ihrer Nachbarin Frau Schmitt?«, fragte sie, ohne erst lange um den heißen Brei herumzureden. Schwarz junior schluckte, sein Adamsapfel zuckte krampfhaft auf und ab.

»Wie ... wie meinen Sie das?«

»Ihre Mutter vermutet, dass Frau Schmitt etwas von Ihnen gewollt hat. Stimmt das?«

Schwarz errötete heftig bis unter die dünnen rotblonden Haare.

»Nein, das stimmt nicht«, er schüttelte den Kopf. »Ich hab ihr bloß mal im Garten was geholfen. Sonst nichts.«

»Hm«, Pia blätterte in irgendwelchen Unterlagen und tat so, als würde sie etwas nachschauen. »Sie haben ein paar Einträge im Bundeszentralregister. Körperverletzung, Nötigung, noch mal Körperverletzung, diesmal sogar eine gefährliche.«

Schwarz grinste mit dümmlicher Verlegenheit, als sei er stolz auf seinen wenig ruhmreichen Lebenslauf.

»Wann haben Sie Frau Schmitt das letzte Mal gesehen oder mit ihr gesprochen?«

»Am Samstag.« Er kratzte sich am Kopf, ihm schien überhaupt nicht zu dämmern, auf was Pia hinauswollte.

»Am Samstag. Um wie viel Uhr? Wann genau?«

Schwarz überlegte angestrengt.

»Frau Schmitt hat Ihnen gesagt, was Sie mir sagen sollen, habe ich recht?«, fragte Pia nach einer Weile. Der junge Mann wich ihrem Blick aus, das schlechte Gewissen stand ihm ins Gesicht geschrieben.

»Sie hat gesagt, es könnte komisch aussehen, wenn einer erfährt, dass ich bei ihr war, wo doch der Pauly gerade erst gestorben ist«, gab er schließlich zu. Damit hatte die schlaue Frau Schmitt zweifellos recht. Es sah komisch aus. Aber noch viel komischer sah es aus, dass sie in ihrer Trauer an eine mögliche Wirkung nach außen gedacht hatte. Ein Gedanke schlich sich in Pias Kopf. Möglicherweise waren sie auf einer völlig falschen Fährte, was den Mord an Pauly betraf! Sein plötzliches Ableben war vielleicht ganz nach Plan erfolgt, indem Esther Schmitt ihren treu ergebenen Nachbarssohn als Werkzeug missbraucht hatte, um den ungeliebten Lebensgefährten aus dem Weg zu schaffen. Auf einmal wurde Pia bewusst, dass sie über Frau Schmitt eigentlich gar nichts wussten. Sie war die Inhaberin des Bistros Grünzeug, die Besitzerin des Hauses, aber wie war es um ihr Vermögen bestellt? Gab es womöglich eine Lebensversicherung, die Pauly zu ihren Gunsten abgeschlossen hatte? Frau Schmitts Trauer hielt sich auf jeden Fall auffällig in Grenzen.

»Wenn Frau Schmitt Sie um etwas gebeten hat, dann haben Sie das auch getan, nicht wahr?«, fragte Pia. Schwarz nickte. Dann erinnerte er sich an das Aufnahmegerät.

»Ja«, sagte er, »immer.«

»Was bekamen Sie als Gegenleistung?«

Matthias Schwarz blickte Pia verständnislos an.

»Als Gegenleistung? Wofür?«, fragte er.

»Hat sie Ihnen Geld gegeben, wenn Sie etwas für sie erledigt haben?«

»N... nein.«

»Was dann?« Pia ließ ihre Stimme absichtlich spöttisch klingen. »Sie haben ja wohl nicht aus reiner Nächstenliebe bei ihr im Garten geschuftet. Oder etwa doch?«

Sie hatte beim Umgang mit dummen Menschen wie Matthias Schwarz die Erfahrung gemacht, dass diese äußerst empfindlich reagierten, wenn sie begriffen, dass man sie ausgenutzt oder betrogen hatte. Ihre Worte brauchten ein wenig Zeit, um in Schwarz' Gehirn die gewünschte Wirkung hervorzurufen, deshalb sprach Pia weiter.

»Herr Schwarz«, sagte sie, »mir liegt ein Bericht über die Brandwunden in Ihrem Gesicht, an Ihren Händen und Unterarmen vor. Es handelt sich dabei nicht um Verbrühungen mit heißem Wasser. Waren Sie in der Nacht auf Samstag im Haus von Frau Schmitt?«

Der Mann zögerte. An seiner Miene konnte Pia ablesen, dass ihm erste Zweifel an seiner Angebeteten gekommen waren.

»Die Esther war immer nett zu mir«, antwortete er auf Pias vorletzte Frage. »Ich hab nicht bei ihr geschuftet, nur gelegentlich was geholfen. Dafür muss sie mir kein Geld geben.«

»Aha«, Pia lächelte, »Sie sind also ein guter Samariter.«

Das war das Letzte, was ein junger Mann sein wollte, der stolz auf sein Vorstrafenregister war.

»Quatsch!«, stieß er hervor und richtete seinen wässrigen Blick kurz auf Pia, senkte ihn aber gleich wieder, »ich habe ... ich wollte ...«

Er brach ab.

»Sie hatten gehofft, dass Esther eines Tages erkennen würde, dass Sie in sie verliebt sind. Habe ich recht?«

Eine dunkle Röte kroch vom Hals an aufwärts in sein Mondgesicht. Er schluckte krampfhaft.

»Aber das tat sie nicht«, fuhr Pia fort. »Sie waren für sie einfach eine billige, praktische Arbeitskraft.«

Sie merkte an seinem Gesichtsausdruck, dass sie einen empfindlichen Punkt getroffen hatte.

»Erzählen Sie mir von Samstagnacht«, forderte sie ihn auf. »Sie waren bei Esther Schmitt. Haben Sie mit ihr geschlafen?«

Matthias Schwarz machte den Eindruck, als wäre er kurz davor zu platzen. Er rieb seine Handflächen an seiner Jeans.

»Nein«, murmelte er, »sie hat gesagt, sie könnte das nicht, so kurz nachdem der Pauly gestorben ist. Sie bräuchte noch Zeit. Wir müssten es langsam angehen lassen.«

»Sie hat Sie also vertröstet«, Pia zog die Augenbrauen hoch. »Und das haben Sie akzeptiert?«

Schwarz antwortete nicht. In ihm brodelte ein Gemisch aus Unverständnis, Zweifel und Zorn. Seine bedingungslose Loyalität zur angebeteten Nachbarin schwand.

»Sie hat mich abends angerufen, so um elf«, sagte er mit gepresster Stimme. »Ich sollte sie am Bistro abholen. Sie hat geheult. Ich hab sie nach Hause gebracht, da hat sie mich umarmt und gesagt, ich sollte dableiben, sie hätte alleine Angst. Sie hat sich ins Bett gelegt, ich musste auf der Couch schlafen.«

Er brach ab, kämpfte mit sich selbst.

»Ich konnte nicht schlafen. Ich hab drüber nachgedacht, wie ich's machen kann, dass sie vielleicht doch ... na ja. Irgendwann ist sie aufgestanden, hat geguckt, ob ich schlafe. Ich hab mich nicht gerührt. Dann ist sie runtergegangen, plötzlich hat's nach Feuer gerochen. Da kam sie hoch, hat mich an der Schulter gerüttelt und geschrien, es würde brennen.«

Pia wartete geduldig, bis er weitersprach.

»Als wir draußen im Hof standen, war Esther plötzlich total außer sich.«

Ihr war nämlich die wertvolle Hundefutterdose im Kühlschrank eingefallen. Deshalb hatte sie den Nachbarssohn zurück in die Flammen geschickt. Dabei hatte Schwarz sich die Brandwunden zugezogen. Anschließend hatte Esther Schmitt ihn nach Hause geschickt und zum Stillschweigen verdonnert.

»Wo waren die Hunde und die anderen Tiere?«, fragte Pia.

Schwarz hatte mittlerweile das ganze Ausmaß seiner liebeskranken Dummheit und Chancenlosigkeit in Bezug auf Esther Schmitt erkannt. Ohne gefragt worden zu sein, erzählte er, dass er am Tag zuvor mehrere Kisten voller Bücher und Kleider und alle Pflanzen aus dem Hof ins Bistro Grünzeug transportiert hatte. Danach hatte er die Hunde in die Hundepension einer Freundin von Esther nach Taunusstein gebracht. Damit war es eindeutig: Die Brandstiftung war von Esther Schmitt geplant worden.

»Eine letzte Frage noch«, sagte Pia, als der Mann verstummte. »Wo waren Sie am Dienstagabend, als Pauly ermordet wurde?«

Schwarz starrte wie betäubt vor sich hin, Pia musste ihre Frage zweimal wiederholen, bevor er langsam den Kopf hob. Sie erkannte, wie tief ihn die Wahrheit über seine Angebetete kränkte.

»Ich hab Fußball geguckt«, sagte er tonlos.

Mittwoch, 21. Juni 2006

Es war kurz nach drei, als Pia vor dem großen Tor des Birken-hofs anhielt. Sie und Ostermann hatten die halbe Nacht da-mit verbracht, die Daten der Festplatte von Paulys Notebook durchzugehen, aber es gab keinen einzigen Beweis dafür, dass Pauly irgendetwas gegen irgendjemand in der Hand gehabt hatte. Hatte er wirklich nur leere Drohungen ausgestoßen? Pia stieg bei laufendem Motor aus und wollte aufschließen. Ihr Herz begann zu klopfen, als sie feststellte, dass das Tor nur angelehnt war.

»Das gibt's doch nicht«, murmelte sie. Sie vergaß nie ab-zuschließen, denn gerade im Sommer war auf dem asphaltier-ten Weg, der parallel zur A66 von Unterliederbach bis nach Zeilsheim führte, viel los. Am späten Nachmittag und frühen Abend wimmelte es von Joggern, Spaziergängern, Inlineska-tern, Fahrradfahrern und den Kunden des benachbarten Eli-sabethenhofs. Pia beugte sich vor und betrachtete im Licht der Autoscheinwerfer das Schloss. Es war nicht beschädigt. War sie vorhin, als sie rasch die Pferde hereingeholt und gefüttert hatte, so zerstreut gewesen, dass sie nicht abgeschlossen hatte? Mit einem unguten Gefühl fuhr sie auf ihr Grundstück, stieg wieder aus und schloss hinter sich das große Tor. Am Stall drückte sie auf den Schalter für die Außenbeleuchtung und sah nach den Pferden. Die Stuten blinzelten sie verschlafen an, ihre Fohlen lagen schlafend im Stroh. Alles in Ordnung.

Pia beruhigte sich etwas. Es war eine milde Sommernacht, die Luft war lau und duftete nach Flieder und den Rosen, die sich an der Wand des Stallgebäudes hochrankten. Sie ging zu ihrem Haus und bekam den nächsten Schrecken. Die Haustür stand sperrangelweit offen. Wenn Henning hier gewesen wäre, hätte er sie angerufen, außerdem war er geradezu zwanghaft, was das Abschließen betraf. Auf der nahegelegenen Autobahn war so wenig los, dass Pia ihren Puls in den Ohren pochen hörte. Sie ging zurück zu ihrem Auto, startete den Motor und machte die Scheinwerfer an. Dann wählte sie die 110. Sekunden später meldete sich der Beamte auf der Wache.

»Könnt ihr mal jemanden bei mir vorbeischicken?«, bat Pia, nachdem sie erklärt hatte, was los war.

»Klar. Kommt gleich jemand. Gehen Sie nicht alleine ins Haus.«

»Ganz sicher nicht. Ich spiele doch nicht die Heldin.« Pia klappte ihr Handy zu und fuhr zurück zum Tor, um es für die Kollegen zu öffnen. Mit klopfendem Herzen und ihrer SigSauer in den schweißfeuchten Händen wartete sie auf den Streifenwagen, der nur Minuten später auftauchte.

Pia beobachtete, wie in einem Zimmer nach dem anderen das Licht aufflammte. Ihr Puls sank auf eine normale Frequenz. Wenig später erschien einer der beiden uniformierten Kollegen in der Haustür und winkte ihr zu.

»Hier ist niemand«, sagte er und steckte seine Waffe zurück ins Halfter. »Schauen Sie mal selbst, ob irgendetwas fehlt.«

Pia ging von Raum zu Raum, aber alles sah so aus, wie sie es verlassen hatte.

»Ist ja auch nichts für eine Frau, so alleine hier zu wohnen«, bemerkte der andere Beamte.

»Was schlagen Sie vor?« Pia setzte sich auf einen Küchenstuhl. Sie spürte, dass sie noch immer am ganzen Körper zitterte. »Soll ich mir irgendeinen Kerl angeln?«

»Nicht gleich einen Mann«, der Beamte grinste. »Ein Hund reicht fürs Erste sicher auch. Hier haben Sie doch massig Platz, und jetzt gehen Sie schlafen. Wir bleiben draußen im Hof. Unser Dienst ist um sechs zu Ende, wenn bis dahin nichts mehr passiert, bleiben wir solange hier.«

Mit einem tiefen Gefühl der Dankbarkeit wartete Pia, bis die beiden draußen waren, dann löschte sie alle Lichter, zog sich aus und ging ins Bett. Obwohl sie fest davon überzeugt war, kein Auge zumachen zu können, schlief sie nach ein paar Minuten tief und fest ein.

Gegen Mittag kam das vorläufige Obduktionsergebnis aus der Rechtsmedizin. Bevor der Junge gestorben war, musste es einen Kampf gegeben haben, denn Jonas hatte massive Abwehrverletzungen an Händen und Unterarmen, in seinem Mund und zwischen seinen Zähnen befand sich menschliches Gewebe. Jonas Bock war durch den Verschluss der Halsschlagadern, der die Blutversorgung des Gehirns unterbrochen hatte, gestorben, also durch Erhängen. Aber ob er durch eigene Hand aus dem Leben geschieden war oder durch Fremdeinwirkung, das vermochte selbst Professor Kronlage, der die Obduktion durchgeführt hatte, nicht zu sagen. Besonders seltsam war das Ergebnis der DNA-Analyse der Gewebeprobe aus Jonas' Mund und der Blutflecken aus seinem T-Shirt, denn sie stimmte beinahe vollkommen mit der eigenen DNA des Jungen überein.

»Haben wir schon den Bericht aus dem Labor über den Strick und den Haken?«, erkundigte sich Bodenstein. Er blickte auf und schaute in übernächtigte Gesichter. Pia Kirchhoff und Ostermann hatten bis morgens die Festplatte des Computers durchsucht, und Behnke hatte den Sieg der deutschen Fußballnationalmannschaft ausgiebig gefeiert. Nur Kathrin Fachinger sah ausgeschlafen und erholt aus.

»Ja«, Ostermann blätterte die Faxe durch, die am Morgen aus dem Labor des LKA gekommen waren, »warten Sie … hier … sie haben an dem rostigen Haken, an dem die Leiche hing, eine deutliche Polierspur festgestellt und den Abrieb auf dem Nylonseil nachgewiesen.«

»Das könnte bedeuten, dass ihn jemand hochgezogen hat«, vermutete Bodenstein. »Aber da muss er noch gelebt haben, denn er ist ja durch das Erhängen gestorben.«

»Vielleicht hat er es selber getan, und der Strick hat nachgegeben«, sagte Behnke. Pia blätterte mit einem unterdrückten Gähnen die Fotos durch, die die Spurensicherung am Fundort der Leiche gemacht hatte. Plötzlich hielt sie inne.

»Guckt euch das mal an!«, sagte sie und hielt ein Foto hoch, das von schräg hinten aufgenommen worden war. »Fällt euch was auf?«

Die anderen betrachteten das Bild eingehend.

»Was meinst du?«, fragte Kathrin Fachinger.

»Stell dir vor, du willst dich aufhängen und ziehst dir eine Schlinge um den Hals«, Pia war plötzlich hellwach. »Wie machst du das?«

Kathrin Fachinger tat so, als würde sie sich eine imaginäre Schlinge um den Hals legen, ergriff mit einer Hand ihr schulterlanges Haar und zog es zur Seite.

»Stopp!«, rief Pia. Alle blickten sie erstaunt und verwirrt an.

»Schaut auf das Foto«, sagte Pia aufgeregt. »Seine Haare sind *unter* dem Strick eingeklemmt! Wenn er sich selbst aufgehängt hätte, hätte er sie vorher herausgezogen. So wie Kathrin eben.«

Bodenstein sah sie an und lächelte anerkennend.

»Das könnte ein Indiz für eine Fremdeinwirkung sein«, bestätigte er.

»Der Kerl hatte 2,5 Promille Alkohol im Blut«, widersprach

Behnke. »Da waren ihm seine Haare wahrscheinlich völlig wurscht!«

»Glaube ich nicht«, Pia schüttelte den Kopf, »das ist ein Reflex bei Langhaarigen.«

»Das würde bedeuten, dass Jonas ermordet wurde«, sagte Kathrin Fachinger nachdenklich.

»Genau«, Pia nickte.

»Und bevor er gestorben ist, hat er seinen Mörder gebissen«, stellte Bodenstein fest.

»Also muss Jonas' Mörder eine Bisswunde haben«, jetzt, wo auch Bodenstein die Beweise für einen Mord anerkannt hatte, schwenkte Behnke sofort auf diese Linie ein. »Wir sollten mit allen Partygästen sprechen. Außerdem könnten wir Speichelproben von allen nehmen.«

»Ja, das ist gut«, Bodenstein nickte. »Wir laden alle vor.«

»Wir haben auch die Auswertung der SIM-Karte, die auf dem Grundstück von Zacharias gefunden wurde, bekommen«, sagte Ostermann gerade. »Es war das Handy von Jonas Bock.«

Außer einer Unmenge von Klingeltönen, Logos und Telefonnummern hatte der Junge auch Fotos auf der Karte gespeichert, und die schauten sich die Mitarbeiter des K11 nun auf Ostermanns Bildschirm an. Das Lieblingsmotiv von Jonas war seine Freundin Svenja gewesen; ihr hübsches Gesicht fand sich auf beinahe vierzig Fotos.

»Mein Gott, was die für einen Scheiß fotografieren«, bemerkte Behnke. Autos, leere Flaschen in einer Reihe, lachende, grimassenschneidende Jugendliche, verschwommene Bilder von irgendwelchen Dokumenten.

»Kannst du das hier vergrößern?«, bat Pia. »Was ist das wohl?«

Ostermann klickte mit der Maus hin und her, die Bilder wurden größer, die Qualität allerdings noch schlechter.

»Lass mir etwas Zeit. Ich kriege das schon so hin, dass man es lesen kann.«

»Da, schaut mal«, Pia deutete auf eines der Fotos, »das ist Pauly. Wie Svenja den anhimmelt! Und da ... das ist Lukas!«

Sie schaute genauer hin. Svenja hatte sich in Lukas' Arme geschmiegt und lächelte in die Linse von Jonas' Kamera.

»Bisschen jung vielleicht, aber hübsch«, Behnke grinste anzüglich. »Kein Wunder, dass Sie mit ihm allein sein wollten.«

Pia reagierte nicht auf seine Provokation.

»Das hier ist das letzte Foto, das gemacht wurde«, Ostermann drehte das Bild am Bildschirm nachdenklich hin und her. »Was ist denn das?«

»Druck es doch mal aus«, schlug Pia vor. Sekunden später surrte der Ausdruck aus dem Drucker.

»Was halten Sie davon, Chef?« Pia reichte Bodenstein das Bild.

»Hm«, Bodenstein überlegte, »sieht aus wie ein Ultraschallbild von einem Fötus.«

»Das finde ich auch. Was hat so ein Foto auf Jonas' Handy zu suchen?«

»Ganz einfach«, sagte Bodenstein. »Seine Freundin ist schwanger.«

»Das wäre ein Ding«, Pia schüttelte den Kopf. Es wäre allerdings eine Erklärung für Svenjas schlechtes Aussehen. Bei manchen Schwangeren hielt die typische Übelkeit den ganzen Tag über an.

»Er hatte ungefähr hundert SMS auf dem Handy«, sagte sie. »Die letzte hat er an Svenja geschrieben, um 22:56 Uhr. Kurz darauf muss er gestorben sein. Kronlage schätzt, dass der Tod zwischen 22:30 Uhr und 23:00 Uhr eingetreten ist.«

Pia blätterte in den Ausdrucken.

»Die letzten Anrufe hat Jonas um 22:19 Uhr und 22:23 Uhr getätigt, jeweils an Svenja. Um 22:11 Uhr hat er den letzten Anruf entgegengenommen, leider hatte der Anrufer seine Nummer unterdrückt. Danach kamen noch vier Anrufe, die er nicht mehr annehmen konnte, ab 0:22 Uhr war das Handy aus.«

Bodenstein blickte sie abwartend an, während sie suchend hin und her blätterte.

»Es gab nur Jonas' Fingerabdrücke an dem Gerät«, sagte sie, »und kein erkennbares Motiv für einen Mord. Und warum war das Handy noch über eine Stunde lang angeschaltet?«

Dr. Carsten Bock öffnete ihnen in schwarzem Hemd und schwarzer Hose die Tür, sein ohnehin hageres Gesicht war eingefallen, er wirkte übernächtigt.

»Wie geht es Ihrer Frau?«, erkundigte Bodenstein sich, als sie die Empfangshalle der schlossähnlichen Villa in Richtung Bibliothek durchquerten.

»Wie soll es ihr schon gehen? Sie hat Beruhigungsmittel genommen«, erwiderte Bock. »Ihre Mutter ist bei ihr.«

Er ließ Bodenstein und Pia vorbei in die Bibliothek gehen, dann schloss er die Tür hinter sich.

»Haben Sie schon Neuigkeiten?«

»Ihr Sohn starb durch Fremdeinwirkung«, Bodenstein nickte. »Der Täter muss ihn aufgehängt haben, um seine Tat zu vertuschen.«

»Und was werden Sie jetzt tun?« Die Stimme von Bock klang belegt.

»Wir suchen nach jemandem, der ein Motiv hatte, Jonas zu töten«, sagte Pia. »Nicht weit vom Fundort haben wir sein Handy gefunden. Allerdings werden wir aus den Namen in

seinem Adressbuch und den Fotos, die er gemacht hat, nicht
klug. Wir hoffen, dass Sie uns weiterhelfen können.«

»Ich werde es versuchen.«

Pia ließ das Gesicht von Bock nicht aus den Augen. Irgendetwas an dem Mann weckte ihr Misstrauen. Er verhielt sich
nicht so, wie sich Eltern verhielten, die mit dem gewaltsamen
Tod ihres Kindes konfrontiert wurden. Dr. Carsten Bock war
weit von einem Schock entfernt, seine Kälte und Emotions-
losigkeit ließen Pia frösteln. Sie öffnete ihre Tasche, holte die
Ausdrucke der Fotos aus Jonas' Handy hervor und reichte sie
dessen Vater, der sie rasch durchblätterte.

»Erkennen Sie irgendwelche Personen oder Orte, an denen
die Bilder gemacht worden sein könnten?«, fragte sie. »Hier,
die Freundin Ihres Sohnes kannten Sie doch sicher, oder?«

»Ja, natürlich kenne ich Svenja«, antwortete Bock, »und
das hier ist Lukas van den Berg. Einige kommen mir bekannt
vor, aber ich kann Ihnen nicht mit Namen weiterhelfen.«

»Können Sie uns den Namen des Freundes sagen, bei dem
Jonas wohnte, nachdem er hier ausgezogen ist?«

Bock blätterte in den Fotos, tippte auf ein Bild und verzog
sein Gesicht.

»Bei dem hier. Tarek Fiedler.« Pia betrachtete das Foto und
erkannte den jungen Mann mit den asiatisch anmutenden
Gesichtszügen und dem schulterlangen schwarzen Haar, der
Esther Schmitt am Samstagmorgen mit dem Lieferwagen an
der Ruine ihres Hauses abgeholt hatte. Außerdem hatte Pia
ihn am gleichen Abend auch auf der Burg in Königstein gesehen.

»Sie hatten kein gutes Verhältnis zu Ihrem Sohn, oder?«,
fragte Bodenstein. Bock zögerte.

»Jonas hatte sich in den letzten Monaten sehr verändert«,
er fuhr sich mit einer Hand über sein hageres Gesicht. »Früher hat er gerne Sport gemacht, war ein guter Tennisspieler

und begeisterter Segler. An den Wochenenden haben wir oft Touren mit dem Mountainbike gemacht. Aber seitdem er diesen Tarek kennengelernt hatte, interessierte ihn das alles nicht mehr. Auf einmal hockte er nur noch am Computer und redete übers Geldverdienen.«

»Sie haben den Freund Ihres Sohnes nicht gemocht?«, erkundigte Pia sich. Bock wirkte plötzlich angespannt.

»Nein«, er reichte ihr die Fotos. »Ich fand ihn auf Anhieb unsympathisch. Jonas hatte immer einen großen Freundeskreis, aber auf einmal drehte sich alles nur noch um diesen Tarek. Als ich herausgefunden habe, dass Tarek sich bei uns als IT-Manager beworben hatte, wurde ich misstrauisch.«

»Wieso?«, fragte Pia.

»Ich hatte den Eindruck, dass es Tarek nicht wirklich um meinen Sohn ging, sondern Jonas für ihn lediglich Mittel zum Zweck war.« Bock machte eine kurze Pause. »Wir haben uns bei der Stellenvergabe für einen anderen Bewerber entschieden. Da hat Jonas Tarek mit zu uns nach Hause gebracht, sie wollten nicht verstehen, dass ich mit Personalentscheidungen nichts zu tun habe. Jonas drängte mich, Tarek einzustellen.«

»Aber das haben Sie nicht getan«, vermutete Pia. Bock musterte sie.

»Ich habe einen Personalchef, der weiß, worauf es ankommt. Wenn er Tarek nicht wollte, wird er seine Gründe gehabt haben. Wir stellen niemanden ein, nur weil er ein Freund meines Sohnes ist. Das habe ich Jonas und Tarek gesagt.«

»Und daraufhin gab es Streit.«

»Noch nicht. Ich habe die Bewerbungsunterlagen angefordert und festgestellt, dass Tarek überhaupt keine Qualifikationen für die Stelle hatte. Weder ein abgeschlossenes Studium noch Berufserfahrung. Ich habe ihm angeboten, er könne im Callcenter oder auf unseren Baustellen arbeiten, wenn er unbedingt einen Job bräuchte. Aber das wollte er nicht. Er wurde unverschämt und drohte mir sogar.«

»Ach? Was hat er gesagt?«

»Ich weiß es nicht mehr im Detail. Er war gekränkt, fühlte sich wohl herabgesetzt. Ich habe ihm klipp und klar zu verstehen gegeben, dass er in meinem Haus nichts mehr verloren hat.«

»Wie reagierte Jonas darauf?«

»Genau so, wie sein Freund Tarek es ihm vorgemacht hatte.« Bocks Miene wurde finster. »Er wurde unsachlich, schrie herum, dass er nichts mehr mit mir zu tun haben wolle und seine Zukunft sowieso nicht als Betriebswirt oder Ingenieur sähe, sondern als Biologe.«

»Und da warfen Sie ihn raus«, bemerkte Pia. Dr. Carsten Bock blickte sie an. In seinen eisblauen Augen lag kein Funken Wärme.

»Nein«, erwiderte er, »ich habe ihn nicht rausgeworfen. Jonas ist von alleine ausgezogen.«

Jonas' Zimmer befand sich im zweiten Stock des Hauses und war ungefähr so groß wie Pias ganzes Haus. An der größten Wand hing ein riesiges Foto, mindestens drei auf sechs Meter groß. Es zeigte eine Panoramaansicht von Kelkheim und Königstein, eine rote Linie schlängelte sich quer durch die Wälder und über Wiesen.

»Was ist denn das?« Pia trat ein paar Schritte zurück, um das Bild in seiner vollen Größe betrachten zu können.

»Eine Computersimulation von der geplanten Trasse der neuen B8«, sagte Bock von der Tür aus.

»Haben das Ihre Ingenieure entworfen?« Pia war beeindruckt. Alle Details stimmten, Häuser, das Kelkheimer Kloster, die Königsteiner Burg, Schloss Bodenstein, die Dresdner-

Bank-Ausbildungsstätte am Bangert – es sah beinahe aus wie ein Foto.

»Nein«, Bocks Stimme klang bitter. »Das hat mein Sohn gemacht. Nicht für mich, sondern für seine neuen Freunde, die B8-Gegner.«

Er fuhr sich mit der Hand über sein Gesicht. Für einen winzigen Moment glaubte Pia schon, der Mann würde sich endlich zu einer Emotion hinreißen lassen und in Tränen ausbrechen, aber nach ein paar Sekunden hatte er sich wieder im Griff.

»Wo ist Jonas' Computer?« Bodenstein wies auf den Schreibtisch. Dort stand ein Flachbildschirm, das Kabel, an dem er einmal an einen Rechner angeschlossen gewesen war, lag lose auf der Tischplatte.

»Wahrscheinlich hat er ihn mitgenommen, als er ausgezogen ist.«

Bodenstein öffnete die Schubladen des Schreibtisches. Allerhand Krimskrams, Schulbücher, DVD-Rohlinge – nichts Besonderes. Er nahm ein paar Bücher heraus und schlug sie auf. Aus einem Buch fielen ein paar abgegriffene Fotos heraus. Sie zeigten alle ein Mädchen mit langem blondem Haar und einen Mann in inniger Umarmung. Der Mann war nicht zu erkennen, weil jemand mit Eddingstift sein Gesicht zugekritzelt hatte.

»Sie haben nichts dagegen, dass ich die Bilder mitnehme, oder?«, wandte Bodenstein sich an Dr. Bock. Der hob nur die Augenbrauen und zuckte die Schultern. Er wollte die Fotos nicht einmal sehen.

»Waren Sie mit der Beziehung zwischen Ihrem Sohn und Svenja eigentlich einverstanden?«, fragte Pia.

»Das war nichts Ernstes.«

Pia zog den Abzug von dem Ultraschallbild hervor und reichte es dem Vater des toten Jungen.

»Dieses Bild war auf Jonas' Handy gespeichert. Wir vermuten, dass Svenja schwanger ist.«

Bock warf einen flüchtigen Blick darauf. Sein Gesicht blieb ausdruckslos, aber an seiner Wange zuckte ein Muskel.

»Vielen Dank, Herr Dr. Bock«, mischte sich Bodenstein nun ein. »Wir wollen Sie nicht länger stören.«

»Warum hatten Sie es plötzlich so eilig?«, fragte Pia ihren Chef, als sie das Bock'sche Anwesen verlassen hatten und wieder im Auto saßen. »Ich war nahe davor, diesem Eisblock eine menschliche Regung zu entlocken.«

Bodenstein nahm die Fotos aus der Tasche und reichte sie Pia.

»Die waren in einem von Jonas' Schulbüchern«, sagte er, »es sieht so aus, als habe der Junge sie sich ziemlich oft angesehen.«

»Das Mädchen könnte Svenja sein«, Pia blätterte die Bilder durch. »Aber den Kerl kann man nicht erkennen. Vielleicht kriegen die im Labor den Eddingstift weg.«

»Das hoffe ich auch.«

»Dieser Dr. Bock ist ein furchtbarer Typ«, sagte Pia. »Eiskalt!«

»Es muss ihn tief gekränkt haben, dass sich sein Sohn mit seinen Gegnern solidarisiert hat«, erwiderte Bodenstein. »Pauly hat sich auf gefährliches Terrain begeben, als er sich mit Bock angelegt hat.«

»Bock hat Pauly aus demselben Grund gehasst wie Conradi«, überlegte Pia laut. »Er hat seinen Sohn gegen ihn aufgehetzt, mehr noch. Jonas hat sich ganz offen auf die Seite der Feinde seines Vaters geschlagen.«

»Aber Bock ist nicht der Typ, der jemanden mit einem Hufeisen erschlägt«, entgegnete Bodenstein.

»Vielleicht hat er ihn im Affekt erschlagen«, spann Pia den

Faden weiter. »Svenja hat ihn beobachtet und Jonas davon erzählt. Als der seinen Vater anzeigen wollte, musste auch er sterben. Das erklärt, weshalb die DNA, die wir an der Leiche gefunden haben, der von Jonas so ähnlich ist. Es war sein Vater.«

Bodenstein warf seiner Kollegin einen belustigten Seitenblick zu.

»Beide Fälle gelöst. Verhaften wir Bock als Serienkiller und machen wir uns auf eine saftige Verleumdungsklage gefasst«, er grinste.

»Aber es könnte doch sein«, widersprach Pia.

»Ich glaube nicht, dass es so einfach ist.«

»Auf jeden Fall gibt es zwischen beiden Morden eine Verbindung«, sagte Pia. »Da bin ich sicher.«

»Zweifellos überschneiden sich die Bekanntenkreise von Pauly und Jonas«, sagte Bodenstein. »Aber die Vorgehensweise der Täter war jeweils eine völlig andere. Pauly kann im Affekt getötet worden sein, da waren Emotionen mit im Spiel. Bei Jonas war das etwas anderes. Der Junge wurde aufgehängt. Vorsätzlich getötet.«

Kathrin Fachinger kehrte mit erstaunlichen Neuigkeiten von der Testamentseröffnung aus Wiesbaden zurück. Pauly war keineswegs so unvermögend gewesen, wie Mareike Graf angenommen hatte. Er hatte seine Anteile an der Grünzeug Gastro GmbH Esther Schmitt vermacht, ebenso alle persönlichen Dinge, die mittlerweile dem Brand zum Opfer gefallen waren. Seinen Aktienbesitz hatte er zu gleichen Teilen Lukas van den Berg und Jonas Bock für den Aufbau ihrer Computerfirma hinterlassen. Der Wert der Aktien hatte sich am Tag, als das Testament verfasst wurde, auf dreiundachtzigtausend Euro belaufen. Ostermann hatte erfahren, dass Pauly zwei Lebensversicherungen abgeschlossen hatte, bei denen jeweils

Esther Schmitt als Begünstigte im Todesfall eingetragen war. Ungefähr dreihunderttausend Euro würden sie schnell über den Verlust ihres Lebensgefährten hinwegtrösten. Das Sahnehäubchen aber war eine zusätzliche Brandversicherung. Im Schadensfall sollten er, Esther Schmitt und Mareike Graf als Miteigentümerin des Hauses satte einhundertfünfzigtausend Euro bekommen. Diese Nachricht lieferte Jürgen Becht und seinen Kollegen vom K10, die durch die Aussage von Matthias Schwarz ohnehin schon die Verhaftung von Esther Schmitt wegen gefährlicher Brandstiftung vorbereitet hatten, den letzten Beweis. Sie waren schon auf dem Weg nach Kelkheim, um sie festzunehmen.

Der Gartenbaubetrieb Sommer befand sich in dem neuen Gewerbegebiet auf dem Gelände des ehemaligen US-Camps Eschborn gegenüber von Mann Mobilia. Bodenstein war zu Norbert Zacharias ins Untersuchungsgefängnis gefahren, deshalb hatte er Pia und Behnke gebeten, mit Tarek Fiedler zu sprechen. Sie fanden ihn hinter den Treibhäusern. Er war damit beschäftigt, verschnürte Pflanzen auf die Ladefläche eines LKW zu laden, und pfiff dabei vor sich hin.

»Hallo, Herr Fiedler«, sagte Pia. Tarek Fiedler hielt in seiner Arbeit inne und wandte sich um.

»Hallo«, erwiderte er und blickte Pia und Behnke mit einer Mischung aus Neugier und Argwohn an. »Hab ich was verbrochen?«

Offenbar besaß er Erfahrung im Umgang mit der Polizei. Er war etwa Anfang zwanzig, sein schmales Gesicht mit dem auffällig sinnlichen Mund und den dunklen Augen wollte nicht recht zu den muskulösen, tätowierten Oberarmen und den Piercings in seinen Ohrläppchen passen.

»Nein, haben Sie nicht«, Pia stellte sich und Behnke vor. »Es geht um Ihren Freund Jonas Bock.«

Tarek zog seine Arbeitshandschuhe aus.

»Ich hab's schon gehört«, sagte er. »Er hat sich erhängt.«

»Ach. Wer hat Ihnen das denn gesagt?«, fragte Pia.

»Ein Freund. Schlechte Nachrichten sprechen sich schnell herum.«

»Wir gehen davon aus, dass Jonas ermordet worden ist, genauso wie Hans-Ulrich Pauly.«

Diese Mitteilung schien den jungen Mann nun doch zu überraschen.

»Jo ist ermordet worden?«, fragte er bestürzt.

»Es sieht alles danach aus«, bestätigte Pia. »Können Sie uns erzählen, ob Jonas mit irgendwem Streit hatte?«

»Er hatte Zoff mit seiner Freundin«, Tarek war von der Nachricht wirklich mitgenommen. »Mehr weiß ich nicht. Dann hat er sich über Esther geärgert. Am Sonntag hat er kaum ein Wort geredet, und am Montag war er auch mies drauf.«

»Was für eine Computerfirma ist das, die Lukas und Jonas aufbauen wollen?«

»Lukas, Jo und *ich*«, verbesserte Tarek Fiedler. »Die Off Limits Internetservices GmbH.«

»Ach? Eine GmbH … Und was machen die so?«

»Gestaltung von Internetauftritten«, sagte Tarek Fiedler. »Im Moment entwickeln wir ein System mit einem eigenen Server, über den die Kunden ihre Webseiten online verwalten können.«

»Was heißt ›wir‹?«, fragte Pia. »Sind Sie auch daran beteiligt?«

Tarek Fiedler hob die Augenbrauen.

»Sie denken wohl, ich bin nur ein dämlicher Gärtner, was?« Seine Stimme hatte plötzlich einen aggressiven Beiklang. »Klar. Ein tätowierter und gepiercter Halbchinese aus dem Kohlenpott, der als Gärtner für die feinen Leute hier schuftet, muss ein Depp sein.«

»Das habe ich nicht gesagt«, erwiderte Pia kühl. »Aber um IT-Manager bei der Firma Bock zu werden, waren Sie auf jeden Fall nicht qualifiziert genug.«

Damit hatte sie einen wunden Punkt getroffen. Der junge Mann starrte sie an, dann lachte er ohne Erheiterung.

»Ich hab halt keinen reichen Vater, der mir ein Studium finanziert«, sagte er. »In Deutschland muss man ja für alles irgendeinen Abschluss und ein Zeugnis haben.«

»Man braucht keinen reichen Vater zum Studieren«, antwortete Pia. »Wozu gibt es BAföG?«

Obwohl ihr Dr. Bock nicht sympathisch war, konnte sie dessen Abneigung gegen Tarek Fiedler nachvollziehen. Die Herablassung in Tareks Augen verwandelte sich in Feindseligkeit. Pia bemerkte, dass ihre Taktik, den jungen Mann aus der Reserve zu locken, aufzugehen schien. Genau in diesem Augenblick ergriff Behnke, der bisher geschwiegen hatte, das Wort.

»Woher haben Sie Jonas gekannt?«, fragte er.

»Aus dem Grünzeug«, erwiderte Tarek. »Ich hab Esther kennengelernt, als ich im Tierheim in Sulzbach gearbeitet habe. Sie ist die Vorsitzende vom Tierschutzverein.«

»Ach, im Tierheim haben Sie auch schon gearbeitet?« Pia tat erstaunt. »Sie halten es wohl nirgendwo lange aus, hm?«

Tarek warf ihr einen kurzen Blick zu, dann wandte er sich an Behnke.

»Was soll denn das hier werden? Will die mich anmachen, oder was?«

Behnke nutzte die Gelegenheit, die sich ihm bot.

»Ist jetzt ja gut, Frau Kirchhoff. Kommen wir zur Sache«, sagte er mit der nachsichtigen Herablassung eines Lehrers, der eine besserwisserische Schülerin in die Schranken weisen musste. Pia warf ihrem Kollegen einen wütenden Blick zu. Tarek Fiedler bemerkte das und grinste spöttisch.

»Warum habt ihr am Sonntag die Computer abgebaut?«, fragte Behnke.

»Esther wollte Miete von uns haben. Da hatten wir keinen Bock drauf.«

»Konnten Sie sie nicht überreden, auf die Miete zu verzichten?«

»Ich verstehe mich gut mit Esther«, gab Tarek zu, »aber wenn es ums Geschäft geht, ist sie knallhart.«

»Ich hatte den Eindruck, dass Sie sich nicht nur gut mit ihr verstehen, sondern ziemlich vertraut mit ihr sind«, sagte Pia und warf Behnke einen warnenden Blick zu, sie nicht wieder zu unterbrechen. »Ist das erst so, seitdem ihr Lebensgefährte tot ist?«

Tarek machte sich kaum die Mühe, sie anzusehen.

»Ulli war ein guter Freund von mir«, antwortete er. »Deshalb kümmere ich mich ein bisschen um Esther, jetzt, wo sie ganz alleine dasteht.«

»Aha«, sagte Pia.

»Will die mir was unterstellen?«, wandte Tarek sich an Behnke. »Bei der blöden Fragerei komm ich mir so vor, als würde ich etwas Schlimmes tun, nur weil ich einer Freundin in einer Notlage zur Seite stehe.«

»Regen Sie sich nicht auf«, sagte Behnke und lächelte solidarisch, »meine Kollegin meint es nicht so.«

Nun war es an Pia, wütend zu sein. Was tat Behnke da? Wollte er sie mit Absicht vor diesem Tarek bloßstellen, oder glaubte er etwa, der junge Mann sei so dämlich, um auf eine billige Variante der ›Good Cop/Bad Cop‹-Masche hereinzufallen?

»Wieso war Lukas am Montagabend nicht auf Jonas' Party, sondern im Grünzeug?«, fragte er jetzt. »Er war doch Jonas' bester Freund.«

Tarek zögerte kurz.

»Die beiden hatten ziemlichen Krach«, sagte er schließlich, »ich habe aber keine Ahnung, um was es ging.«

Behnke mochte ihm seine gespielte Ahnungslosigkeit abnehmen, aber Pia glaubte ihm kein Wort. Tarek Fiedler wusste ganz sicher, weshalb sich seine Freunde gestritten hatten. Er erzählte, was sich bei Jonas' Party abgespielt hatte, und bestätigte damit die Version von Svenja. Nach dem Streit mit seiner Freundin hatte sich Jonas vollkommen betrunken, Tarek hatte die Party gegen 22:00 Uhr verlassen.

»Jonas hat bei Ihnen gewohnt«, sagte Behnke. »Warum ist er zu Hause ausgezogen?«

»Weil sein Alter ein Riesenarschloch ist«, Tarek schnaubte angewidert. »Jo hatte keine Lust mehr, sich von ihm dauernd in sein Leben reinquatschen zu lassen.«

»Daran sind Sie wohl nicht ganz unschuldig«, sagte Pia. Tarek reagierte nicht darauf, er würdigte Pia keines Blickes und tat so, als sei sie Luft.

»Jo waren seine Freunde wichtiger als sein Vater«, sagte er an Behnke gewandt. »Familie hat man, Freunde kann man sich aussuchen.«

»Da ist was Wahres dran«, bestätigte Behnke. Pia verdrehte die Augen. Da hatten sich ja zwei gefunden.

»Wenn Sie so ein guter Freund von Jonas waren, können Sie uns vielleicht auch erklären, warum er das mit den E-Mails und den Fotos auf der Webseite von Svenja gemacht hat«, Pia ließ sich nicht einfach ausschließen. Tarek öffnete den Mund zu einer Erwiderung, besann sich aber anders und zuckte nur die Achseln.

»Er hat gesagt, er wär's nicht gewesen«, sagte er. »Aber wer soll das sonst gemacht haben?«

»Jemand, der ein Interesse daran hatte, Jonas und Svenja auseinanderzubringen«, sagte Pia. »Wer könnte das sein?«

»Weiß nicht«, sagte Tarek. Er war ein geübter Lügner, der

trotz der Nachricht vom Tod eines guten Freundes nicht die Kontrolle verlor.

»Kann es sein, dass Svenja Jonas betrogen hat und er sich deswegen an ihr rächen wollte?«

»Möglich. Svenja ist eine Schlampe«, Tareks Stimme klang abfällig. »Wenn die was getrunken hat, ist sie lzf.«

Behnke grinste.

»LZF?«, fragte Pia. »Was bedeutet das?«

Tarek blickte sie spöttisch an, der Ausdruck in seinen Augen war pure Herablassung.

»Leicht zu ficken«, erwiderte er.

Norbert Zacharias war nur noch ein Schatten seiner selbst. Aber bei dem Gespräch, das auf Zacharias' ausdrücklichen Wunsch ohne seinen Anwalt geführt wurde, gab er zu verstehen, dass es ihm nicht unrecht war, in Untersuchungshaft zu sitzen.

Bodenstein war überrascht. Er hatte angenommen, dass es für Norbert Zacharias, der viel Wert auf sein Ansehen legte, der Gipfel der Schande sein musste, unter Mordverdacht im Gefängnis zu sitzen. Der Haftrichter hatte eine Beschwerde von Zacharias' Anwalt abgelehnt, ebenso eine Freilassung gegen Zahlung einer Kaution.

»Heute Abend findet dieser Erörterungstermin statt«, sagte Zacharias. »Ich hätte hundert aufgebrachten Leuten erklären müssen, wie wir auf die Zahlen für die Gutachten gekommen sind und warum wir diese Zählstelle in Königstein nicht berücksichtigt haben. Tja, und dafür habe ich eigentlich keine Erklärung.«

»Aber Sie sagten doch, es sei aus Versehen geschehen?«, fragte Bodenstein nach.

»Aus Versehen!« Zacharias gab ein resigniertes Schnauben von sich. »Glauben Sie etwa, dass ein Unternehmen wie die

Bock Consult so etwas tatsächlich vergisst? Die Zählstelle wurde nicht vergessen, sondern absichtlich außer Acht gelassen, weil die dort gemessenen Zahlen nicht in das Planungskonzept passten.«

Bodenstein begriff.

»Das bedeutet, Pauly hatte recht mit seinen Verdächtigungen?«

»Absolut«, Zacharias nickte.

»Welche Auswirkungen hätten die richtigen Zahlen auf die Gutachten und das ganze Planungsverfahren gehabt?«, wollte Bodenstein wissen.

Norbert Zacharias seufzte.

»Fatale«, gab er zu. »Hochrechnungen und Prognosen auf der Basis der tatsächlichen Verkehrszahlen würden die Argumentation der Straßenbefürworter ad absurdum führen. In Wirklichkeit besteht kein dringender Bedarf für die Straße, schon gar nicht dann, wenn der Königsteiner Kreisel umgebaut ist.«

»Aha«, Bodenstein betrachtete den Mann, der zusammengesackt auf seinem Stuhl saß. »Was passiert, wenn Sie das eingestehen?«

»Tja«, Zacharias zuckte die Schultern, »das Hessische Landesamt für Straßen und Verkehrswesen hat ja schon empfohlen, neue Gutachten mit den richtigen Zahlen in Auftrag zu geben. Allerdings von einem neutralen Gutachter, der nachweislich nichts mit mir oder mit Bock zu tun hat. Ich fürchte, es wird kein neues Raumordnungsverfahren mehr geben.«

»Was bedeutet das für Sie persönlich?«

»Ich verliere den Beratervertrag«, er machte nicht den Eindruck, als ob ihm das schlaflose Nächte bereiten würde.

»Was sagt Ihr Schwiegersohn dazu? Welche Konsequenzen hat das alles für ihn und seine Firma?«

Zacharias blickte auf. Unter seinen Augen lagen dunkle Schatten.

»Wenn die Straße nicht gebaut wird, geht ihm ein großer Auftrag durch die Lappen«, sagte er. »Er wird viel Geld verlieren.«

»Wieso das?«, erkundigte Bodenstein sich. »Das Geld für die Gutachten hat er doch sicher schon bekommen, insofern haben nur die Auftraggeber ihr Geld in den Sand gesetzt.«

»Ganz so einfach ist es nicht«, bekannte Zacharias. »Da hängt noch viel mehr dran. Aber das führt jetzt zu weit.«

»Ich weiß nicht, ob es zu weit führt«, Bodenstein beugte sich vor. »Was wusste Ihr Enkelsohn über diese ganze Sache?«

Plötzlich erschien ein alarmierter Ausdruck in Zacharias' stumpfen Augen, er richtete sich auf.

»Jonas? Was soll er gewusst haben?«

»Das würde ich gerne wissen«, sagte Bodenstein. »Es ist sehr wichtig. Wir vermuten nämlich, dass Pauly seine Informationen von Jonas erhalten haben könnte. Pauly war Jonas' Tutor, die beiden haben sich gut verstanden. Zu seinem Vater hingegen hatte Jonas kein gutes Verhältnis.«

Zacharias starrte nur vor sich hin.

»Herr Zacharias«, mahnte Bodenstein, »antworten Sie bitte. Ich frage Sie das nicht aus Spaß. Ihr Enkelsohn ist am Montagabend ermordet worden.«

Augenblicklich wich alle Farbe aus dem Gesicht des ehemaligen Bauamtsleiters der Stadt Kelkheim.

»Jonas ist tot?«, flüsterte er fassungslos. »Das kann nicht sein.«

»Doch, leider«, sagte Bodenstein. »Er hatte mit Freunden seinen Geburtstag auf Ihrem Gartengrundstück gefeiert. Am nächsten Tag haben wir dort seine Leiche gefunden.«

»O mein Gott, Jo«, flüsterte Zacharias, »Jo, was habe ich nur angerichtet!«

Er begann am ganzen Körper zu zittern, Tränen glänzten in seinen Augen. Nur mit größter Mühe gelang es ihm, seine Fassung aufrechtzuerhalten. Bodenstein kam sich beinahe grausam vor, den Mann so zu quälen, aber er spürte, dass Zacharias nur noch einen kleinen Anstoß brauchte, um ihm etwas Wichtiges zu gestehen.

Die Sanders wohnten in Bad Soden in einem schlichten Einfamilienhaus aus den fünfziger Jahren, das mit seinem altmodischen Charme und der zum Teil von Efeu bewachsenen Fassade nicht mehr so recht zwischen die neu erbauten Paläste passte, die, ähnlich wie im Johanniswald in Königstein, mittlerweile auch dieses Wohngebiet der Besserverdienenden dominierten. Vor der Garage parkte ein alter Passat mit einem Kindersitz auf der Rückbank, daneben stand ein knallgelber Motorroller, bei dem ein Außenspiegel fehlte. Pia betätigte die Klingel. Im Innern des Hauses ertönte ein melodisches Läuten, wenig später öffnete eine junge Frau mit einem Kleinkind im Arm die Tür. Pia stellte sich vor und fragte nach Antonia und Svenja.

»Sie sind draußen im Garten«, sagte die junge Frau, ganz offensichtlich eine von Antonias älteren Schwestern. »Kommen Sie doch rein.«

»To-ni!«, das Kind klatschte in die Händchen, »To-ni! To-ni!«

Pia lächelte es pflichtschuldig an und folgte der jungen Frau ins Haus. Sie hatte schon vor einer ganzen Weile festgestellt, dass ihr das Gen für mütterlichen Überschwang beim Anblick von kleinen Kindern und Babys völlig fehlte.

»Sie waren im Zoo, als die Leiche von diesem Mann gefunden worden ist, nicht wahr? Mein Vater hat von Ihnen erzählt.«

»Lei-che!«, jauchzte das kleine Kind. »Lei-che! To-ni!«

Pia war es im Allgemeinen ziemlich gleichgültig, was man von ihr erzählte, aber in diesem speziellen Fall hätte sie nur zu gerne gewusst, was Dr. Sander seinen Töchtern über sie erzählt haben mochte.

»Ist Ihr Vater auch da?« Sie stellte die Frage beiläufig, als ob es sie nicht sonderlich interessierte, und war selbst überrascht darüber, wie begierig sie darauf war, mehr über den Mann zu erfahren, der sie bis in ihre Träume verfolgte.

»Nein«, erwiderte die junge Frau, »Papa ist im Zoo.«

Sie führte Pia durchs Haus in den Wintergarten. Im ganzen Haus herrschte ein gemütliches Durcheinander. Überall auf dem Parkettfußboden, der schon bessere Tage gesehen hatte, lag Kinderspielzeug herum, auf der abgeschabten Ledercouch im Wohnzimmer dösten zwei Katzen, eine dritte, schneeweiße, saß vor einem großen Aquarium, das auf einer antiken Anrichte im Esszimmer stand, und belauerte die Fische. In der großen Küche war der Mittagstisch noch nicht abgeräumt, ein Radio dudelte halblaut.

»Ich hole die beiden«, sagte die junge Frau.

»Danke«, Pia nickte der jungen Frau zu und blickte sich um. Der Wintergarten war groß, voller exotischer Pflanzen und mit behaglichen dunklen Ledersesseln eingerichtet. Auf einem niedrigen Tisch lagen ein paar aufgeschlagene Bücher und Zeitschriften, ein Schreibblock mit handschriftlichen Notizen, dazwischen standen ein leeres Weinglas und eine halbleere Flasche Rotwein. Pia beugte sich vor und las die Titel einiger Bücher. Es handelte sich um zoologische Fachliteratur; offenbar war der Wintergarten der Lieblingsplatz von Dr. Sander. Plötzlich fühlte sie sich wie ein Eindringling und war froh, als Antonia in Begleitung von Svenja Sievers aus dem Garten hereinkam. Svenja sah heute nur wenig besser aus als gestern. Ihr spitzes, bleiches Gesicht war ausdruckslos wie das einer Porzellanpuppe, und in ihren übergroßen, viel zu stark geschminkten Rehaugen lag ein glasiger Ausdruck. Pia setzte sich in einen der Sessel, die Mädchen nahmen ihr gegenüber auf der Couch Platz. Sie holte das Foto mit dem Ultraschallbild aus ihrer Tasche und reichte es den beiden. Svenja warf nur einen kurzen Blick darauf, Antonia zog die Stirn in Falten.

»Bist du schwanger, Svenja?«, fragte Pia.

»Wieso?« Das Mädchen tat überrascht.

»Weil dieses Foto hier auf Jonas' Handy war«, erwiderte Pia.

»Wie kommen Sie an Jo's Handy?«, fragte Svenja misstrauisch.

»Es tut mir sehr leid, euch das sagen zu müssen«, sagte Pia so behutsam wie möglich, »aber Jonas ist tot.«

Antonia zog scharf die Luft ein und wurde blass, Svenja starrte Pia wie hypnotisiert an.

»O Gott«, flüsterte sie, die Augen vor Entsetzen geweitet, »daran bin nur ich schuld … hätte ich nicht …«

Sie brach ab, und Antonia legte tröstend die Arme um die Freundin, obwohl sie selbst mit aller Kraft um Fassung rang. Eigentlich hatte Pia den beiden Mädchen die schrecklichen Details von Jonas' Tod ersparen wollen, aber sie konnte Svenja nicht in dem Glauben lassen, sie hätte ihren Freund in den Selbstmord getrieben.

»Nein, Svenja«, sagte sie deshalb, »du hast nichts damit zu tun. Jonas hat sich nicht umgebracht. Er wurde ermordet.«

Aus der Küche drang die heitere Stimme eines Radiomoderators, es ging um Fußball. Um etwas anderes ging es zurzeit nur sehr selten.

»Ich muss nach Hause«, Svenja stand unvermittelt auf. Sie atmete keuchend und sah aus wie ein Gespenst. Antonia ergriff ihr Handgelenk, aber Svenja stieß die Freundin heftig von sich und rannte ins Haus. Mit einem dumpfen Knall fiel die Haustür hinter ihr ins Schloss. Antonia warf Pia einen hilflosen Blick zu.

»Lass sie gehen«, sagte Pia. »Das ist ein schlimmer Schock für sie, den sie erst mal verarbeiten muss.«

Antonia ging zurück zur Couch und setzte sich. Einen Moment lang verbarg sie ihr Gesicht in den Händen und schüttelte den Kopf. Auch ihr machte die entsetzliche Nachricht schwer zu schaffen.

»Svenja ist so anders geworden«, sagte sie bedrückt. »Früher hatten wir nie Geheimnisse voreinander, aber jetzt ...«

»Sie ist schwanger, stimmt's?« Pia betrachtete das Mädchen. Antonia zögerte einen Moment.

»Ja«, gab sie dann zu, »sie hat es letzte Woche erfahren, als sie beim Frauenarzt ein neues Rezept für die Pille holen wollte.«

»War das zufällig am Dienstag?«, fragte Pia.

»Ja«, Antonia war erstaunt. »Wie kommen Sie darauf?«

Die weiße Katze, die vorhin die Fische im Aquarium belauert hatte, kam in den Wintergarten, strich um Antonias Beine und sprang auf ihren Schoß. Das Mädchen vergrub die Finger in dem weichen Fell und streichelte das Tier automatisch.

»Es muss einen Grund gegeben haben, weshalb sie abends zu Pauly gefahren ist«, entgegnete Pia. »Das wäre eine Erklärung. Sie wollte einen Ratschlag von ihm oder Trost.«

»Kann sein«, Antonias Stimme klang auf einmal bitter. »Mir hat sie's ja nicht einmal gesagt, dass sie bei ihm war. Aber Svenja war total verrückt mit dem Pauly. Seitdem sie ihn kannte, hat sie kein Fleisch mehr gegessen und war gegen Autos und Umweltverschmutzung und so. Das hat sie früher nicht die Bohne interessiert.«

»Warum haben Jo und Svenja am Samstag auf der Burg gestritten?«

»Das hat Svenja mir nicht erzählt.«

Antonia war verletzt, weil ihre beste Freundin offensichtlich große Geheimnisse vor ihr hatte.

»Was war Jonas für ein Mensch?«, fragte Pia. »Hast du ihn gemocht?«

Antonia überlegte einen Moment.

»Ja, eigentlich schon«, sagte sie, »obwohl er sich auch total verändert hat. Alles hat sich verändert, seit ... ach, egal.«

»Seit wann?«, fragte Pia nach. Antonia konnte nicht mehr weitersprechen, weil sie weinen musste. Pia wartete geduldig, bis sie sich wieder unter Kontrolle hatte.

»Wie hat Jo darauf reagiert, als Svenja ihm gesagt hat, dass sie schwanger ist?«, fragte sie.

»Ich glaube, er war ziemlich sauer.« Antonia wischte sich die Tränen ab. »Svenja kam am Dienstag mit diesem Ultraschallbild zu mir und war ganz durcheinander. Dann hat sie Jo das Bild geschickt. Er hat ihr eine SMS zurückgeschickt. Als Svenja die gelesen hat, ist sie in Tränen ausgebrochen und weggefahren. Sie wollte ihn suchen und mit ihm reden.«

»Das hätte sie vielleicht zuerst tun sollen«, sagte Pia nüchtern.

»Ja, vielleicht«, Antonia zuckte die Schultern, »sie hatte an dem Abend auch übelst Krach mit ihm. Später hat sie mich ja noch mal angerufen und geheult.«

Das Mädchen verstummte, als die weiße Katze plötzlich den Kopf hob und von ihrem Schoß sprang. Pias Herz machte unvermittelt einen Satz, als Dr. Christoph Sander und Lukas auf den Treppenstufen erschienen, die in den Wintergarten führten. Die Katze strich miauend und um Aufmerksamkeit heischend um Sanders Beine. Antonia sprang auf und flüchtete in die Arme ihres Vaters.

»Papa«, schluchzte sie und klammerte sich an ihm fest. »Jo ist tot!«

»Was?« Lukas wurde blass und blickte fassungslos zu Pia hinüber. »Nein! Das ist doch nicht wahr, oder?«

»Doch, leider«, Pia erhob sich und ging zu den Männern hinüber. »Ich habe ihn gestern gefunden.«

Norbert Zacharias hatte fünf Minuten lang mit sich gerungen, er schien vor Bodensteins Augen im Zeitraffer zu altern.

»Ich habe es viel zu spät durchschaut«, flüsterte er plötzlich. »Ich habe geglaubt, sie wollten mich tatsächlich als Berater, weil ich mich mit den Vorschriften bei Raumordnungs- und Planungsverfahren auskenne. Aber das war nicht so. In Wirklichkeit brauchten sie einen Sündenbock. So wie damals ...«

Er schloss die Augen und kämpfte vergeblich gegen die Tränen.

»Ich bin nicht bestechlich«, stieß er hervor, »vielleicht bin ich einfach zu gutgläubig.«

»Um was ging es damals?«, fragte Bodenstein.

»Um die Bebauungspläne im Kelkheimer Stadtgebiet«, Zacharias' Stimme klang tonlos. »Der Regionale Planungsverband hatte Bauerwartungsland in Ruppertshain, Fischbach und Münster in Bauland umgewandelt. Da fiel Funke und Schwarz auf, dass ihre Grundstücke in Münster knapp außerhalb der ausgewiesenen Bereiche lagen. Sie hatten beide schon Pläne gemacht und wollten ihre Grundstücke an die Baugesellschaft meines Schwiegersohnes verkaufen. Das war für sie eine Katastrophe. Sie beschimpften mich, ich hätte die Pläne falsch gelesen und warum denn wohl in Ruppertshain gebaut werden sollte. Kurzum, sie zwangen mich dazu, beim Verband eine Änderung zu erwirken. Das sorgte natürlich in der Bevölkerung für gewaltige Empörung. Die Ruppertshainer liefen Sturm, als sie erfuhren, dass nur noch ein schmaler Streifen unterhalb des Zauberbergs Bauland werden sollte. Aber die geänderten Bebauungspläne wurden

vom Magistrat abgesegnet, Funke, Schwarz und Conradi verkauften ihre Grundstücke in der Stadtmitte für viel Geld an
meinen Schwiegersohn, und der baute dort im großen Stil.
Die Opposition erzwang eine Überprüfung, man entdeckte
meine Intervention und natürlich die Verbindung zu Bock –
und schon war der Skandal da. Funke riet mir, ich solle aus
gesundheitlichen Gründen in Rente gehen, bevor es ein Dis-
ziplinarverfahren geben konnte. Er versprach mir, mich nicht
hängen zu lassen.«

»Stimmt es, dass die Firmen Ihres Schwiegersohnes in der
Vergangenheit immer wieder bei öffentlichen Ausschreibun-
gen die niedrigsten Gebote abgaben und regelmäßig Bauauf-
träge der Stadt erhielten?«, fragte Bodenstein.

»Ja«, Zacharias nickte, »das stimmt. Egal, was in Kelkheim und Umgebung gebaut wird, das macht fast immer eine
Firma meines Schwiegersohnes. Dafür, dass er von den Verantwortlichen die Angebote der Konkurrenz bekommt, zahlt
er ihnen etwas.«

»Pauly lag also gar nicht falsch, wenn er von ›Mafia‹ gesprochen hat«, sagte Bodenstein.

»Er lag überhaupt nicht falsch«, Zacharias nickte müde.
»Er hatte mit allem recht.«

»Wenn ich das alles richtig verstehe, dann hatte Ihr Schwiegersohn durch Pauly die größten Schwierigkeiten zu erwarten«, resümierte Bodenstein. »Natürlich wäre es auch für
diejenigen, die billige Grundstücke auf der geplanten Trasse
erworben haben, ärgerlich gewesen, wenn sie nun kein Geld
vom Land dafür bekommen, aber Dr. Bock wäre mehr als
nur ein lukrativer Auftrag entgangen. Wobei ... wie konnte
er sicher sein, dass er den Auftrag für den Bau der Straße tatsächlich bekommt? Das zu entscheiden ist doch nicht Sache
der Städte Kelkheim und Königstein, oder doch?«

»Nein«, bestätigte Zacharias, »das hätte das Hessische

Landesamt für Straßen- und Verkehrswesen entschieden. Aber mein Schwiegersohn hat gute Beziehungen zu den betreffenden Entscheidungsträgern. Seine Beziehungen reichen bis nach Berlin.«

»Woher hat Pauly das alles gewusst?«, fragte Bodenstein. »Von Jonas?«

Zacharias verzog das Gesicht, als wolle er in Tränen ausbrechen.

»Ich fürchte, ja«, sagte er mit gepresster Stimme. »Neulich waren Jonas und sein Freund Tarek bei mir im Garten. Sie haben mir dort hin und wieder geholfen, Jonas' Freund arbeitet ja als Landschaftsgärtner. An dem Tag ging es mir schlecht. Mein Schwiegersohn hatte mir gedroht, wenn ich etwas über diese falschen Zahlen sagen würde, würde ich es bitter bereuen. Meine Tochter hat einen Ehevertrag unterschrieben, in dem sie bei einer Scheidung auf alles verzichtet, und Carsten drohte, er werde sie am ausgestreckten Arm verhungern lassen, wenn ich die Sache nicht bis zum Ende durchziehen würde.«

»Er hat Sie also erpresst«, Bodenstein war nicht wirklich erstaunt. Pia hatte mit ihrer Einschätzung, was Bock betraf, recht behalten.

»Ja«, sagte Zacharias, »an dem Abend habe ich jede Menge getrunken, und irgendwann habe ich Jonas und seinem Freund davon erzählt. Ich war so enttäuscht, als ich erkannt habe, dass mich sogar mein eigener Schwiegersohn nur benutzt hat, und dass ich im Falle einer Entdeckung wieder einmal das Bauernopfer sein sollte.«

»Wie hat Ihr Enkelsohn reagiert?«, erkundigte Bodenstein sich.

»Er ist explodiert«, erinnerte Zacharias sich. »Er hasst seinen Vater. Ich hätte wissen müssen, dass er es nicht einfach auf sich beruhen lassen würde. Jonas hat Pauly die nötigen

Informationen beschafft. Jetzt ist nicht nur Pauly tot, sondern auch Jonas! Und ich muss damit leben, dass ich zwei Menschen auf dem Gewissen habe!«

»Bis jetzt ist noch gar nicht erwiesen, ob Pauly oder Jonas wegen dieser Sache sterben mussten«, versuchte Bodenstein den Mann zu beruhigen. »Was haben Sie am Dienstagabend bei Pauly gewollt?«

»Ich wollte ihm sagen, dass ich ihn unterstützen würde«, sagte Zacharias müde, »aber ich wollte ihn auch warnen und bitten, alles etwas ruhiger angehen zu lassen. Um meinem Schwiegersohn wirklich einen Strich durch die Rechnung zu machen, hätten wir an die Leute herankommen müssen, die er bestochen hat. Daran war nach Paulys Auftritt nicht mehr zu denken, die sind jetzt alle gewarnt.«

»Haben Sie mit Pauly gesprochen?«, wollte Bodenstein wissen.

»Nein«, Zacharias schüttelte den Kopf, »als ich das Mädchen sah, bekam ich Angst. Offiziell war ich Paulys Gegner. Ich wollte nicht bei oder mit ihm gesehen werden.«

Bodenstein blickte Zacharias unverwandt an. Er glaubte ihm.

»Wir werden Sie gehen lassen«, sagte er.

»Nein«, erwiderte der Mann zu Bodensteins Überraschung schnell, »bitte nicht.«

»Wie bitte?«

»Hier bin ich sicher«, Zacharias senkte den Kopf. »Was glauben Sie wohl, warum ich ohne Anwalt mit Ihnen sprechen wollte?«

»Sagen Sie es mir«, sagte Bodenstein, »ich habe mich schon gewundert.«

»Der Anwalt, der mich vertreten soll, ist ein Anwalt, der für meinen Schwiegersohn arbeitet.«

Sander streichelte seiner Tochter übers Haar, sein beunruhigter Blick begegnete dem von Pia.

»Weiß Svenja das schon?«, fragte er leise. Pia nickte stumm. Lukas gab einen Laut von sich, eine Mischung aus Schluchzen und Stöhnen, dann setzte er sich auf die Treppenstufe und vergrub sein Gesicht in seinen Armen. Pia bemerkte einen schneeweißen Verband an seiner rechten Hand, der bis über den Ellbogen reichte. Antonia löste sich von ihrem Vater, setzte sich neben Lukas und schlang beide Arme um ihn. Der Junge lehnte sein Gesicht an ihres. Pia sah, dass ihm die Tränen über das Gesicht liefen. Sander kam die beiden Stufen hinunter in den Wintergarten. Er war verschwitzt, sah erschöpft und gestresst aus.

»Lassen Sie uns in den Garten gehen«, schlug er vor und trat durch die geöffnete Glastür ins Freie. Pia folgte ihm. An der Hausmauer wuchsen Tomaten in großen Töpfen, in den Beeten blühten Hortensien, und die Kletterrosen verströmten einen betäubend süßen Duft.

»Was für ein beschissener Tag«, sagte Sander. »Ich komme gerade aus dem Krankenhaus. Ein Dromedar hat Lukas angegriffen und ihm den ganzen Arm zerfleischt, und das vor den Augen einer Kindergruppe! Er hat noch Glück im Unglück gehabt. Wären nicht der Pfleger und der Zoopädagoge dazugekommen, hätte es böse ausgehen können.«

Pia blickte in den Wintergarten, wo Lukas und Antonia eng umschlungen auf den Treppenstufen saßen und gemeinsam um den toten Freund trauerten. Sander setzte sich auf die niedrige Mauer zwischen Terrasse und Garten.

»Was ist mit Jonas passiert?«, fragte er und sah Pia an.

»Wir haben ihn erhängt aufgefunden«, antwortete sie. »Es muss einen heftigen Kampf gegeben haben, in dessen Verlauf Jonas seinen späteren Mörder gebissen hat. Zwischen seinen Zähnen haben wir menschliches Gewebe gefunden.«

Dr. Sander verzog das Gesicht.

»O Gott«, murmelte er. »Wie hat Svenja reagiert?«

»Sie ist weggelaufen«, erwiderte Pia. »Sie macht auf mich einen verstörten Eindruck.«

»Ja, das Mädchen ist völlig durch den Wind«, bestätigte Sander. »Seitdem sie in den Dunstkreis dieses unseligen Pauly geraten ist, hat sie sich vollkommen verändert. Allmählich mache ich mir ernsthaft Sorgen um die Mädchen.«

»Nicht ganz zu Unrecht«, erwiderte Pia ernst. »Zwei Morde in ihrem engsten Bekanntenkreis, und Svenja war kurz vor oder nach dem Mord an Pauly bei ihm. Leider spricht sie nicht mit mir darüber.«

Sander fuhr sich mit beiden Händen durch sein dunkles, lockiges Haar und stützte dann die Ellbogen auf seine Knie.

»Was soll ich machen?«, sagte er düster, mehr zu sich selbst als zu Pia. »Ich kann Toni nicht den Umgang mit ihren Freunden verbieten, auch wenn ich es am liebsten tun würde. Aber dann würde sie sich heimlich mit ihnen treffen und anfangen, mich zu belügen.«

Während er sprach, wurde Pia bewusst, dass ihre Gedanken mit einem Mal um etwas ganz anderes kreisten als um ihre Ermittlungen. Christoph Sander besaß eine physische Präsenz, die ihr Herz klopfen ließ, und das verunsicherte sie. Es war lange her, dass ein Mann solche Gefühle in ihr ausgelöst hatte, viel zu lange. Plötzlich und ganz unvermittelt wusste sie, weshalb sie Henning keine zweite Chance mehr geben konnte. Sie wollte nichts Aufgewärmtes, nichts Altbekanntes, nein, sie sehnte sich nach einem neuen Anfang, nach aufgeregtem Herzklopfen und weichen Knien, nach Leidenschaft und Abenteuer. Jahrelang hatte sie sich selbst belogen, hatte sich eingeredet, sie sei zufrieden mit der emotionslosen Routine ihres Lebens. Das stimmte nicht, oder nicht mehr.

»... alles in mir sträubt sich dagegen, dass Antonia mit

Leuten wie Jonas zu tun hat«, hörte sie Sander sagen und riss sich zusammen.

»Was meinen Sie damit: Leute wie Jonas?«, fragte sie.

»Verwöhnte, egoistische Blagen. Respektlos, gefühllos, nur auf der Suche nach dem ultimativen ›Kick‹.« Sanders Stimme klang sarkastisch. »Ihre Eltern stopfen sie mit materiellen Dingen voll, um ihr schlechtes Gewissen zu beruhigen.«

»Wie gut haben Sie den Jungen gekannt?«

»Er war öfter mit Svenja hier.«

»Und?«

»Was und?« Er blickte sie an, wachsam und angespannt. Dieser Blick ging Pia durch Mark und Bein.

»Was für einen Eindruck hatten Sie von ihm?«

»Einen, der offensichtlich falsch war. Diese Sache mit der E-Mail und den Bildern im Internet hätte ich ihm nicht zu-getraut. Das zeigt, was für ein Mensch er wirklich war! Diese Kinder wissen nicht mehr, was richtig oder falsch ist, respek-tieren keine Gefühle, kennen keine Grenzen und keine Werte mehr.«

»Aber gerade Jonas hatte Werte, die ihm wichtig waren«, widersprach Pia. »Er hat sich gegen den Ausbau dieser Straße engagiert, für den Natur- und Umweltschutz.«

»Wie kommen Sie denn darauf?«

Pia erzählte ihm von der Computersimulation, die Jonas angefertigt hatte. Sander warf ihr einen zweifelnden Blick zu.

»Haben Sie gewusst, dass Svenja schwanger ist?«, fragte sie.

»Wie bitte?« Auf Sanders Gesicht erschien ein fassungs-loser Ausdruck.

»Sie hat es letzten Dienstag erfahren«, sagte Pia. »Ich ver-mute, dass das auch der Grund war, weshalb sie abends zu Pauly gefahren ist. Sie wollte vielleicht seinen Rat.«

»Ausgerechnet von dem«, Sander schnaubte verächtlich und schüttelte den Kopf. »Als hätte den interessiert, was mit anderen ist.«

»Am Dienstag hatten Svenja und Jonas Streit«, fuhr Pia fort. »Am Samstag haben sie wieder gestritten, sonntags hat sie ihn nicht gesehen, am Montag waren die Bilder im Internet. Abends war er tot.«

Sander blickte Pia an.

»Auf was wollen Sie hinaus?«

Pia wagte kaum, ihn anzusehen, weil sie befürchtete, er könne an ihren Augen ablesen, welche Gefühle er in ihr auslöste. Gleichzeitig ärgerte sie sich über ihre fehlende Distanz.

»Die Bilder im Internet sollten doch wohl beweisen, dass Svenja ihren Freund betrogen hat. Wenn er nun angenommen hat, dass er gar nicht der Vater des Kindes war, dann erklärt das die ganze Sache mit der Webseite und der E-Mail an Svenjas Freunde und Verwandte. Gekränkte Eitelkeit. Rache.«

Einen Moment sagte keiner von ihnen etwas.

»Papa?« Antonia erschien mit verweintem Gesicht auf der Terrasse. Sander wandte sich zu ihr um.

»Ist es okay, wenn ich mit zu Lukas gehe? Er ist total fertig.«

»Natürlich. Aber komm nicht so spät nach Hause«, Sander nickte und wartete, bis die beiden jungen Leute verschwunden waren.

»Lukas«, er seufzte, »er hat mir heute Morgen verkündet, dass er das Praktikum abbrechen will.«

»Den Job im Grünzeug ist er wohl auch los«, erwiderte Pia. »Ich glaube, dass Esther Schmitt nach Paulys Testamentseröffnung nicht mehr sonderlich gut auf Lukas zu sprechen ist. Pauly hat Lukas und Jonas ein Aktienpaket im Wert von ungefähr achtzigtausend Euro hinterlassen.«

Sander klappte beinahe der Mund auf vor Staunen.

»Nicht zu fassen. Wenn das der alte van den Berg erfährt, springt er im Dreieck!«

»Apropos«, sagte Pia, »wie gut kennen Sie Lukas' Vater?«

»Relativ gut«, erwiderte Sander. »Er ist im Stiftungsrat des Zoos. Und wir sind quasi Nachbarn.«

»Wussten Sie, dass Lukas' und Jonas' Väter geschäftliche Beziehungen pflegten?«

»Möglich«, Sander betrachtete Pia aufmerksam. »Van den Berg ist im Vorstand einer Bank, Jonas' Vater Vorstandsvorsitzender einer großen Firma. Solche Leute kennen sich häufig.«

»Er war Aufsichtsratsvorsitzender der Bock Holding«, sagte Pia.

»Die großen Wirtschaftsbosse schustern sich gegenseitig gerne lukrative Jobs zu«, entgegnete Sander. »Und was ist lukrativer als ein Posten in einem Aufsichtsrat?«

»Stimmt«, Pia lächelte, »mich interessiert nur, warum van den Berg den Posten aufgegeben hat.«

»Soll ich ihn das fragen?« Sander stellte diese Frage ganz ernsthaft. »Ich sehe ihn heute Abend.«

Pia überlegte einen Augenblick. »Vielleicht gibt es ja eine Gelegenheit, das Thema irgendwie zur Sprache zu bringen.«

»Das dürfte angesichts der Vorfälle nicht schwierig sein«, sagte Sander. Pia warf einen Blick auf ihre Uhr. Sie gingen zurück in den Wintergarten und weiter ins Haus. Annika bügelte eifrig, das Kind saß in seinem Laufställchen und spielte vor sich hin. Als Sander das Wohnzimmer betrat, zog es sich an den Gitterstäben hoch.

»Opa, hoch! Opa, mit! Mit!«, rief das Kind und streckte die Ärmchen aus. Ein unvermitteltes Lächeln erschien auf Sanders düsterem Gesicht, er ergriff das Kind und hob es hoch in die Luft. Annika hielt beim Bügeln inne, beobachtete ihren Vater und ihr begeistert jauchzendes Kind. Pia verspürte plötzlich einen Stich. Sie wusste auch nicht weshalb, aber sie konnte den Anblick familiärer Idylle nur schwer ertragen. Den ganzen Tag über hatte sie erfolgreich das offene Tor und die Haustür verdrängt, aber plötzlich holte sie die Angst vor der Einsamkeit wie eine bedrohliche Gewitterwolke ein.

»Frau Kirchhoff, warten Sie!«, rief Sander ihr nach. »Ich habe mein Auto direkt hinter Ihres gestellt!«

Pia ging ein bisschen schneller, aber er holte sie am Gartentor ein, noch immer lächelnd.

»Was ist denn?« Das Lächeln verschwand von seinem Gesicht, er musterte sie mit einem prüfenden Blick.

»Gar nichts«, erwiderte Pia. »Was soll sein?«

»Sie sehen plötzlich so ... bedrückt aus.«

Konnte der Mann zu allem Überfluss auch noch ihre Gedanken lesen?

»Ich habe zwei Mordfälle aufzuklären«, erwiderte Pia. Warum konnte nicht auch sie einfach irgendjemandem um den Hals fallen und sich trösten lassen, so wie es Antonia eben getan hatte? Zu gerne hätte sie Sander erzählt, was sie seit gestern Nacht bedrückte, aber was würde er von ihr denken, wenn sie, eine Fremde, ihm gestand, dass sie sich plötzlich davor fürchtete, abends ganz alleine auf ihrem Hof zu sein? Der Mann hatte wahrhaftig genug eigene Sorgen und würde sich vielleicht noch von ihr bedrängt fühlen.

»Kommen Sie mich doch mal wieder im Zoo auf ein Eis besuchen«, sagte Sander in diesem Moment. »Das würde mich freuen.«

Pia zwang sich zu einem Lächeln.

»Gerne. Sobald ich diese Fälle gelöst habe, habe ich hoffentlich wieder mehr Zeit für angenehme Dinge.«

Sie standen neben Sanders Auto und sahen sich an. Pia wich seinem Blick aus. Sie hasste es, verunsichert zu sein, und Christoph Sander verunsicherte sie über alle Maßen.

»Ich muss los«, sie kramte den Autoschlüssel aus der Tasche. »Einen schönen Abend noch.«

»Danke«, er machte ihr Platz, damit sie vorbeigehen konnte, »für Sie auch. Ich rufe Sie an, wenn ich etwas von Lukas' Vater erfahre.«

Pia spürte, dass ihr Herz klopfte und ihre Hände zitterten, als sie das Auto wenig später rückwärts aus der Einfahrt setzte. Sie war dabei, sich gefühlsmäßig zu verstricken, und das war nicht gut, gar nicht gut. Um im Gewirr falscher Fährten, zu dem sich die Ermittlungen auswuchsen, den Überblick zu behalten, brauchte sie einen klaren Kopf.

Donnerstag, 22. Juni 2006

Pia wurde wach, weil sie der Strahl einer Taschenlampe mitten ins Gesicht traf. Ihr Herz schlug heftig gegen ihre Rippen, sie lag wie gelähmt im Bett, unfähig auch nur den kleinen Finger zu rühren. Sie spürte, dass jemand im Schlafzimmer war. Der kalte Angstschweiß brach ihr am ganzen Körper aus, aber sie konnte nicht weglaufen, nicht schreien, nicht nach ihrer Dienstwaffe greifen, die sie neben ihrem Bett liegen hatte. Die Lampe ging aus, ihre Augen gewöhnten sich an die Dunkelheit, und plötzlich erkannte sie mehr als nur die Umrisse eines Mannes.

»Lukas!«, flüsterte sie und wäre am liebsten vor Erleichterung in hysterisches Kichern ausgebrochen. »Was soll das? Wie bist du hier rein gekommen?«

Sie schämte sich, weil sie wegen der Hitze nur einen Slip trug, sonst nichts. Lukas beugte sich über sie, seine schönen grünen Augen waren gerötet und geschwollen vom Weinen. Seine Nähe war ihr nicht unangenehm, nicht wie am Samstagabend. Im Gegenteil. Sie spürte seine Hände auf ihrem Körper und schloss die Augen. Aber plötzlich ergriff er unsanft ihre Handgelenke, bog sie nach hinten und drückte sie mit dem Gewicht seines Körpers auf das Bett. Sie wollte ihn von sich wegschieben, aber er war stärker als sie. Pia öffnete die Augen, und als sie Lukas' verzerrtes Gesicht sah, bekam sie Angst. Sie kämpften miteinander, stumm und verbissen.

Er war so schwer, sie konnte sich nicht mehr bewegen und bekam kaum noch Luft. Sie wollte schreien, aber kein Ton kam aus ihrer Kehle. Ihr wurde voller Panik bewusst, dass es nichts nützte, wenn sie schrie, denn niemand würde sie hören. Es gab keine Nachbarn, keine zufällig vorbeikommenden Spaziergänger – niemanden. Sie war allein und völlig wehrlos. Die Tränen schossen schmerzhaft in ihre Augen, rannen über ihr Gesicht und verstopften ihre Nase. Auf einmal richtete Lukas sich auf. Sein Blick bohrte sich in ihren. Er lächelte mitleidig und legte die Hände um ihren Hals.

»Bitte nicht«, wimmerte sie, »bitte, bitte …«

»Du bist eine Enttäuschung für mich, Pia«, flüsterte er heiser. »Weißt du, was ich mit Leuten mache, die mich enttäuschen?«

Und dann drückte er zu.

Pia starrte in die Dunkelheit. Ihr T-Shirt war schweißnass, ihr Herz hämmerte in ihrer Brust, und sie zitterte am ganzen Körper. Stocksteif lag sie im Bett und wartete darauf, dass sich ihr Herzschlag beruhigte. Es war Jahre her, dass sie einen solchen Traum gehabt hatte. Sie beugte sich zum Lichtschalter und machte das Licht an. Halb vier morgens. Das Fenster stand offen, aber die Nacht hatte keine Abkühlung gebracht. Pias Mund war staubtrocken, ihre Kehle schmerzte, und sie merkte, dass sie tatsächlich geweint hatte. Mit zitternden Knien stand sie auf und ging hinüber in die Küche. Seit zwei Wochen hatte sie keine Zigarette angerührt. Jetzt durchsuchte sie alle Jacken, die im Flur an der Garderobe hingen, und fand in der Innentasche einer Winterjacke noch ein altes Päckchen. Der erste Zug hatte die Wirkung eines Joints, sie war ganz benommen, aber ihre Finger hörten auf zu zittern, und der Angstschweiß trocknete auf ihrer Haut. Viele Jahre hatte sie nicht mehr an das gedacht, was im Sommer 1989, bei einem Urlaub in Frankreich, ganz harmlos begonnen und in einer entsetzlichen Katastrophe geendet hatte. Über Monate hinweg war die Angst ihr ständiger Begleiter gewesen. Im Laufe der Jahre hatte sie diese entsetzlichen Erlebnisse verdrängt und irgendwann nicht mehr daran gedacht. Pia duschte ausgiebig, zog frische Unterwäsche an und schlüpfte in Jeans und T-Shirt. Noch ganz unter dem Eindruck des Alptraums öffnete sie die Haustür und sog die frische Luft tief in die Lungen. Über dem Taunus war der Himmel noch dunkel, aber im Osten zeigte sich ein erster heller Streifen und kündigte einen weiteren heißen Tag an. Pia ging zum Stall hinüber. Sie mochte die Stunde vor der Dämmerung, diese eigenartige unwirkliche Stimmung zwischen Nacht und Tag. Die Vögel stimmten ihr Frühkonzert in den Bäumen hinter dem Haus an, die Pferde wieherten erfreut, als sie Pia erblickten. Nichts war tröstlicher und beruhigender als tägliche Routine, deshalb fütterte Pia die Pferde, auch wenn es eigentlich noch eine Stunde zu früh dafür war. Auch Hühner, Enten und Gänse bekamen ihre Morgenration. Sie überquerte den Hof und wunderte sich, weshalb die Meerschweinchen noch nicht fiepten. Normalerweise warteten die pelzigen Tierchen auf sie und wieselten an das Gitter des ehemaligen Hundezwingers, in dem sie den Sommer verbrachten.

»Na, schlaft ihr noch?« Pia griff nach dem Hebel, mit dem die Tür des Zwingers verschlossen wurde. Aber der Hebel war nach oben gedreht und die Tür, die sie zum Schutz gegen Raubtiere und Katzen mit dünnmaschigem Maschendraht verstärkt hatte, stand offen. Ihr Innerstes verkrampfte sich, und ihr wurde übel, als sie sah, was geschehen war: Ein Marder oder ein Fuchs musste in den Zwinger eingedrungen sein und hatte alle Meerschweinchen getötet. Das war zu viel nach dieser grässlichen Nacht. Pia brach in Tränen aus und sank schluchzend auf die Knie ins feuchte Gras.

Eine Stunde später nippte sie an ihrem Kaffee und versuchte sich zusammenzureißen. Erst das offene Tor und die offene Haustür und jetzt die toten Meerschweinchen. Sie zwang sich, nicht darüber nachzudenken, und starrte stattdessen auf den Bildschirm ihres Computers. Sie klickte noch einmal die E-Mail von Dr. Sander an, danach den Link zu Svenjas Homepage.

»*Error 404*«, erschien auf ihrem Bildschirm, »*die angeforderte Seite wurde nicht gefunden.*«

Jemand hatte den Inhalt gelöscht. Und dieser Jemand konnte nicht Jonas gewesen sein, denn der war tot.

»Kai«, sagte Pia zu ihrem Kollegen, »die ganze Webseite von Svenja Sievers wurde gelöscht! Wie geht denn das?«

Ostermann tat, worum sie ihn gebeten hatte.

»Das hat das Mädchen sicherlich selbst gemacht«, erwiderte er ein paar Sekunden später. »Oder der Anbieter.«

»Aber Svenja hat angeblich keinen Zugriff mehr auf ihre Seite«, sagte Pia nachdenklich, »das hat mir ihre Freundin gestern erzählt. Kannst du herausfinden, wer das gemacht hat?«

»Ich versuch's«, Ostermann nickte und machte sich an die Arbeit. Es war erst Viertel nach sieben, aber Pia wollte wissen, ob Sander mit Lukas' Vater gesprochen hatte. Sie wählte Sanders Nummer, Sekunden später hörte sie seine Stimme dicht an ihrem Ohr.

»Ich hätte Sie auch angerufen«, sagte er, »aber ich wusste nicht, ob ich Sie schon so früh stören konnte.«

Plötzlich überkam Pia der Wunsch, diesem Mann, den sie eigentlich kaum kannte, mehr über sich zu erzählen.

»Heute hätten Sie ruhig schon um vier Uhr anrufen können«, erwiderte sie deshalb.

»Wieso?«, fragte Sander aber. »Hatten Sie wieder einen Toten?«

»Nicht einen, sondern fünfzehn«, sagte Pia, »tote Meerschweinchen. Und das zwei Tage, nachdem aus unerklärlichen Gründen mein Hoftor und die Haustür offen standen, als ich nach Hause kam.«

»Vielleicht sollten Sie da draußen nicht so ganz alleine leben«, hielt Sander sich brav in die Richtung, in die Pia ihn lockte.

»Dasselbe haben meine Kollegen schon gesagt«, erwiderte sie. »Aber ich kann mir ja nicht schnell irgendwo einen Mann suchen, damit ich nicht alleine leben muss.«

»Was ist denn mit Ihrem Mann?«, erkundigte sich Sander. Seine Stimme klang neugierig. Pia schämte sich ein bisschen für ihre Manipulation, aber nur ein ganz kleines bisschen. Früher einmal war sie eine Meisterin in diesem uralten Spiel der Verführung zwischen Mann und Frau gewesen, früher, als sie noch sorglos und ohne Angst gewesen war. Dann hatte sie Henning getroffen, dessen wissenschaftlich strukturierter Geist vollkommen unempfänglich für Andeutungen und emotionale Spielchen war. Erst die Begegnung mit Lukas hatte etwas in ihr verändert und ihre Lust an diesem Spiel neu geweckt.

»Der wohnt in Frankfurt«, sagte sie nun und ließ es beiläufig klingen. »Aber eigentlich wollte ich Ihnen nicht von meinen toten Meerschweinchen vorjammern. Hatten Sie gestern die Gelegenheit, mit Lukas' Vater zu sprechen?«

»Ja«, antwortete Sander, »sogar ziemlich ausführlich. Er hatte von Jonas' Tod noch nichts gewusst und war schockiert. Der Grund, weshalb er seinen Posten als Aufsichtsratsvorsitzender bei Bock aufgegeben hat, war, dass er mit der Arbeit des Vorstandes nicht mehr einverstanden gewesen ist. Er hat sich nur vage geäußert, aber wenn ich ihn richtig verstanden habe, dann ging es um ein Projekt im Nahen Osten und dubiose Geschäftspartner.«

Sie sprachen noch eine Weile, dann bedankte Pia sich für die Informationen und legte auf. Als sie aufblickte, begegnete sie dem belustigten Blick von Ostermann.

»Was ist?«, fragte sie.

»Nichts«, er zuckte die Schultern und grinste leicht, »das, was du gerade gemacht hast, hat mich nur an etwas erinnert.«

»Was habe ich denn gerade gemacht?« Pia tat arglos.

Ostermanns Grinsen vertiefte sich, er lehnte sich zurück. »Du benutzt deine Ermittlungen dazu, nebenbei dein ganz privates Netz auszuwerfen. Wer ist denn der Fisch?«

»Welcher Fisch?« Pia fühlte sich ertappt.

»Ich habe mich auch mal in so einem Netz verfangen«, Ostermann zog die Augenbrauen hoch. »War eigentlich gar nicht so verkehrt. Vielleicht wäre mehr draus geworden, wenn mir das mit dem Bein nicht passiert wäre.«

Als Bodenstein um kurz vor acht ins Büro kam, war er gereizter Stimmung. Er hörte seinen Mitarbeitern bei der morgendlichen Besprechung kaum zu. Cosima hatte den Zwischenfall vom Montagabend mit keinem Wort mehr erwähnt. Mehr als ihre ungerechten Vorwürfe, die weh taten, belasteten ihn die Sorgen, die er sich um sie machte. Irgendetwas stimmte nicht mit ihr. Heute sollten endlich die Ergebnisse der Blutuntersuchung kommen, und dann … Er bemerkte, dass die Augen seiner Mitarbeiter fragend auf ihn gerichtet waren.

»Ich habe alle Freunde von Jonas erreicht und herbestellt«, wiederholte Ostermann. »Wer kümmert sich um sie?«

»Sie und Frau Fachinger«, bestimmte Bodenstein, »fragen Sie sie, wo sie am Abend von Paulys Tod und am Montagabend waren. Machen Sie ihnen klar, weshalb wir sie nach Bisswunden untersuchen müssen. Außerdem will ich wissen, warum sich Jonas und Lukas gestritten haben. Frau Kirchhoff, Sie sprechen noch mal mit Lukas. Vielleicht kann er im Computer von Jonas nach diesen E-Mails suchen.«

Pia nickte, auch wenn ihr nicht ganz wohl bei dem Gedanken war, Lukas nach diesem nächtlichen Alptraum zu treffen.

»Was ist übrigens mit dieser Sache, mit der Pauly seinem Freund Siebenlist gedroht hat?«

Daran hatte Pia überhaupt nicht mehr gedacht!

»Die Akte liegt auf meinem Schreibtisch«, sagte sie und verschwand, um sie zu holen.

»Gibt es irgendwelche Hinweise aus der Bevölkerung, denen man nachgehen sollte?«, erkundigte Bodenstein sich bei seinen Mitarbeitern. Alle schüttelten den Kopf.

»Mittwochabend hat Deutschland gegen Polen gespielt«, sagte Kathrin Fachinger, »da haben wohl alle vor dem Fernseher gesessen. Wir haben leider überhaupt keine gescheiten Hinweise bekommen.«

Pia kehrte mit einer Akte in der Hand zurück.

»Am 17. August 1982 kam es auf einer Party zu einem Todesfall«, sagte sie. »Ein Mädchen namens Marion Rehmer fiel nach dem Genuss mehrerer Cocktails ins Koma und starb auf dem Weg ins Krankenhaus an einem Zuckerschock. Es hat Ermittlungen wegen fahrlässiger Tötung, unterlassener Hilfeleistung und Körperverletzung gegeben, unter anderem gegen Stefan Siebenlist. Es gab aber keine Beweise, und es kam auch nie zu einer Anklage. Die ganze Sache wurde als Unfall zu den Akten gelegt.«

Zwischen Bodensteins Augenbrauen erschien eine steile Unmutsfalte.

»Geht an die Arbeit«, er erhob sich abrupt. »Wir sehen uns heute Nachmittag. Frau Kirchhoff, Sie kommen in mein Büro.«

Die Runde löste sich unter allgemeinem Stühlerücken auf,

und Pia folgte ihrem Chef mit einem flauen Gefühl im Magen. Bodenstein schloss die Tür hinter sich und drehte sich um.

»Wann haben Sie die Akte gelesen?«, fragte er knapp.

»Als sie gekommen ist«, erwiderte Pia, die sich keinen Reim auf das eigenartige Verhalten ihres Chefs machen konnte.

»Und bei der Lektüre ist Ihnen nichts aufgefallen?«

»N... nein.«

Bodenstein ging hinter seinen Schreibtisch und setzte sich.

»Ich halte Ihnen zugute, dass Sie durch den Mord an Jonas Bock abgelenkt waren«, sagte er förmlich. »Das tote Mädchen hieß Marion Rehmer. Stefan Siebenlist hat eine Bärbel Rehmer geheiratet, und wenn mich mein Gedächtnis nicht im Stich lässt, hat er uns erzählt, dass das Anfang der achtziger Jahre geschehen ist. Die Erbin vom Küchenhaus Rehmer. Waren die Mädchen vielleicht verwandt?«

Pia wurde rot. Das hätte ihr wirklich auffallen müssen.

»Ich habe es tatsächlich übersehen«, gestand sie. »Tut mir leid. Ich fahre gleich zu Siebenlist.«

»Tun Sie das«, sagte Bodenstein kühl, »ich weiß, dass wir ziemlich viel zu tun haben, aber gerade wenn es um einen Mann geht, der für die Tatzeit kein Alibi hat, sollten Sie doch ein wenig aufmerksamer sein.«

»Ja, Chef«, sagte Pia kleinlaut.

»Fragen Sie Siebenlist nach seinem Alibi«, Bodenstein griff nach dem Telefonhörer, um Cosima anzurufen. »Wenn er nicht mehr hat als neulich, nehmen Sie ihn fest.«

Pia nickte, blieb aber noch stehen. Sie glaubte nicht, dass Siebenlist Pauly getötet und danach auch noch abtransportiert hatte. Ihr Verdacht galt Matthias Schwarz. Paulys Hunde kannten ihn, weil er oft genug bei Esther Schmitt gewesen war, sie hätten ihm nichts getan. Außerdem wäre es für Schwarz überhaupt kein Problem gewesen, die Leiche abzutransportieren.

»Was gibt es noch?«, fragte Bodenstein ungehalten.

»Nichts«, sagte Pia und ging hinaus.

Sie fuhr nicht sofort nach Kelkheim, sondern setzte sich an ihren Computer und suchte in den Zeitungsarchiven von 1982 nach Artikeln über den Todesfall. Bei der *Taunus-Umschau* wurde sie fündig, denn die hatte ihr Archiv bis ins Jahr 1973 digitalisiert.

»Was wollte der Chef noch von dir?«, erkundigte sich Ostermann.

»Ich hab was übersehen«, antwortete Pia, die es zu schätzen wusste, dass Bodenstein sie wenigstens nicht vor versammelter Mannschaft heruntergeputzt hatte. Trotzdem hatte sein Verhalten sie verletzt. Sie druckte den Zeitungsartikel aus und hatte ihn gerade durchgelesen, als Bodenstein mit finsterer Miene in ihr Büro kam.

»Sie sind ja noch hier«, fuhr er sie an. Ohne ein weiteres Wort zu sagen, schnappte Pia sich ihre Tasche, stopfte den Ausdruck des Artikels hinein und ging stumm an Bodenstein vorbei hinaus. Sie wusste, dass ihr Chef sich Sorgen um seine Frau machte, aber er musste seinen privaten Frust wahrhaftig nicht an ihr auslassen!

Stefan Siebenlist war alles andere als erfreut, als er Pia durch den Ausstellungsraum seines Möbelgeschäfts kommen sah.

»Ich habe nur wenig Zeit«, sagte er mit einem bemühten Lächeln. Sie verzichtete bei der Erinnerung an seinen feuchten Händedruck auf eine förmliche Begrüßung.

»Ich auch. Machen wir's kurz. Ich habe mir die Akte von dem angeblichen Unfall im Jahr 1982 kommen lassen und ...«

»Nicht hier!«, unterbrach Siebenlist sie. »Gehen wir in mein Büro.«

Pia folgte ihm in einen kleinen, vollgestopften Raum neben

der Küchenabteilung. Er schloss die Tür und blieb dicht vor Pia stehen.

»Wieso haben Sie uns nicht gesagt, dass das Mädchen, das damals gestorben ist, Ihre Schwägerin war?« Pia kam gleich auf den Punkt, denn sie wollte dieses Gespräch schnell hinter sich bringen. Sie hatte keine Erklärung dafür, aber Siebenlist flößte ihr körperliches Unbehagen ein.

»Was spielt denn das für eine Rolle?« Seine wässrigen Augen flackerten. »Es war ein Unfall.«

»Marion war die ältere Schwester Ihrer Frau«, antwortete Pia, »sie war verlobt. Sie und ihr Mann hätten das Möbelhaus geerbt.«

»Was wollen Sie damit sagen?«

»Der Tod Ihrer Schwägerin hat sich positiv auf Ihre berufliche Laufbahn ausgewirkt«, Pia sah ihn an.

»Unsinn«, bestritt Siebenlist. »Es gab damals weder eine Anklage noch ein Verfahren gegen mich. Ich habe nichts getan. Was soll das?«

Pia konnte es nicht leiden, wenn ihre Gesprächspartner ihr nicht in die Augen schauten, ganz plötzlich überkam sie wieder das Gefühl der Hilflosigkeit angesichts der körperlichen Überlegenheit eines Mannes. »Ich sage Ihnen, was ich denke«, sie zwang sich zu äußerlicher Gelassenheit. »Pauly wusste, was damals passiert ist, und Sie hatten Angst, dass eine Wahrheit ans Licht kommt, die Sie vierundzwanzig Jahre lang verbergen konnten. Deshalb haben Sie Ihren einzigen Mitwisser getötet.«

Siebenlist fuhr nervös mit der Zunge über seine fleischigen Lippen.

»Marion ist ins Koma gefallen, nachdem sie ein paar Cocktails getrunken hatte. Sie wussten, dass sie Diabetikerin war, erkannten aber unverhofft Ihre Chance, nämlich indem Sie dem Notarzt verschwiegen, was mit dem Mädchen los war.

Marion starb, Ihre Frau erbte das Möbelhaus, Sie wurden Chef.«

»Das können Sie nicht beweisen«, sagte Siebenlist. »Und Sie können mir wegen dieser alten Geschichte kein Mordmotiv andichten.«

»Ach nein? Sie waren wütend auf Pauly, hatten Angst um Ihren Ruf und Ihr Ansehen und sind bei ihm gesehen worden. Für den späteren Abend haben Sie kein Alibi«, Pia zuckte die Schultern. »Das reicht für einen Haftbefehl. Und wenn wir uns noch etwas umhören, werden wir vielleicht mehr erfahren, als Ihnen recht sein kann. Unterlassene Hilfeleistung ist schon schlimm genug.«

»Das ist alles längst verjährt.«

»Im juristischen Sinne ist es das«, Pia ergriff ihr Handy, um einen Streifenwagen zu rufen. »Die Familie Ihrer Frau mag das anders sehen. Haben Sie einen Anwalt? Am besten bestellen Sie ihn gleich aufs Kommissariat. Ich nehme Sie nämlich vorläufig fest.«

Allmählich schien dem Mann zu dämmern, dass sie es ernst meinte.

»Sie können mich doch nicht vor allen meinen Kunden und Mitarbeitern abführen!«, rief er. »Wissen Sie, was das bedeutet? Morgen weiß ganz Kelkheim, dass ich unter Mordverdacht stehe!«

»Bringen Sie mir ein Alibi für den Dienstagabend und erinnern Sie sich, was vor vierundzwanzig Jahren wirklich geschehen ist«, sagte Pia. »Dann können Sie für den Rest Ihres Lebens unbehelligt Betten und Küchen verkaufen.«

»Ich lasse es nicht zu, dass Sie mir wegen so einer alten Geschichte alles ruinieren, was ich mühsam aufgebaut habe«, in Siebenlists Augen blitzte es drohend auf. Er machte einen Schritt in ihre Richtung, und Pia glaubte schon, er wolle sich auf sie stürzen und sie würgen. Aber plötzlich griff er sich an die Brust, schwankte und taumelte. Er lockerte seine Krawatte und stützte sich mit beiden Händen am Schreibtisch ab.

»Erzählen Sie mir jetzt, was ich wissen will, oder soll ich meine Kollegen anrufen? Was haben Sie am Abend des 13. Juni getan, nachdem Sie bei Pauly waren?«

»Mein Herz«, flüsterte Siebenlist mit gepresster Stimme, »o Gott, mir ist schlecht.«

Pia blickte ratlos auf seinen Rücken. Das fehlte noch, dass dieser grässliche Mensch vor ihren Augen zusammenbrach und sie gezwungen war, ihm Erste Hilfe zu leisten! Er riss die Schubladen seines Schreibtisches auf und wühlte in ihnen herum.

»Meine Frau …«, japste Siebenlist und ging in die Knie, »rufen … Sie … meine Frau … bitte …«

Mit einem Röcheln kippte er zur Seite und schlug dumpf auf dem Boden auf. Pia fluchte und riss die Tür auf. Das durfte doch alles nicht wahr sein!

Noch eine ganze Weile, nachdem er aufgelegt hatte, starrte Bodenstein das Telefon an. Er wünschte, das, was Cosima ihm gerade erzählt hatte, hätte ihn beruhigt, aber Blutbild hin oder her, er merkte doch, dass mit ihr seit Wochen irgendetwas nicht in Ordnung war. Dazu kam dieser vertrackte Fall, der sich zu einem zähen, zeitraubenden Geschäft entwickelte. Dauernd öffneten sich neue Abgründe, tauchten Verdächtige mit neuen, starken Motiven auf, die sich bei genauerer Überprüfung aber als Sackgassen entpuppten. Das Telefon klingelte auf der internen Leitung. Es war Ostermann, er klang ungewöhnlich aufgeregt.

»Chef«, sagte er, »ich habe gerade die Fotos von der SIM-Karte aus Jonas' Handy bekommen. Das müssen Sie sich anschauen.«

»Ich komme.« Vielleicht bekam er ja endlich etwas Greifbares in die Hand, mit dem er den nach handfesten Ergebnissen lechzenden Kriminaldirektor Nierhoff glücklich machen konnte. Wenig später betrachtete er die Vergrößerungen der Fotos, die nach einer Spezialbehandlung im Labor nun deutlich zu erkennen waren. Jonas hatte Dokumente, Unterlagen und sogar E-Mails von einem Computermonitor mit seinem Handy abfotografiert.

»Damit sitzt Bock ganz schön in der Klemme«, Ostermann grinste zufrieden. »Ich bin gespannt, wie er das erklären will.«

Bodenstein überflog die Korrespondenz zwischen Bock und einem Sachbearbeiter beim Hessischen Landesamt für Straßen- und Verkehrswesen. Mehrere E-Mails waren hin- und hergegangen, und Jonas hatte alle kopiert. Dasselbe hatte er mit E-Mails zwischen seinem Vater und einem Beamten vom Bundesverkehrsministerium getan. Offenbar hatte keiner von ihnen damit gerechnet, dass diese E-Mails jemals von einem unbefugten Dritten gelesen werden könnten, denn sie hatten sich nicht die Mühe gemacht, irgendetwas zu chiffrieren.

»Das scheint mir wirklich Sprengstoff zu sein«, bestätigte Bodenstein, »und hier haben wir auch Schäfer vom Bauamt in Hofheim. Er hat Bock im Anhang die Angebote der Mitbewerber für den 1. Bauabschnitt der Stadtmitte Nord geschickt.«

»Verbotene Preisabsprache«, Ostermann nickte, »Bestechung, alles da. Was unternehmen wir?«

»Gar nichts. Diese Angelegenheit fällt nicht in unseren Bereich«, sagte Bodenstein. »Sie rufen die Kollegen vom K30 in Frankfurt an und leiten diese Dokumente an sie weiter. Erläutern Sie denen unseren Verdacht. Vielleicht haben sie gegen Bock schon etwas vorliegen.«

Der Notarzt stand mit blinkendem Blaulicht vor dem Eingang des Möbelhauses und sorgte damit für einen Stau auf der Frankfurter Straße. Pia sah schweigend zu, wie die Sanitäter Siebenlist auf einer Trage aus seinem Geschäft trugen. Die feindseligen und vorwurfsvollen Blicke von Ehefrau und Belegschaft hielten sie nicht davon ab, einen Streifenwagen zu rufen, der den Notarztwagen ins Krankenhaus eskortieren sollte. Ob Siebenlist sich durch einen vorgetäuschten Herzanfall einer Verhaftung entziehen wollte oder ob der Anfall echt war – das würde sich herausstellen. Viel mehr als das beschäftigte Pia ihre Panik, als sie geglaubt hatte, Siebenlist wolle sich auf sie stürzen. Hatte sie keine Nerven mehr für ihren Beruf? Die Türen knallten, die Sirene heulte auf, und der Krankenwagen setzte sich in Bewegung. Pia atmete erleichtert auf und überquerte die Frankfurter Straße. Sie hatte ihr Auto im Hof der Kelkheimer Polizeistation geparkt und ging nun die Bahnstraße entlang, vorbei an der Metzgerei Conradi bis zum Bistro Grünzeug. Zu ihrer Überraschung stand die Eingangstür offen, und ein junger Mann schleppte gerade das große hölzerne Werbeschild auf die Straße, auf dem die Angebote des Tages angekündigt wurden. In dem Moment hielt eine schwarze M-Klasse direkt vor der Tür des Grünzeug, und eine blonde Frau stieg aus. Im lindgrünen Kostümchen, mit einer riesigen Paris-Hilton-Sonnenbrille auf der Nase und hohen Absätzen stöckelte Mareike Graf die Treppenstufen hinauf und verschwand im Innern des Bistros.

»Was macht die denn hier?«, murmelte Pia und beschloss, sich näher an das Haus heranzuwagen. Sie schlenderte am Bistro vorbei. Das Tor zum Hof stand offen. Pia spähte um die Ecke. An einem der Tische in der Sonne saß Esther Schmitt. Wie sie richtig vermutet hatte, war sie wohl gegen Kaution auf freien Fuß gesetzt worden. Mareike Graf kam aus der Tür des Bistro, dann begrüßten sich die beiden Frauen, die sich vor ein paar Tagen noch geprügelt und übel beschimpft hatten, und setzten sich einträchtig zusammen an den Tisch. Von ihrem Gespräch konnte Pia nichts verstehen. Wieso hatten die beiden eine Feindschaft vorgetäuscht, die in Wirklichkeit nicht existierte? An der ganzen Sache war irgendetwas faul.

Eine Viertelstunde später reichte ihr Mareikes Ehegatte die Hand.

»Meine Frau ist leider nicht da«, sagte Graf, nachdem er Pia in das gläserne Besprechungszimmer geführt hatte. »Sie hat ein paar Besichtigungstermine auf verschiedenen Baustellen. Soll ich sie anrufen?«

»Ihre Frau ist auf keiner Baustelle«, Pia betrachtete den Mann. Er tat ihr leid, denn er war völlig arglos und hatte keinen blassen Schimmer von dem, was seine Frau hinter seinem Rücken trieb.

»Sie sitzt zusammen mit Esther Schmitt im Hof des Grünzeug in Kelkheim. Ich habe sie dort vor zehn Minuten noch gesehen.«

»Ja, aber ...«, begann Graf, verstummte aber wieder.

»Hat Ihre Frau Ihnen erzählt, weshalb sie am Montag festgenommen wurde?«, fragte Pia.

»Ja«, Architekt Graf nickte, »die Polizei hat ihr vorgeworfen, sie hätte den Brand gelegt.«

»Falsch«, Pia schüttelte den Kopf, »sie wurde festgenommen, weil sie kein Alibi für die Zeit hatte, als ihr Exmann ermordet wurde.«

»Ich verstehe nicht ganz«, der arme Manfred Graf sah verstört aus. »Was soll Mareike denn mit dem Tod von Pauly zu tun haben?«

»Im Endeffekt nichts«, sagte Pia, »sie hat uns dann ja ein Alibi gegeben. Sie war mit Herrn Conradi zusammen.«

»Mit dem Metzger aus Kelkheim?«, fragte Graf erstaunt nach.

»Ja«, nickte Pia, »Ihre Frau sagte, Sie würden ihr Verhältnis mit Conradi akzeptieren, weil Sie vor Jahren an Krebs erkrankt waren und seitdem impotent sind.«

Manfred Graf hörte Pia mit wachsender Fassungslosigkeit zu. Er wurde abwechselnd blass und rot im Gesicht.

»Haben Sie etwa nichts davon gewusst?«, fragte Pia nach.

»Nein.« Manfred Graf setzte sich und trank einen Schluck Perrier. Er sah erschüttert aus. »Weder hatte ich Krebs, noch bin ich impotent.«

»Über die Vorstrafen Ihrer Frau sind Sie aber im Bilde, oder?«

»Vorstrafen?« Der Architekt machte den Eindruck, als ob er nicht mehr viele Neuigkeiten über seine Angetraute ertragen konnte.

»Sie und Ihre Frau kennen sich doch von der Uni«, sagte Pia, »also schon ziemlich lange. Dann müssen Sie doch wissen, dass sie zuletzt im Jahr 2003 wegen Nötigung und Körperverletzung zu einer Bewährungsstrafe verurteilt worden ist.«

»Ich weiß nicht, woher Sie diesen Unsinn mit der Uni haben«, erwiderte Manfred Graf matt. »Mareike hat vor ungefähr fünf Jahren hier in meinem Büro als Sekretärin angefangen.«

»Als Sekretärin?« Nun war es an Pia, erstaunt zu sein. »Sie sagte uns, sie hätte Architektur studiert.«

»Hat sie auch. Drei oder vier Semester«, sagte Graf. »Als ich sie kennenlernte, jobbte sie als Kellnerin. Sie lebte in Scheidung und brauchte Geld. Ich habe mich in sie verliebt, drei Tage nach ihrer Scheidung haben wir geheiratet. Ich bin ...«

Das Läuten des Telefons auf dem Tisch unterbrach ihn

mitten im Satz. Er blickte zu der Dame am Empfang hinüber, die wild gestikulierte. Mit einem Seufzer nahm er den Hörer ab und hörte ein paar Sekunden zu.

»Sagen Sie, dass ich gleich zurückrufe«, sagte Graf, »nein ... nein ... das ist mir egal, auch wenn es Bock persönlich ist.«

Damit legte er auf, nahm seine Brille ab und rieb seine Nasenwurzel mit Daumen und Zeigefinger.

»Bock?«, fragte Pia neugierig nach. »Dr. Carsten Bock?«

»Ja«, Graf setzte wieder die Brille auf. Er sah plötzlich alt und deprimiert aus. Pia bedauerte, dass sie ihm lauter schreckliche Wahrheiten hatte sagen müssen.

»Die Bock Hoch- und Tiefbau ist unser größter Auftraggeber«, sagte er. Seine Augen hatten jeden Glanz verloren. »Im Augenblick planen wir für sie ein großes Projekt in Kelkheim und ein anderes in Wiesbaden. Aber nach alldem, was ich gerade gehört habe, überlege ich, ob ich nicht doch auf sein Angebot eingehe.«

»Was für ein Angebot?«

»Bock möchte gerne ein eigenes Architekturbüro haben. Bisher war ich stolz auf meine Selbständigkeit und habe abgelehnt, aber ich glaube, ich denke noch einmal darüber nach.«

»Tun Sie's nicht«, sagte Pia impulsiv.

»Wieso?« Ein Funken Neugier erschien in Grafs Augen. »Wissen Sie etwas über Bock? Kennen Sie ihn?«

»Kennen wäre zu viel gesagt«, antwortete Pia, »ich habe ihn zweimal gesehen.«

»Sie mögen ihn nicht, stimmt's?« Graf verzog sein Gesicht zu einem traurigen Lächeln. »Ich auch nicht. Vor allen Dingen traue ich ihm nicht über den Weg. Aber meine Frau drängt mich, sein Angebot anzunehmen.«

Pia ahnte, weshalb. Eine Scheidung von einem steinreichen Privatier war lukrativer als die von einem nur einigermaßen wohlhabenden Architekten. »Denken Sie besser noch mal darüber nach«, Pia legte ihm ihre Karte hin. »Ach, eine Frage noch. Ihre Frau hatte am Freitagabend einen heftigen Streit mit Esther Schmitt. Heute sitzen die beiden am Tisch, als seien sie die besten Freundinnen. Können Sie sich das erklären?«

»Vielleicht verstehen Sie sich jetzt, wo Pauly tot ist, wieder besser«, sagte Graf.

»Wieso wieder?«, fragte Pia verwundert.

»Mareike und Esther waren früher zusammen in der Schule und tatsächlich die besten Freundinnen. Bis zu diesem Vorfall.«

»Welchem Vorfall?« Pia wurde neugierig.

»Esther war mit Gunter Schmitt, Paulys bestem Freund, zusammen, die vier waren eng miteinander befreundet. Schmitt erkrankte an ALS. Er hat Esther vier Tage vor seinem Tod geheiratet, als er sich schon überhaupt nicht mehr bewegen konnte und auf der Intensivstation lag. Pauly hat Esther getröstet, als Schmitt gestorben ist. Ein bisschen zu intensiv vielleicht. Mareike hat die beiden am Tag nach Schmitts Beerdigung zusammen im Bett überrascht. Da war die Freundschaft beendet.«

Pia begann zu verstehen.

»Das Haus, in dem das Grünzeug ist, hat Esthers verstorbenem Mann gehört?«

»Genau«, Graf nickte bestätigend. »Esther hat nicht nur das Haus in der Bahnstraße geerbt, sondern auch noch Immobilien in Frankfurt.«

Er lächelte plötzlich.

»Da konnte Mareike mit ihrem kleinen Häuschen nicht mithalten. Pauly hatte ihr angeboten, bei ihnen wohnen zu bleiben. Aber aus dem Schlafzimmer hätte sie ausziehen müssen.«

»Es war also gar nicht Mareike, die sich von Pauly getrennt hatte«, stellte Pia fest.

»O nein«, erwiderte Manfred Graf, »das war genau andersherum.«

Das Haus der van den Bergs lag ganz am Ende der Freiligrathstraße in Bad Soden und war von der Straße aus nicht einzusehen. Auf Pias Klingeln meldete sich eine weibliche Stimme. Wenig später summte der Türöffner, und Pia betrat das weitläufige Grundstück. Sie folgte dem gepflasterten Fußweg neben der Auffahrt bis hoch zum Haus, einem Bungalow mit vergitterten Fenstern, der sich unter ein mächtiges Schieferdach mit halbrunden Dachgauben duckte. Vor der Doppelgarage parkte ein Smart. Die Haushälterin erwartete Pia bereits in der geöffneten Haustür.

»Lukas ist krank«, sagte sie mit einem osteuropäischen Akzent.

»Ich werde ihn nicht lange stören«, versicherte Pia, »aber ich muss ihn dringend sprechen.«

Im Innern war das Haus größer, als man von außen annehmen konnte. In der Empfangshalle mit dem spiegelnden Marmorboden im Schachbrettmuster hätte ein Ball stattfinden können, die Bilder an den Wänden waren sicherlich echt und ein Vermögen wert. Pia kannte die Häuser richtig reicher Leute in Frankfurt: Dieses Haus stand ihnen in nichts nach. Sie folgte der Haushälterin eine Treppe hinauf unter das Dach. Ob Lukas an ihr auch seine Verführungskünste ausprobiert hatte? Die Frau blieb vor einer Tür stehen und klopfte an.

»Sie haben Besuch, Lukas!«, rief sie und öffnete die Tür. Dann trat sie zur Seite und ließ Pia eintreten. Das Zimmer war erstaunlich spartanisch eingerichtet. Ein Einbauschrank, ein Bett unter der Dachschräge, ein Schreibtisch unter der Gaube. Auf einem Tisch stand ein aufgeklappter Laptop,

Kleider lagen auf dem Boden herum, an der Wand hing dasselbe große Panoramafoto wie im Zimmer von Jonas Bock, allerdings in einer etwas kleineren Dimension. Über dem Schreibtisch waren Fotos an die Wand gepinnt. Pia blickte zum Bett hinüber. Als der Junge sich umdrehte und sie anblickte, zuckte sie unwillkürlich zusammen. Genauso hatte er letzte Nacht in ihrem Traum ausgesehen, so traurig mit geschwollenen Augen und wirren Haaren.

»Hallo«, murmelte er, »tut mir leid, dass ich hier so liege, aber mir geht's total dreckig.«

»Das sehe ich. Vielleicht sollte ich dich besser ins Krankenhaus fahren«, Pia war ernsthaft besorgt. Der Junge war in keinem guten Zustand, dazu staute sich unter dem Dach die Hitze. Es war erstickend heiß.

»Nein, ich will nicht ins Krankenhaus«, Lukas' Blick fiel auf die Haushälterin, die immer noch in der Tür stand.

»Sie können gehen, Irina«, sagte er, »und rufen Sie nicht gleich meinen Vater an. Es ist alles okay.«

Die Frau drehte sich kommentarlos um und schloss die Tür hinter sich.

»Mein Vater hat diese russische Spionin als Aufpasserin für mich eingestellt«, er ließ sich wieder in die Kissen sinken. »Hin und wieder macht er's mit ihr und glaubt, ich würde es nicht merken. Aber es ist wohl sein einziger Spaß. Ich gönne es ihm.«

»Wo ist deine Mutter?« Pia ging zum Fenster und öffnete es weit, dann ergriff sie den Schreibtischstuhl und rückte ihn neben das Bett.

»In Boston«, Lukas verzog das Gesicht, »am MIT. Sie hat dort eine Gastprofessur für Elektrotechnik und Informatik.«

»Ach«, Pia war erstaunt.

»Die erste Ehe meines Vaters war kinderlos«, sagte Lukas mit einem sarkastischen Unterton. »Er hat beschlossen, sein wertvolles Erbgut nur mit einer Intelligenzbestie zu kreuzen, wie er selbst eine ist. Meine Mutter – seine zweite Frau – erschien ihm geeignet.«

Er lachte unfroh.

»Den ersten Intelligenztest haben sie mit mir gemacht, als ich dreizehn Monate war – wahrscheinlich um sicherzugehen, dass ich mich nicht als Fehlinvestition erweisen würde. Bei einem IQ unter 150 hätten sie mich wohl zur Adoption freigegeben.«

Die Bitterkeit in seiner Stimme tat Pia in der Seele weh. Das klang nicht nach einer glücklichen, unbeschwerten Kindheit. Sie dachte an das, was Sander ihr über die van den Bergs erzählt hatte.

»Wie verstehst du dich mit deinen Eltern?«, fragte sie.

»Ich arbeite daran, ihren Erwartungen gerecht zu werden«, erwiderte Lukas matt. »Vielleicht schaffe ich es eines Tages mit dem Nobelpreis. Bis dahin versuche ich, mich ihren Kontrollen zu entziehen, so gut ich kann. Ich wette, die Spionin ruft meinen Vater in dieser Sekunde schon an, um ihm zu sagen, dass die Polizei bei mir ist.«

»Hat er einen Grund, dir zu misstrauen?«

»Mein Vater traut grundsätzlich niemandem«, Lukas schnitt eine Grimasse. »Er leidet unter einem pathologischen Kontrollzwang.«

Er starrte nachdenklich an die Decke.

»Dein Vater glaubt, du hättest Pauly Geld gegeben«, sagte Pia, die sich an ihr erstes Gespräch mit Dr. Sander erinnerte, an dem Tag, an dem Paulys Leiche gefunden worden war. In Lukas' Augen blitzte ein Funke auf, der gleich wieder erlosch.

»Ja, das glaubt er«, bestätigte er, »stimmt aber nicht. Ich habe seine Kohle gewinnbringend investiert, nämlich in unsere Firma.«

Dann besann er sich.

»Nein«, murmelte er, »nicht mehr ›unsere‹ Firma. Jo ist ja nicht mehr da.«

»Apropos«, nutzte Pia die passende Gelegenheit, zum Anlass ihres Besuchs zu kommen. »Ich wollte dich bitten, für mich im Computer von Jonas etwas nachzuschauen. Ich vermute, du weißt, wo er ist, oder?«

Lukas nickte, verzog das Gesicht und rieb sich die Augen.

»Ich vermisse Jo. Wir hatten so viele Pläne zusammen, und jetzt ... ist er einfach nicht mehr da.«

»Stimmt es, dass ihr euch gestritten habt? Weshalb?«

»Wer behauptet das«, fragte Lukas misstrauisch, »etwa Tarek?«

»Wie kommst du auf ihn?«

»Weil er mitbekommen hat, dass Jo und ich in einer Sache eine Meinungsverschiedenheit hatten«, Lukas seufzte, »das kommt vor, wenn man zusammenarbeitet. Aber ein Streit war das nicht.«

»Warst du deshalb nicht auf Jonas' Geburtstagsparty?«

Lukas zögerte für den Bruchteil einer Sekunde.

»Ich musste arbeiten. Ich wollte Esther nicht hängen lassen, wie es die anderen gemacht haben.«

Pia betrachtete nachdenklich sein Gesicht. Offenbar hatte zwischen den Firmeninhabern nicht nur eitel Sonnenschein geherrscht. Lukas drehte sich auf die Seite, stützte das Gesicht in seine unverletzte Hand und sah Pia unverwandt an. Die Sonne, die durch die Ritzen der Jalousien fiel, zeichnete helle Streifen an die Wand des Zimmers und verlieh den ungewöhnlich grünen Augen des Jungen einen goldenen Glanz.

»Ich bin echt traurig wegen Ulli und Jo«, sagte er leise. »Aber wenn das nicht passiert wäre, hätte ich Sie nie kennengelernt. Ich träume jede Nacht von Ihnen.«

Ohne den Blick von ihren Augen zu wenden, warf er die

Bettdecke zurück. Er trug nur eine Unterhose. Wovon genau er träumte, war kaum zu übersehen. Pia klopfte das Herz in Erinnerung an ihren gestrigen Alptraum bis in den Hals, und sie überlegte, ob Lukas sie in Verlegenheit bringen oder verführen wollte.

»Die männliche Physiognomie beeindruckt mich nicht mehr besonders«, sagte sie mit einer Gelassenheit, die sie nicht empfand. »Ich habe schon ziemlich viele nackte Männer gesehen.«

»Echt?«

»Mein Mann ist Rechtsmediziner«, erklärte Pia. »Was meinst du, wie viele männliche Leichen ich auf seinem Sektionstisch gesehen habe? Und sie waren alle nackt.«

Während nebenan im Badezimmer das Wasser einer Dusche rauschte, betrachtete Pia die Fotos an der Wand über dem Schreibtisch. Es waren vorwiegend Schnappschüsse von jungen Leuten. Mehrere zeigten Lukas und Antonia, eng umschlungen, Arm in Arm, auf einem Moped, zusammen mit Jonas, Svenja und Tarek Fiedler. Ein paar Minuten später kehrte Lukas mit feuchten Haaren zurück ins Zimmer, um seine Hüften hatte er ein Handtuch geschlungen. Offenbar scheute er den Vergleich mit Pias Vergleichsmaterial aus der Rechtsmedizin.

»War Antonia mal deine Freundin?«, fragte Pia und deutete auf eines der Fotos. Lukas zog ein frisches T-Shirt aus dem Schrank und streifte es über den Kopf. Dann schlüpfte er in eine Unterhose.

»Toni ist immer noch meine Freundin«, erwiderte er, »aber nicht so, wie Sie denken. Sie ist meine *beste* Freundin. Wir haben noch nie miteinander geschlafen. Sex macht nämlich alles kaputt.«

»Habt ihr etwas Neues erfahren?«, erkundigte sich Bodenstein bei seinen Mitarbeitern.

»Nichts«, Kathrin Fachinger schüttelte missmutig den
Kopf. »Keiner hatte auch nur einen Kratzer. Die letzten
beiden, die Jonas Bock lebend gesehen hatten, waren Franjo
Conradi, der Sohn des Metzgers, und Lars Spillner alias Dean
Corso.«

Vier Stunden lang hatten Ostermann und sie zwölf junge
Männer und drei Mädchen aus der Clique um Jonas Bock
vernommen. Jedem von ihnen hatten sie dieselben Fragen gestellt: Wie lange warst du auf der Party von Jonas? Hattest
du Streit mit ihm? Weißt du, ob er mit jemandem Streit hatte?
Hatte er sich in der letzten Zeit verändert? Sie alle hatten sich
widerspruchslos nach Bisswunden untersuchen und DNA-
Proben von der Mundschleimhaut abnehmen lassen.

»Die Party war um halb elf zu Ende«, ergänzte Ostermann,
»Jonas war betrunken und hat sie beschimpft. Jeder von ihnen hatte nachmittags diese E-Mail von Jonas bekommen,
aber niemand kann sich einen Reim darauf machen.«

»Was haben sie an dem Abend gemacht, an dem Pauly
getötet wurde?«, wollte Bodenstein wissen.

»Einige waren im Grünzeug«, Kathrin Fachinger blätterte
in den Protokollen, »ein paar von ihnen waren mit Jonas in
der Public Viewing Area am Eiscafé San Marco zum Fußball-
gucken. Er hat ziemlich viel getrunken. Kurz nach der Halbzeitpause ist Svenja aufgetaucht und wollte mit ihm reden,
aber er hat sie abblitzen lassen.«

»Wusste jemand von Svenjas Schwangerschaft?«

»Nein.«

»Hat jemand den Mann auf dem Foto mit Svenja erkannt?«, fragte Bodenstein.

»Angeblich niemand«, Ostermann rieb sich erschöpft den
Nacken. »Pia hat vorhin angerufen. Stefan Siebenlist hat kein

Alibi. Als sie ihn festnehmen wollte, bekam er einen Herz-anfall. Er ist jetzt im Krankenhaus.«

Ostermann fasste in kurzen Worten zusammen, was Pia über Siebenlist, Mareike Graf und Esther Schmitt berichtet hatte.

»Die beiden waren früher die dicksten Freundinnen, bis Esther Mareike den Mann ausgespannt hat.«

»Wer? Wen?«, fragte Bodenstein irritiert.

»Pia war bei Manfred Graf«, sagte Ostermann. »Sie hat erfahren, dass Graf weder Krebs hatte noch impotent ist. Pauly hatte Mareike verlassen, nachdem Esther von ihrem verstorbenen Mann geerbt hatte und dadurch zu einer bes-seren Partie wurde.«

Bodenstein runzelte nachdenklich die Stirn. Hatten sich Mareike Graf und Esther Schmitt nach Jahren der Feind-schaft wieder versöhnt, um gemeinsam Profit aus Paulys Tod zu schlagen? Und Siebenlist als Paulys Mörder? Durchaus vorstellbar. Der Mann hatte viel zu verlieren.

Die große Halle im Kelkheimer Gewerbegebiet wirkte von au-ßen unscheinbar und unbenutzt. Zwischen den Waschbeton-platten wuchs Unkraut, allerhand Unrat und Holzabfälle lagerten auf dem Gelände. Lukas führte Pia um das Gebäude herum bis zur Rückseite und schloss eine durch Kameras gesi-cherte Eisentür auf. Sie betraten eine Halle, die bis auf ein paar verstaubte Regale vollkommen leer war. Durch die blinden Glasfenster fiel nicht mehr als ein dämmeriges Zwielicht.

»Sind wir hier richtig?« Pias Stimme hallte in dem großen Raum.

»Ja«, Lukas ging auf eine schwere Eisentür am hinteren Ende der Halle zu. »Das ganze Equipment ist ein Vermögen wert. Das können wir nicht einfach mitten in die Halle stel-len, wo es jeder sehen könnte.«

Die Eisentür war gesichert wie Fort Knox. Kameraüberwachung, ein Kartenlesegerät wie im Grünzeug, dazu musste noch ein Code eingegeben werden, bis die Tür aufging. Lukas drückte auf einen Lichtschalter, eine Neonröhre an der Decke flackerte auf und spendete bläulich fahles Licht in dem fensterlosen Raum.

»Willkommen in der Zentrale der Off Limits Internetservices«, sagte Lukas, und Pia blieb der Mund offen stehen. Unversehens fand sie sich in einer Art Hightechlabor wieder, das nur sehr entfernt an das Hinterzimmer mit den Computern erinnerte. Die Tische standen in einer langen Reihe, Pia zählte vierzehn Flachbildschirme, die sich jeweils gegenüberstanden. Das Gewirr von Kabeln, das über den gefliesten Boden verlief, war beachtlich. Ringsum an den Wänden standen Regale, in die blinkende und summende Geräte eingebaut waren. Eine Klimaanlage sorgte für eine Temperatur, die Pia nach den 30 Grad draußen als unangenehm kalt empfand.

»Du liebe Güte!«, rief sie fassungslos. »Das könnt ihr doch unmöglich an einem Sonntag hierher geschafft haben!«

»Haben wir auch nicht«, Lukas lächelte. »Unser Rechenzentrum war schon immer hier. Die Computer im Grünzeug waren quasi unsere Versuchsobjekte.«

»Was ist das hier?« Pia trat näher an die Konsolen heran, betrachtete die Lichtchen und Schalter, Regler und Leuchtdioden.

»Das ist das Herzstück von Off Limits – unser eigener Server«, erklärte Lukas nicht ohne Stolz. »Wir bieten unseren Kunden eigene Hosts an. Das heißt, ein Kunde mietet bei uns einen Host, er kann sich von seinem PC zu Hause auf unserem Server einloggen und bequem seine Webseite verwalten und bearbeiten. Wir entwerfen Webseiten für unsere Kunden nach ihren Vorstellungen, und ich habe eine Software geschrieben, einen Editor, mit dem die Kunden online an ihrer Webseite arbeiten können, so simpel wie Word.«

»Aha«, Pia verstand allmählich, um was es ging, und war beeindruckt. »Wer hat das hier denn alles zusammengebaut?«

»Wir selbst, nach und nach«, Lukas grinste belustigt. »Dafür habe ich die Kohle von meinem Vater gebraucht.«

»Und wer ist ›wir‹?«, wollte Pia wissen.

»Jo, Tarek und ich sind die Geschäftsführer«, sagte er, dann korrigierte er sich, »waren, meine ich. Jetzt sind es wohl nur noch Tarek und ich.«

Er lächelte, ein bisschen stolz und ein bisschen traurig.

»Wir haben noch zwei Programmierer, Fischi und Franjo. Lars ist für das Netzwerk zuständig, Markus macht die Buchhaltung, schreibt die Rechnungen und so weiter.«

»Eine richtige Firma«, stellte Pia fest.

»Genau«, Lukas setzte sich an den ersten Computerbildschirm. »Mit Steuernummer und Handelsregistereintrag.«

»Ich verstehe nicht, weshalb du das heimlich machst«, Pia setzte sich auf einen der Rollhocker. »Dein Vater müsste vor Stolz doch platzen, wenn er das hier sieht.«

»Mein Vater«, Lukas lockerte mit den Fingern den Verband an seiner rechten Hand und verzog das Gesicht, »ist alles andere als stolz. Er hält das hier für sinnlosen Zeitvertreib und will, dass ich Banker werde. Eigentlich erstaunlich, dass ein Mann in seiner Position einen derart beschränkten Horizont hat.«

»Wann kümmerst du dich um das hier alles?«, fragte Pia neugierig.

»Meistens nachts«, Lukas lächelte sie an, »aber Tonis Vater hat Verständnis, dass ich jetzt keine Zeit mehr habe, diese Farce mit dem Praktikum im Zoo weiterzuspielen.«

In dem Moment, als er sich an den Rechner gesetzt hatte,

ging eine Verwandlung mit ihm vor, und Pia erkannte voller Respekt, dass dies hier wirklich seine Welt war. Während er hochkonzentriert und ohne die Augen vom Bildschirm zu wenden im geheimnisvollen Innern der miteinander vernetzten Computer nach dem suchte, worum Pia ihn gebeten hatte, ließ sie ihren Blick durch den Raum wandern. An einer Wand hing das Panoramafoto, das sie mittlerweile schon kannte. Auf diesem fehlte allerdings die rote Linie, die die Trasse der B8 darstellte. Sie stand auf und schlenderte hin. Aus der Nähe betrachtet sah das Foto anders aus als jenes, das bei Jonas und Lukas an der Wand hing. Es war kein Foto, sondern eher ein Stadtplan, eingeteilt in ein Netz von Buchstaben und Nummern. Pias Blick fiel auf einen Schriftzug am oberen Rand des Bildes. »*Make your most terrific discovery – sign up to your Double Life!*«

»Hier«, sagte Lukas plötzlich, und sie wandte sich um, »das muss es sein. Wow, er hat sich in den Rechner von seinem Alten gehackt.«

Ein anerkennendes Lächeln flog über sein Gesicht, verlosch aber gleich wieder.

»Was brauchen Sie?«, fragte er nüchtern.

»Am besten die ganze Festplatte.«

»Das geht leider nicht. Der Rechner gehört zum Netzwerk«, Lukas rollte mit dem Stuhl zu einem anderen Schreibtisch und öffnete eine Schublade, »aber ich kopiere Ihnen den ganzen Kram auf einen USB-Stick. Dann können Sie sich raussuchen, was Sie brauchen.«

Er arbeitete schweigend und konzentriert.

»Fertig«, sagte er nach einer Weile und reichte Pia einen kleinen silbernen Gegenstand.

»Danke«, sie lächelte. »Wusstest du eigentlich, dass Pauly dir und deinen Freunden eine Menge Geld hinterlassen hat?«

Der Junge blickte sie erstaunt an.

»Unsinn«, sagte er, »Ulli war arm wie eine Kirchenmaus.«

»Nicht ganz. Er hat euch für eure Firma ein Aktienpaket im Wert von ungefähr achtzigtausend Euro hinterlassen.«

Lukas' Finger lagen still auf der Maus. Sein versteinertes Gesicht wirkte im Neonlicht totenbleich, er schluckte krampfhaft.

»Warum sagen Sie so etwas?«, fragte er mit belegter Stimme.

»Weil es so ist. Meine Kollegin war bei der Testamentseröffnung.«

Lukas starrte Pia stumm an, dann senkte er den Kopf und stützte seine Stirn in die unverletzte linke Hand. Bestürzt erkannte sie, dass er weinte.

»Lukas ...«, sie wollte zu ihm gehen, ihn trösten oder sich dafür entschuldigen, dass sie ihm weh getan hatte, aber er machte eine abwehrende Handbewegung. Die Nachricht, dass Pauly ihn in seinem Testament so großzügig bedacht hatte, schien ihm einen Schock versetzt zu haben.

»Nicht«, flüsterte er mit mühsamer Beherrschung, »bitte. Ich möchte jetzt alleine sein.«

Pia nickte und ergriff ihre Tasche. Als sie sich an der Tür noch einmal zu ihm umdrehte, hatte er das Gesicht auf die Tastatur gelegt, und seine Schultern zuckten.

Bodenstein erhob sich und ging ins benachbarte Büro. Pia Kirchhoff war zurück. Sie, Behnke und Kathrin Fachinger standen hinter Ostermann und blickten über dessen Schultern auf den Monitor.

»Was gibt's?«, erkundigte Bodenstein sich.

»Ich habe die Beweise, die Pauly gegen Bock in der Hand hatte«, erklärte Pia, ohne ihn anzusehen. »Lukas hat die gesamte Korrespondenz zwischen Bock und Leuten in verschiedenen Ämtern und Ministerien von Jonas' Rechner kopiert.«

Sie trug ihm seine harsche Zurechtweisung vom Morgen noch immer nach. Bodenstein tat so, als bemerke er es nicht.

»Lässt sich daraus etwas machen?«, fragte er.

»Ich denke schon«, Ostermann nickte. »Unsere Kollegen werden jubeln. Jonas muss sich regelmäßig in den Computer seines Vaters gehackt haben. Es dauert eine Weile, bis ich alle Daten gesichtet habe.«

»Sie haben drei Stunden«, sagte Bodenstein. »Wir fahren in der Zwischenzeit zum Hof von Schwarz, Haftbefehl und Durchsuchungsbeschluss sind auf dem Weg hierher. Frau Matthes hat mir bestätigt, dass sie Matthias Schwarz in der Nacht des Brandes erkannt hat, als er das Haus verlassen hat.«

»Deshalb können wir ihn nicht verhaften«, Behnke machte ein langes Gesicht. Bodenstein entging sein wiederholter Blick zur Uhr nicht.

»Haben Sie etwas Dringendes vor heute Abend?«, fragte er scharf.

»Nein«, Behnke zuckte verstimmt die Schultern. Natürlich hatte er etwas vor. Brasilien spielte gegen Japan. Bodenstein verspürte einen Anflug von Schadenfreude. Nicht nur ihm war der Abend verdorben. In der gleichen Sekunde schämte er sich für diesen Gedanken. Sonst war er ein ausgeglichener Mensch, der Kollegen, Vorgesetzten und Verdächtigen eher mit seiner ruhigen Gelassenheit auf die Nerven ging.

»Wir verhaften Schwarz auch nicht wegen des Brandes«, sagte er, »aber wenn er kein tadelloses Alibi für den Dienstagabend vorweisen kann, ist er wegen Mordverdacht dran.«

»Und wenn er ein Alibi hat?«, erkundigte sich Kathrin Fachinger.

»Dann nehmen wir Svenja in die Zange«, antwortete Bodenstein und fügte hinzu: »Das hätte sowieso längst geschehen müssen.«

Pia Kirchhoff blickte ihn vorwurfsvoll an.

»Ihr Freund wurde am Montag ermordet«, sagte sie kühl. »Sie ist schwanger und labil. Ich musste befürchten, dass sie sich etwas antut, wenn ich ihr noch ein paar Fragen mehr gestellt hätte.«

Ostermann, Behnke und Fachinger wechselten rasche Blicke. Weder war ihnen die unterschwellige Aggressivität ihres Chefs noch die Spannung zwischen ihm und Pia entgangen, aber niemand hatte eine Erklärung dafür.

»Sagen Sie mir Bescheid, wenn der Haftbefehl da ist«, Bodenstein ging in sein Büro und schlug die Tür ein wenig heftiger hinter sich zu als beabsichtigt. Dann griff er zum Telefon und rief Cosima an.

»Du schaffst es nicht, stimmt's?«, meldete sie sich.

»Vielleicht doch«, erwiderte Bodenstein unglücklich. Cosima klang so gelassen wie immer, wenn er ihr wegen eines unvorhergesehenen Ereignisses kurzfristig absagen musste. Das geschah nicht zum ersten Mal. Aber zum ersten Mal dachte er daran, dass es sie störte, wenn er das tat.

»Ich habe ein schlechtes Gewissen, seit du gesagt hast, mir wären meine Fälle wichtiger als alles andere. Das stimmt nämlich nicht. Nur manchmal kann ich eben nicht einfach alles stehen und liegen lassen.«

»Ach, das habe ich doch nicht so gemeint«, sie lachte etwas. »Ich war an dem Abend schlecht drauf.«

»Vielleicht warst du aber einfach nur ehrlich und hast das gesagt, was du wirklich denkst«, beharrte Bodenstein.

Einen Moment lang war es still.

»Ich weiß seit über zwanzig Jahren, dass du gelegentlich länger arbeiten musst«, sagte Cosima ernst. »Ich mache dir keinen Vorwurf draus.«

Sie sagte genau das, was er hatte hören wollen, aber es gefiel ihm nicht. Er hätte das Thema jetzt auf sich beruhen lassen sollen, aber er konnte nicht. Irgendetwas in ihm suchte Streit.

»Das heißt, es ist dir recht, dass ich länger arbeiten muss.«

»Was ist denn in dich gefahren?«, fragte Cosima verwundert. »Das habe ich doch gar nicht gesagt!«

»Aber gemeint.«

»Hör mal«, Cosimas Stimme wurde schärfer, »ich entschuldige mich hiermit in aller Form dafür, dass mir unbedacht Worte herausgerutscht sind. Ich habe Verständnis für deine Arbeit, so wie du Verständnis für meine hast. Okay? In Zukunft werde ich genau aufpassen, was ich sage, jetzt, wo ich weiß, dass du plötzlich jedes Wort auf die Goldwaage legst!«

»Ich lege ...«, begann Bodenstein heftig, aber Cosima ließ ihn nicht zu Wort kommen.

»Du weißt, wo wir heute Abend sind«, unterbrach sie ihn. »Ich freue mich, wenn du es schaffst, hinzukommen. Und wenn nicht, bin ich nicht sauer auf dich. Bis später.«

Bodenstein starrte auf den Hörer in seiner Hand. Heißer Zorn kochte in ihm hoch, Zorn auf sich selbst und auf Cosima, weil sie recht hatte und er nicht. In dem Moment klopfte es an der Tür. Pia trat ein und schloss die Tür hinter sich.

»Ist der Haftbefehl da?«, schnauzte Bodenstein.

»Nein.«

»Warum stören Sie mich dann?«

»Wenn Sie zu stolz sind, den ersten Schritt zu machen, dann tue ich das eben«, sagte sie furchtlos. »Ich kann nicht gescheit arbeiten, wenn ich innerlich dauernd darauf warte, dass Sie in die Luft gehen wie eine Rakete.«

Bodenstein öffnete schon den Mund zu einer heftigen Entgegnung, aber plötzlich stellte er fest, dass sein Zorn verpufft war.

»Ich weiß auch nicht, was mit mir los ist«, gestand er.

»Jeder hat mal einen schlechten Tag. Ich wollte vorschlagen, dass wir zu Schwarz fahren und Sie den Abend freinehmen.«

»Wollen Sie mich loswerden?«, fragte er misstrauisch.

»Sie wissen, dass ich tausendmal lieber mit Ihnen als mit Behnke zusammenarbeite«, sagte Pia trocken. »Aber in Ihrer jetzigen Verfassung sind Sie kaum besser als er an einem seiner guten Tage.«

Wider Willen musste Bodenstein grinsen. Die Frau hatte Courage. Er hätte sich niemals ins Büro seines Chefs getraut, wenn der eine solche Laune gehabt hätte.

»Und was soll ich stattdessen machen?«, fragte er.

»An meinem Hochzeitstag würde mir schon etwas Besseres einfallen«, entgegnete Pia. Bodenstein warf einen Blick auf den Wandkalender. Er hatte keine Ahnung, woher sie das wusste, aber sie hatte recht. Deshalb wollte Cosima also mit ihm und den Kindern essen gehen!

»Verflucht«, murmelte er.

»Holen Sie einen Strauß Blumen und fahren Sie nach Hause«, schlug Pia vor. »Und falls Sie zu Ihrer Frau ähnlich nett waren wie zu uns, dann entschuldigen Sie sich einfach.«

Bodenstein blickte auf und lächelte zerknirscht. »Es tut mir leid, dass ich so unfair war. Ehrlich.«

»Schon okay«, Pia lächelte auch, »und jetzt gehen Sie, bevor die Blumenläden zumachen und Sie nur noch halbvergammelte Blumen in Zellophanfolie an der Tanke bekommen.«

Als Pia, Kathrin Fachinger und Behnke verstärkt von fünfzehn Polizeibeamten am Hof der Familie Schwarz eintrafen,

waren Erwin Schwarz und seine Frau gerade im Begriff, weg-
zufahren.

»Entschuldigen Sie die Störung«, Pia zog den Durchsuchungsbeschluss hervor. »Aber wir müssen Ihren Hof und
Ihr Haus durchsuchen.«

»Wieso?« Erwin Schwarz richtete sich zu seiner vollen
Größe auf. Pia ließ sich nicht einschüchtern.

»Steht alles da drin«, sie drückte ihm das Blatt in die Hand,
während ihre Kollegen im ganzen Hof und im Haus aus-
schwärmten. Aus dem Augenwinkel nahm sie eine Bewegung
in der Scheune wahr, dann knallte eine Tür, und wenig später
heulte der Motor eines Autos auf. Behnke reagierte sofort.
Gefolgt von drei Beamten lief er aus dem Hoftor und sprang
vor die Kühlerhaube von Matthias Schwarz' Golf. Panisch
verriss der junge Mann das Lenkrad und gab gleichzeitig
Gas, einer der Beamten konnte nicht mehr rechtzeitig zur Seite springen und wurde über die Motorhaube und das Dach
des Autos geschleudert. Pia rannte zu dem am Boden liegen-
den Beamten, der sich vor Schmerzen krümmte. Schwarz
hielt nicht an, sondern raste mit durchdrehenden Reifen den
Rohrwiesenweg entlang.

»Was jetzt?«, rief Behnke.

»Ich kann mir denken, wo er hinfährt«, Pia tippte eine
Nummer in ihr Handy. »Rufen Sie einen Notarztwagen für
den Kollegen.«

Die Hausdurchsuchung auf dem Hof der Familie Schwarz
verlief unter dem schrillen Protestgeschrei von Mutter
Schwarz und wüsten Drohungen des Bauern, die Pia völlig
kalt ließen. Sie wertete die Flucht von Matthias Schwarz als
schlechtes Gewissen und war nicht erstaunt, als Beamte der
Kelkheimer Polizeistation ihn eine Viertelstunde später vor
dem Bistro Grünzeug festnahmen. Schwarz hatte bei seiner

Angebeteten Esther Schmitt Schutz gesucht, den diese ihm jedoch kühl verwehrte. Um kurz nach acht war alles vorbei, und Pia machte sich mit Behnke auf den Weg zurück nach Hofheim, um Matthias Schwarz zu verhören, der apathisch in einem der Verhörräume hockte.

»Widerstand gegen die Staatsgewalt«, zählte Behnke auf, »tätlicher Angriff auf einen Polizeibeamten, gefährliche Körperverletzung, die noch zu Totschlag werden kann, Fahrerflucht ... Sie sitzen richtig tief drin im Schlamassel. Warum sind Sie abgehauen?«

Pia und Kathrin Fachinger standen hinter der Scheibe und beobachteten mitleidslos, wie Behnke seinen aufgestauten Frust über einen verdorbenen Fußballabend an Schwarz ausließ. Der starrte nur stumm vor sich auf den Tisch und sagte keinen Ton. Was mochte ihn mehr mitgenommen haben – sein folgenschwerer Ausraster oder die Tatsache, dass Esther Schmitt ihn so eiskalt abserviert hatte? Nach einer halben Stunde brach Behnke das Verhör ergebnislos ab und ließ den Mann in eine Zelle bringen.

»Was machen wir jetzt?«, fragte er wenig später im Büro in die Runde.

»Wir lassen ihn eine Nacht drüber schlafen«, entschied Pia.

»Er ist unser Mann«, sagte Ostermann mit Bestimmtheit. »Er hat die Tat praktisch zugegeben. Ich habe eine SMS auf seinem Handy gefunden, die er am 14. Juni an die Schmitt geschickt hat. *Ich hab gemacht, was du wolltest*, hat er geschrieben.«

»Das kann sich auf alles Mögliche beziehen«, Pia schüttelte den Kopf. »Vielleicht sollte er die Tomaten ernten oder den Rasen mähen.«

»Nachdem sie vorher geschrieben hat: *Sieh zu, dass das Schwein weg ist, bis ich wiederkomme*?«

»Das Schwein?«, vergewisserte Pia sich.

»Ja.«

»Okay«, sie seufzte, »tut mir leid, Leute, aber dann müssen wir doch noch mal an die Arbeit. Herr Behnke, wollen Sie noch mal mit Schwarz reden oder lieber mit Esther Schmitt?«

»Ich fahre zur Schmitt«, Behnke griff nach dem Ausdruck der SMS, den Ostermann gemacht hatte. »Das Spiel ist jetzt eh vorbei.«

Kathrin Fachinger folgte ihm, Pia ging wieder nach unten zu den Zellen und ließ Matthias Schwarz erneut vorführen.

»Ich wollt niemanden umfahren«, sagte er als Erstes, »ehrlich nicht. Ich hab vor Aufregung vergessen, dass der Wagen Automatik hat.«

»Warum sind Sie überhaupt abgehauen?«

Er vergrub den Kopf in seinen Händen und schwieg.

»Herr Schwarz, Sie machen die Sache nicht besser, wenn Sie schweigen«, sagte Pia eindringlich. »Der Haftrichter wird Ihre Flucht als Schuldeingeständnis werten. Warum sind Sie weggefahren?«

Schweigen. Ein leerer Blick.

»Wir haben auf Ihrem Handy eine SMS von Esther Schmitt gefunden«, Pia war gespannt, wie Schwarz auf die Erwähnung ihres Namens reagieren würde. »Sie hat Ihnen geschrieben, Sie sollten zusehen, dass das *Schwein* weg ist, bevor sie zurück sei. Und Sie haben daraufhin am 14. Juni geantwortet, Sie hätten getan, um was Esther Sie gebeten hatte.«

Die wasserhellen Augen von Matthias Schwarz richteten sich stumm auf Pias Gesicht. Dann ließ er den Kopf wieder sinken.

»Meine Mutter hatte recht«, murmelte er, »sie hat mich nur ausgenutzt.«

»Was haben Sie in Esthers Auftrag getan?«, fragte Pia hartnäckig nach. »Wo waren Sie am Dienstagabend, als Pauly ermordet wurde?«

Sie sah, wie sich die Backenmuskulatur des Mannes anspannte.

»Herr Schwarz, ich warte«, erinnerte sie ihn nach ein paar Augenblicken. Ohne jede Vorwarnung ließ er seine Faust auf den Tisch krachen. Seine muskulöse Gestalt, multipliziert mit ohnmächtiger Wut und durchaus legitimen Rachegelüsten, ergaben ein bedrohliches Gemisch.

»Dieses verlogene Miststück!«, stieß Schwarz hervor und starrte Pia wild an. »Ihr Scheißweiber seid alle hinterhältig!«

»Beruhigen Sie sich«, mahnte Pia, aber vergeblich. Der Damm war gebrochen, und Matthias Schwarz befreite sich vom Joch des Sklavendaseins, indem er aufsprang, den Tisch mit beiden Händen packte und ihn mit erstaunlicher Kraft quer durch den kleinen Raum schleuderte. Pia hatte sich mit einem schnellen Satz zur Seite in Sicherheit gebracht, der Beamte, der in einer Ecke gestanden hatte, stürzte sich auf den wie wahnsinnig Tobenden, aber er konnte nicht verhindern, dass der Mann seinen Kopf immer wieder gegen die Wand schlug, bis ihm das Blut über die Stirn lief. Es bedurfte der Hilfe von drei Kollegen aus der Wache, bis Schwarz ächzend am Boden lag, die Hände auf dem Rücken gefesselt. Pia hatte schon einiges erlebt, aber ein so heftiger Wutausbruch hatte in der Sammlung ihrer schlimmsten Verhör-Erlebnisse noch gefehlt. Sie ging vor Schwarz in die Hocke.

»Haben Sie am Dienstag, dem 13. Juni, Ihren Nachbarn Hans-Ulrich Pauly getötet?«, fragte sie. Er starrte sie aus blutunterlaufenen Augen an, so enttäuscht und verletzt, dass sie unwillkürlich Mitleid mit ihm bekam.

»Ja«, seine Muskeln wurden schlaff, »ja, das hab ich getan. Esther hat es so gewollt.«

Als Pia zu Hause auf dem Birkenhof aus ihrem Auto stieg, war sie nur noch müde. Sie hatten zwar ein Geständnis, aber nicht den wirklichen Mörder, da war sie sicher. Matthias Schwarz war durch Esther Schmitts abweisendes Verhalten tief gekränkt. Er hatte die Lebensgefährtin seines Nachbarn verehrt, bewundert und geliebt. Sie war die Sonne im beschränkten Universum seines schlichten Geistes gewesen, aber sie hatte seine Liebe und Loyalität nur mit Füßen getreten, ihn abgeschüttelt wie ein lästiges Insekt. Schwarz war nicht besonders intelligent, aber er hatte die Chance zur Rache erkannt und genutzt, indem er Esther als diejenige, die ihm den Auftrag für den Mord gegeben hatte, ans Messer lieferte. Behnke hatte Esther Schmitt verhaftet, auch wenn sie heftig protestierte und behauptete, das »Schwein« sei tatsächlich ein Schwein gewesen, ein vietnamesisches Hängebauchschwein, das Schwarz angeschleppt und ihr verehrt hatte. Das hörte sich schlüssig an und entsprach sicher auch der Wahrheit. Spätestens morgen, wenn es um die Details der Tat ging, würde sich Schwarz' Geständnis als Lüge entpuppen. Bodenstein teilte Pias Meinung. Sie hatte ihn angerufen und erleichtert festgestellt, dass seine Stimme entspannt geklungen hatte. Ihr Blick fiel auf den leeren Hundezwinger. Unwillkürlich zuckten die Erinnerung an das Meerschweinchen-Massaker und die Angst der vergangenen Nacht in ihr hoch, an die sie den ganzen Tag über nicht gedacht hatte. Sie ging hinüber zum Stall. Bis sie alle Arbeiten im Garten erledigt und die Tiere versorgt hatte, war die Sonne untergegangen, und die Nacht dämmerte herauf. Im Kühlschrank fand sich noch ein Rest Grüne Soße und ein paniertes Schnitzel, das sie einfach in die Mikrowelle legte. Plötzlich flog die Hauptsicherung heraus, der Mikrowellenherd ging aus, gleichzeitig erlosch das Licht, und die Stimme des Nachrichtensprechers brach mitten im Wort ab. Wie gelähmt stand Pia in der Küche, das Blut rauschte in ihren Ohren. Eine weitere Nacht wie die letzte würde sie nicht ertragen. Fluchtartig verließ sie ihr Haus, setzte sich in ihr Auto und fuhr nach Frankfurt. Es war ihr gleichgültig, wie Henning ihr unvermutetes Auftauchen werten würde, sie sehnte sich nach seiner sachlichen Gelassenheit, die jede Angst und alle bösen Geister vertreiben konnte. Sie fand nach kurzer Suche eine Parklücke und betrat wenig später das Haus, in dem sie viele Jahre gewohnt hatte. Henning hatte darauf bestanden, dass sie die Schlüssel behielt, wohl in der Hoffnung, sie eines Tages zur Rückkehr überreden zu können. Anstandshalber drückte sie auf die Klingel. Als sich nichts rührte, steckte sie den Schlüssel ins Schloss und betrat die Wohnung, die ihr bis in den letzten Winkel vertraut war. Der Fernseher lief laut. In der Küche herrschte das typische Durcheinander, das Henning gerne der Putzfrau hinterließ. Leere Gläser, benutzte Teller, eine halbvolle Flasche Rotwein, Überreste seiner Kochkunst. Pia lächelte. Früher hatte sie jeden Abend aufgeräumt, weil sie morgens nicht gerne in eine schmutzige Küche kam. Sie betrat das Wohnzimmer und blieb wie angewurzelt im Türrahmen stehen. Ohne wirklich zu begreifen, was sie sah, starrte sie auf die ekstatisch ineinander verschlungenen Gliedmaßen zweier Menschen, die sich auf der massiven Platte des Wohnzimmertisches keuchend und hemmungslos liebten. Eigenartigerweise galt Pias erster Gedanke dem Tisch, den Henning und sie damals bei einem Antiquitätenhändler in der Leipziger Straße für zweitausenddreihundert D-Mark gekauft hatten. Sie war nicht gefasst auf den schmerzhaften Stich der Eifersucht, der sie durchzuckte. Gleichzeitig wurde sie wütend, als sie begriff, dass Henning gelogen hatte. Ohne Kostüm und Seidenstrümpfe war Staatsanwältin Löblich nur noch mäßig attraktiv – mit ausgeprägter Cellulitis an den Oberschenkeln und einem dicken Hintern. Sie überlegte kurz, ob sie einfach wieder verschwinden sollte, aber dann konnte sie der Versuchung nicht widerstehen.

»Der Tisch ist nicht so stabil, wie er aussieht«, sagte sie und beobachtete mit boshafter Genugtuung einen klassischen Coitus interruptus.

»Pia!«, keuchte Henning erschrocken. »Was tust du hier?«

»Ich wollte nur meine Schlüssel zurückbringen. Entschuldige die Störung.«

Henning tastete nach seiner Brille, die irgendwo auf dem Boden neben dem Tisch lag. Staatsanwältin Löblich tat dasselbe und versuchte gleichzeitig, beschämt ihre Blöße mit dem erstbesten Kleidungsstück zu bedecken, das ihr in die Finger geriet.

»Ich lege die Schlüssel auf den Küchentisch«, Pia wandte sich ab. »Viel Spaß noch.«

»Warte!«, rief Henning. Bevor er hinter ihr herlaufen konnte, legte sie die beiden Schlüssel auf die Anrichte neben der Wohnungstür und ging hinaus. Sie hatte einen Kloß im Hals, als sie zu ihrem Auto rannte und Hennings Rufe vom Balkon aus ignorierte. Komisch eigentlich. Sie selbst hatte die Trennung gewollt, und doch hatte sie sich nie zuvor in ihrem Leben so einsam und alleine gefühlt wie in diesem Moment.

Freitag, 23. Juni 2006

Sie fuhr ziellos durch die ganze Stadt. Zurück auf den Birkenhof wollte sie nicht, denn sie fürchtete sich mittlerweile vor dem leeren Haus und der Einsamkeit. Pia konnte Henning keinen Vorwurf machen, immerhin war sie es, die ihn verlassen hatte, nicht umgekehrt. Wie dumm von ihr, einfach in die Wohnung zu marschieren! Obwohl ihr die Tränen über das Gesicht liefen, musste sie plötzlich beinahe hysterisch lachen. Was für eine peinliche Situation!

Ob Henning wohl gerade einen zweiten Versuch mit der Löblich wagte? Just in diesem Moment klingelte ihr Handy. Es war Henning! Kein zweiter Versuch also. Pia missachtete das beharrliche Klingeln. Irgendwann schien er zu merken, dass sie nicht drangehen würde, deshalb verlegte er sich aufs SMS-Schreiben. Neugierig klappte Pia das Gerät auf und stellte fest, dass die eingegangene Kurznachricht von Lukas und nicht von Henning stammte. *Sind Sie wach? Ich würde gerne mit Ihnen reden. Kann nicht schlafen. Lukas.*

Lukas. Er und Christoph Sander schlichen sich abwechselnd und ohne dass sie es irgendwie verhindern konnte in ihre Träume! Da Henning als Gesellschafter gegen das Alleinsein ausgefallen war, erschien ihr Lukas als willkommene Alternative.

Eine halbe Stunde später saß Lukas an ihrem Küchentisch. Er war blass, seine Augen waren stumpf und vom Weinen gerötet. Pia schlug ihm ein paar Rühreier in die Pfanne und schnitt zwei Scheiben Brot ab. Sie stellte ihm den Teller hin und sah zu, wie er mit Appetit aß und jeden Bissen betrachtete, bevor er ihn in den Mund schob. So aßen nur Einzelkinder, aber nicht die mit vielen Geschwistern, die immer befürchteten, zu kurz zu kommen. Lukas aß in aller Ruhe, ein wenig Farbe kehrte in sein Gesicht zurück.

»Danke«, sagte er, nachdem er mit einem Stück Brot den Teller sauber gewischt hatte. »Ich spüle dafür.«

»Ich habe eine Spülmaschine«, Pia lächelte. »Schone lieber deinen Arm. Tut er noch weh?«

»Es geht«, erwiderte Lukas, »jetzt wäre mir nach einem Drink zumute. Soll ich uns etwas mixen?«

»Viele Zutaten habe ich nicht.«

»Darf ich mal schauen?«

»Bitte.«

Er öffnete Kühlschrank und Schränke und förderte eine Flasche Wodka, Tomatensaft und ein Fläschchen mit Tabasco zutage.

»Bloody Mary?«, schlug er vor.

»Wieso nicht?«

Während er mischte und mixte, Eiswürfel zerkleinerte und hin und wieder probierte, zündete Pia sich eine Zigarette an. Sie hatte sich vom Schock des Anblicks von Hennings nacktem Hintern zwischen den Schenkeln einer fremden Frau erholt und fühlte sich in Lukas' Gesellschaft schon wieder besser. Auch wenn sie versucht hatte, sich das im vergangenen Jahr einzureden, so musste sie sich eingestehen, dass sie fürs Alleinleben nicht geschaffen war. Lukas erzählte von den Plänen, die Jo und er gehabt hatten. Wenig später stießen sie an und schlürften die Bloody Mary. Dann eine zweite und eine dritte. Es schmeckte verteufelt gut, und die Schatten der Angst wurden klein und unwichtig.

»Kannte Jo sich gut mit Computern aus?«, fragte Pia.

»Ja, ziemlich gut«, erwiderte Lukas. »Er und Franjo haben viel gelernt.«

»Du und Tarek seid also die Besten am Computer?«

»Ich bin besser«, sagte er ohne falsche Bescheidenheit. »Ich bin nämlich noch nie erwischt worden.«

»Ach. Und Tarek schon?«

»Ich dachte, ihr hättet alle Namen durch euren Computer laufen lassen«, Lukas runzelte erstaunt die Stirn. »Tarek hat vor fünf Jahren einen Wurm geschrieben und auf der halben Welt damit Rechner und Netzwerke lahmgelegt. Microsoft hatte ein fettes Kopfgeld ausgesetzt, da hat ihn ein Kumpel verpfiffen. Er hat acht Monate gesessen, der Rest ging auf Bewährung.«

Pia konnte sich Tarek, den braungebrannten Gärtner, nur schwer als Computerhacker vorstellen.

»Hast du denn auch etwas Illegales gemacht?«

Lukas grinste und schob Pia ein frisches Glas hin.

»Früher schon. Ich habe mich oft in fremde Computer gehackt und sicher fünfzig Viren, Würmer und Trojaner geschrieben«, gab er zu, »aber ich hab sie nie losgelassen. Mir ging es eigentlich immer darum, Sicherheitslücken zu finden. Ich bin keiner, der mutwillig irgendetwas zerstört.«

»Ist es nicht furchtbar schwierig, solche Sachen zu schreiben?«

»Für mich nicht«, behauptete Lukas. »Ich liebe Herausforderungen.«

»*Make your most terrific discovery*«, zitierte Pia den Satz, den sie auf dem Panoramabild gelesen hatte. Lukas hörte auf zu grinsen.

»Wie bitte?«, fragte er.

»Den Satz habe ich heute bei euch gelesen«, erklärte Pia. »Er stand auf diesem Panoramafoto, wie es auch bei dir an der Wand hängt. Was bedeutet das?«

»Nichts. Es ist eine Werbung für ein Internetspiel, das mittlerweile verboten ist.«

Plötzlich erinnerte sich Pia an das, was Ostermann ihr neulich erzählt hatte. *Double Life,* das verbotene Internetspiel. Ja, so ging der Spruch weiter, irgendetwas mit *Double Life.*

»*Double Life*«, sagte sie laut.

»Sie kennen das Spiel?« Lukas rührte in seinem Glas.

»Auf der Webseite von Svenja war ein Link zu *Double Life*«, Pia nickte, »mein Kollege hat mir davon erzählt. Interpol sucht nach dem Server.«

»Stimmt«, Lukas lehnte sich zurück und betrachtete Pia eingehend. »Deshalb ist es so populär. Meine Freunde spielen es immer noch.«

In Pias Kopf fügten sich einige lose Enden zusammen.

»Dean Corso und Boris Balkan?«

»Genau«, Lukas lächelte belustigt. »Die Jungs waren neulich auf der Burg zu Tode erschrocken, als Sie die Namen erwähnt haben.«

Plötzlich knallte es, und die Sicherung flog wieder raus. Pia stand auf und merkte, dass sie viel zu viel getrunken hatte. Mühsam tastete sie sich bis zum Sicherungskasten und kicherte, als sie über ihre Schuhe stolperte. Die Sicherung ließ sich nicht mehr hineindrücken. Nach drei Sekunden sprang sie wieder heraus.

»Pech«, Pia tastete sich zurück, »irgendwo habe ich Kerzen.«

Lukas leuchtete mit ihrem Feuerzeug. Pia zog die Schubladen nacheinander auf und fand eine Packung mit Teelichtern. Sie zündete ein paar an und stellte sie auf den Küchentisch.

»Gemütlich«, stellte Lukas fest und lächelte. Die Art, wie er sie ansah, weckte die Erinnerung an seine Verführungsversuche.

»Ich glaube, ich fahre dich jetzt besser nach Hause«, murmelte sie.

»Nach vier Bloody Marys lasse ich Sie nicht mehr fahren«, erwiderte Lukas. »Auf keinen Fall.«

»Stimmt«, sagte Pia, »ich bin betrunken.«

Eigentlich war sie froh, dass er bei ihr war. Seine Gegenwart nahm der kaputten Sicherung jede Bedrohlichkeit.

»Ich hole dir Bettzeug«, sagte sie. »Du kannst auf der Couch schlafen.«

Der Kelkheimer Hauptfriedhof hatte schon manche große Beerdigung erlebt, aber die von Hans-Ulrich Pauly sprengte die Kapazitäten des großen Parkplatzes. Bis unter der Brücke zum Schmiehbachtal parkten die Autos an diesem heißen Freitagmittag. Der Himmel war wolkenlos und von einem herrlichen Blau, in dem man ertrinken konnte. Bodenstein und Pia hielten sich im Hintergrund und beobachteten die herbeiströmenden Trauergäste. Hinter einem Baum unweit der Grube, die für Paulys Sarg ausgehoben worden war, wartete der Polizeifotograf mit Kamera und Teleobjektiv, um die Trauernden abzulichten, denn Bodenstein und Pia hofften, dass Paulys Mörder auf dem Friedhof sein würde. Stefan Siebenlist war nicht vernehmungsfähig, seine Frau hatte aber einen Anwalt eingeschaltet. Matthias Schwarz war wieder auf freiem Fuß, denn er hatte sich schon bei der ersten Vernehmung hoffnungslos in Widersprüche verstrickt. Der Polizeibeamte, den er über den Haufen gefahren hatte, war mit einem gebrochenen Arm, einer Gehirnerschütterung und zahllosen Prellungen glimpflich davongekommen, insofern würde sich Schwarz nur wegen schwerer Körperverletzung verantworten müssen. Kein Grund, ihn in einer Zelle sitzen zu lassen.

Direkt hinter dem Sarg schritt Esther Schmitt mit würdevoll versteinerter Miene, die tränenlosen Augen hinter einer Sonnenbrille verborgen. Hinter ihr ging schweigend die gesamte Belegschaft und jugendliche Stammkundschaft des Grünzeug, manche schluchzten und hielten sich an den Händen. Pia sah Lukas, an dessen unverletztem Arm sich Svenja Sievers wie eine Ertrinkende klammerte.

»Sieh an, der schöne Lukas hat sich aber ziemlich schnell an die Freundin seines toten Freundes herangemacht«, bemerkte Bodenstein in dem Moment mit einem leicht ironischen Unterton.

»Ich glaube eher, sie trösten sich gegenseitig«, nahm Pia den Jungen in Schutz, ohne zu wissen, weshalb sie vor ihrem Chef Partei für ihn ergriff.

»Sagen Sie bloß, Sie fallen auch auf seine hübsche Fassade herein«, Bodenstein warf Pia einen spöttischen Blick zu. »Hat er Ihnen mit seinen grünen Augen den Kopf verdreht?«

»Quatsch«, erwiderte sie unbehaglich. Ihr Handy vibrierte stumm in ihrer Tasche. Pia beachtete es nicht. Wahrscheinlich war das wieder Henning, zum dreißigsten oder vierzigsten Mal.

»Ich traue dem Bürschchen nicht über den Weg«, führte Bodenstein seine Überlegungen mit halblauter Stimme fort, und jedes seiner Worte verstärkte das ungute Gefühl in Pias Innern. »Er ist so ein richtig *netter* Kerl, ein Schauspieler par excellence. Irgendwie kommt er mir vor wie eine leere Leinwand, auf die jeder seine eigenen Vorstellungen von ihm projizieren kann.«

»Das stimmt nicht«, hörte Pia sich sagen. »Sie kennen ihn doch gar nicht. Er ist sehr unglücklich und einsam.«

»Ach ja?«

»Sein bester Freund ist tot, sein Mentor auch. Seine Eltern sind ständig unterwegs und haben kaum Zeit für ihn.«

Bodenstein hob die Augenbrauen. »Diese Mitleidsmasche zieht bei Ihnen? Das hätte ich nicht gedacht.«

»Dr. Sander hat mir das erzählt«, verteidigte Pia sich. »Er hat auch Verständnis für den Jungen.«

»Sanders Verständnis hält sich meines Erachtens nach in Grenzen«, sagte Bodenstein. »Er unterstützt lediglich die erzieherischen Maßnahmen von Lukas' Vater. Ich kann Ihnen übrigens aus eigener leidvoller Erfahrung als Vater sagen, dass Jungen in Lukas' Alter alles wollen, außer Verständnis. Viel lieber suhlen sie sich in Selbstmitleid und fühlen sich von der ganzen Welt und speziell von ihren Eltern tragisch missverstanden.«

Pia wollte das Thema nicht weiter vertiefen. Lukas war anders. Er hatte ihr doch nicht nur etwas vorgespielt! Oder etwa doch? *Verführer,* dachte sie, schüttelte aber den Kopf, um diesen Gedanken zu vertreiben. Bodensteins Worte hatten Zweifel gesät, die sich mit nadelspitzen Zähnchen in ihr Gehirn nagten und sie an ihr Gespräch mit Lukas am Abend des Mordes an Jonas erinnerten. Wieso hatte er mit keinem Wort die Geburtstagsparty seines Freundes erwähnt? Warum hatte er ihr nichts von dem Streit zwischen Jonas und Svenja am Samstag auf der Burg erzählt? Plötzlich war ihr unwohl zumute. Sie schauderte bei dem Gedanken daran, was Bodenstein dazu sagen würde, wenn er jemals erfahren sollte, dass Lukas die Nacht in ihrem Haus verbracht hatte!

Eine Stunde später war alles vorbei, die Trauergesellschaft hatte den Friedhof verlassen. Erst als Esther Schmitt, begleitet von Wolfgang Flöttmann und ein paar anderen Getreuen, an ihnen vorbeiging, fiel Bodenstein auf, dass sie Svenja verpasst hatten.

»Kann nicht sein«, Pia schüttelte den Kopf.«Zumindest Lukas wäre mir aufgefallen. Vielleicht sind sie noch am Grab.«

Aber am Grab trafen sie nur noch die Friedhofsarbeiter an, die trotz sengender Sonne schnell arbeiteten und schon fast den ganzen Erdaushub wieder auf den Sarg geschaufelt hatten.

»Ich rufe Lukas an«, Pia ergriff ihr Handy und wählte seine Nummer. Die Computerstimme meldete sich. *The person you are calling is not avaible at present ...* Natürlich, während der Beerdigung hatte er sein Handy sicher abgeschaltet, das gehörte sich auch so.

»Fahren wir zu Svenja nach Hause«, schlug Bodenstein vor, »sie wird wohl irgendwann dort auftauchen. Vielleicht tröstet der schöne Lukas sie noch ein bisschen intensiver.«

Pia erwiderte nichts auf diese sarkastische Bemerkung. Es machte ihr zu schaffen, dass Bodenstein so überhaupt nichts von Lukas hielt. War ihr Blick für die Realität durch ihre Zuneigung zu dem Jungen getrübt, oder konnte Bodenstein Lukas nur einfach deshalb nicht leiden, weil er gut aussah, frei nach dem Motto: Im Hühnerhof darf es nur einen Gockel geben? Je länger sie darüber nachdachte, desto mehr leuchtete ihr diese Erklärung ein. Dennoch blieb ein Zweifel wie ein kleiner Stachel in ihrem Fleisch stecken.

Lukas' Handy blieb aus und Svenja verschwunden. Weder bei Lukas noch bei Svenja war jemand zu Hause.

»Wo können die beiden noch sein?« Bodenstein warf Pia einen Blick zu. »Sie kennen Lukas doch mittlerweile ganz gut.«

Pia spürte, wie sie rot wurde. Erst als sie merkte, dass Bodenstein das ohne jeden Hintergedanken gesagt hatte, einfach weil es der Wahrheit entsprach, entspannte sie sich wieder.

»Vielleicht in seiner Firma in Münster«, mutmaßte sie. Da

waren sie aber auch nicht. Sie waren auch nicht im Grünzeug und nicht in Zacharias' Garten im Schmiehbachtal. Überhaupt fragte Pia sich, wie Lukas und das Mädchen sich fortbewegten, denn Lukas hatte kein Auto. Zumindest hatte sie ihn noch nie Auto fahren sehen. Wieder wählte sie seine Nummer, und endlich war das Handy an.

»Weißt du, wo Svenja ist?«, fragte Pia ihn und lehnte sich an den Kotflügel von Bodensteins BMW. Ihr Chef war zu der Hütte hinuntergelaufen, vor der Jonas gestorben war.

»Nein«, antwortete Lukas. »Wir waren zusammen auf der Beerdigung. Danach wollte sie nach Hause.«

»Da ist sie bis jetzt nicht aufgetaucht. Wie seid ihr überhaupt vom Friedhof weggekommen? Ich habe euch gar nicht herauskommen sehen.«

»Ich bin mit Tarek gefahren, Svenja mit ihrem Roller.«

»Wo bist du jetzt?«

»Warum? Wollen Sie mich sehen?«

»Nein, ich muss arbeiten«, Pia sah sich nach ihrem Chef um.

»Und später?« Er senkte die Stimme. »Sehen wir uns später noch? Es war schön gestern Abend. Wirklich.«

Großer Gott! Auf was hatte sie sich da bloß eingelassen?

»Spielst du wieder den Verführer?«, fragte Pia leichthin.

Ein paar Sekunden sagte Lukas nichts.

»Warum sagen Sie das?« Er klang verletzt. »Ich habe mich gestern Nacht doch total anständig benommen.«

Pia bereute augenblicklich, was sie gesagt hatte. Er hatte recht. Und sie selbst war froh gewesen, Lukas bei sich zu haben. Es war unfair von ihr, den Jungen vor den Kopf zu stoßen.

»Ich hab's nicht so gemeint«, sagte sie deshalb schnell, »aber wir müssen wirklich dringend mit Svenja sprechen. Wo kann sie sein?«

»Vielleicht bei Toni«, vermutete Lukas.

»Stimmt. Daran hatte ich gar nicht gedacht. Danke.«

»Bitte«, Lukas lachte leise, »übrigens: Unsere Haushälterin hat sich heute für zwei Wochen in den Ural verpisst, ich hab also ein Auto. Ich könnte heute Abend zu Ihnen kommen, wenn Sie das möchten. Falls wieder die Sicherung rausfliegt und es Ihnen alleine zu unheimlich ist.«

Pia stutzte. Wie kam er darauf? Hatte sie ihm gesagt, dass sie sich alleine im Haus unwohl fühlte? Pia sah, dass Bodenstein die Wiese hochkam, und ging nicht auf Lukas' Bemerkung ein.

»Ich melde mich bei dir. Okay?«, sagte sie schnell.

»Versprochen?«

»Ja, versprochen. Bis später.«

Gerade als Bodenstein und Pia wieder ins Auto steigen wollten, weil bei Sanders niemand die Haustür öffnete, fuhr der grüne Pick-up vom Opel-Zoo vor die Garage, und Dr. Sander stieg aus. Bodenstein registrierte ein erfreutes Lächeln, das beim Anblick von Pia Kirchhoff über das Gesicht des Zoodirektors huschte.

»Hallo«, rief er und kam näher. »Wollen Sie zu mir?«

»Hallo, Herr Dr. Sander«, erwiderte Bodenstein, »eigentlich suchen wir Svenja Sievers. Wir hatten gehofft, dass sie bei Ihrer Tochter ist.«

»Und? Ist sie das nicht?«

»Es ist überhaupt niemand zu Hause«, erwiderte Bodenstein.

»Ich kann Toni anrufen«, bot Sander an. Er sah aus, als hätte er auf einer Baustelle gearbeitet. Seine Schuhe, sein Hemd und die Jeans starrten vor Dreck.

»Ich sehe etwas ramponiert aus«, entschuldigte er sein Aussehen, als ob er Bodensteins Gedanken gelesen hätte. »Im

Moment geht es im Zoo drunter und drüber. Heute ist ein Impala ausgerückt und in den See gefallen, der eigentlich nur ein Tränkebecken werden sollte.«

»Und dann waren Sie gleich mit baden«, bemerkte Pia.

»Irgendwer musste das Vieh ja rausholen«, er lachte. »Aber die Abkühlung war gar nicht so schlecht.«

»Besser als ein Eis?«, fragte Pia in einem beinahe koketten Tonfall, der Bodenstein aufhorchen ließ.

»Der Abkühlungseffekt tritt deutlich schneller ein«, erwiderte Sander lächelnd. Bodenstein blickte zwischen seiner Kollegin und dem Zoodirektor hin und her. Dann fiel sein Blick auf die Pritsche des grünen Pick-up, zwischen allerhand Krempel bemerkte er eine alte Holzpalette.

»Fahren Sie dieses Auto immer?«, fragte er zusammenhanglos.

»Was?« Sander blickte ihn überrascht an. »Den Pick-up meinen Sie?«

Bodenstein nickte.

»Hin und wieder«, Sander schien leicht irritiert. »Wir haben drei von diesen Pick-ups. Wenn sie im Zoo nicht gebraucht werden, nehme ich gelegentlich einen mit nach Hause.«

Bodenstein entging nicht der fragende Blick, den Sander Pia Kirchhoff zuwarf, und auch nicht das ratlose Schulterzucken, mit dem sie ihm zu verstehen gab, dass sie keine Ahnung hatte, auf was ihr Chef hinauswollte.

»Ich würde das Auto gerne kriminaltechnisch untersuchen lassen«, sagte er zu dem Zoodirektor.

»Von mir aus«, erwiderte der. »Ich habe nichts dagegen. Was versprechen Sie sich davon?«

»Die Leiche von Pauly hat auf einer Holzpalette gelegen, bevor sie auf der Wiese abgelegt wurde«, erklärte Bodenstein und beobachtete, wie Sanders Miene erstarrte.

»Moment mal«, fuhr der Zoodirektor auf, »wollen Sie mir

etwa unterstellen, ich hätte etwas mit dem Tod von diesem Kerl zu tun?«

Bodenstein betrachtete ihn nachdenklich.

»Ich unterstelle gar nichts«, entgegnete er ruhig. »Was haben Sie am Dienstagabend letzte Woche gemacht?«

Sanders Miene wurde grimmig. »Ich war in London«, sagte er. »Mein Flugzeug ist gegen halb zehn gelandet, dann bin ich mit einem Taxi nach Hause gefahren, habe meinen Koffer ausgepackt, geduscht und bin ungefähr um zwölf ins Bett gegangen. Ich habe noch die Quittung vom Taxi und das Flugticket. Wenn Ihnen meine Töchter als Zeugen genehm sind, können Sie sie fragen.«

Der letzte Satz klang sarkastisch.

»Wer kann sonst noch mit dem Auto gefahren sein?«, fragte Bodenstein.

»Im Prinzip jeder meiner Mitarbeiter«, erwiderte Sander. »Soweit ich weiß, haben alle einen Führerschein.«

»Wie viele sind das?«

»Ohne mich – dreiundvierzig.«

»Könnten Sie herausfinden, wer das Auto benutzt hat?«

Sander warf Bodenstein einen finsteren Blick zu.

»Vielleicht sollten Ihre Leute erst einmal untersuchen, ob die Leiche überhaupt auf der Pritsche gelegen hat, bevor ich meine Zeit unnütz vergeude.«

»Gute Idee«, sagte Bodenstein kühl. »Wir nehmen das Auto gleich mit.«

Sander zuckte die Schultern, dann hakte er den Autoschlüssel aus seinem Schlüsselbund und reichte ihn Pia.

»Ich melde mich bei Ihnen, falls meine Tochter weiß, wo Svenja ist«, sagte er. »Ist das in Ordnung?«

»Selbstverständlich«, Bodenstein nickte, »und nehmen Sie meinen Verdacht nicht persönlich. Wir müssen jeder Spur nachgehen.«

»Ist schon klar«, Sander wandte sich ab, »schönen Abend noch.«

Pia hatte am Steuer des grünen Pick-up gerade das Ortsschild stadtauswärts passiert, als Sander anrief und ihr mitteilte, Antonia sei mit ihren beiden Schwestern im Freibad. Sie hatte keine Ahnung, wo Svenja war. Seit drei Tagen hatte sie nichts von ihr gehört.

»Es tut mir leid, wie mein Chef Sie behandelt hat«, sagte Pia.

»Er hat ja recht«, Sanders Stimme klang nicht beleidigt. »Wenn sich herausstellt, dass die Leiche von Pauly in dem Pick-up gelegen hat, habe ich echt ein Problem. Ich weiß nämlich nicht, wer mit dem Auto herumgefahren ist, und ich bezweifle, dass mir das jemand freiwillig sagt. Meine Leute wissen, dass ich es nicht mag, wenn sie die Fahrzeuge für Privatfahrten benutzen.«

»Dann rede ich mit den Leuten. Ganz offiziell«, erwiderte Pia.

»Dagegen hätte ich nichts einzuwenden. Sie kriegen auch ein Eis, wenn Sie heiser werden.«

Sie konnte sein Lächeln förmlich sehen und lächelte auch.

»Das ist doch mal ein Angebot«, sagte sie. »Hauptsache, ich muss nicht in die Gazellen-Tränke springen.«

Sander lachte.

»Wie lange müssen Sie heute arbeiten?«, fragte er unvermittelt.

Pia spürte, wie ihr Herz einen Satz machte.

»Kommt drauf an, ob wir Svenja noch finden«, sagte sie. »Falls nicht, könnte ich jetzt Schluss machen. Wieso?«

»Ab Montag präsentieren wir den Besuchern die neuen Anlagen, natürlich noch ohne Tiere«, antwortete er. »Vielleicht hätten Sie ja Lust, mit mir einen Rundgang zu machen.«

»Das wäre klasse«, entgegnete Pia erfreut. »Ich kläre gleich ab, ob ich Feierabend machen kann.«

Die Mitarbeiter des Dezernats für Wirtschaftskriminalität hatten sich mit Feuereifer auf die Informationen über die Bock Holding gestürzt, die Ostermann ihnen am Morgen zur Verfügung gestellt hatte. Sie hatten in der Vergangenheit bereits mehrfach Hinweise darauf erhalten, dass Bock seine Aufträge auf nicht ganz einwandfreie Art erhielt, aber bisher hatten sie keine ausreichenden Beweise für eine offizielle Untersuchung in den Händen gehabt. Das hatte sich mit den vorliegenden E-Mails geändert, und das zweifelsfrei authentische Material, das Pia von Lukas erhalten hatte, würde Bock und seine Auftraggeber in ernsthafte Schwierigkeiten bringen.

»Ist Zacharias eigentlich wieder zu Hause?«, erkundigte Pia sich. Sie hatte den Pick-up in der Werkstatt abgeliefert und die Kriminaltechniker von der Spätschicht gebeten, das Auto so schnell wie möglich zu untersuchen.

»Er wurde auf freien Fuß gesetzt«, Bodenstein nickte.

»Wir sollten eine TÜ für alle Anschlüsse und Mobiltelefone von Bock beantragen«, schlug Pia vor. »Er wird befürchten, dass sein Schwiegervater Geheimnisse ausplaudert.«

»Gute Idee«, sagte Bodenstein, »rufen Sie den Staatsanwalt an.«

»Könnte das vielleicht jemand anderes übernehmen?« Pia war ein bisschen verlegen. »Wenn nichts Dringendes mehr anliegt, würde ich gerne für heute Schluss machen.«

Bodenstein warf ihr einen erstaunten Blick zu, denn sie hatte während laufender Ermittlungen noch nie darum gebeten, pünktlich Feierabend machen zu dürfen.

»Hat der Fisch etwa schon angebissen?«, erkundigte sich Ostermann beiläufig, und Pia warf ihm einen finsteren Blick zu.

Bodensteins Neugier war schlagartig geweckt.

»Ich lasse mein Handy an«, sagte Pia. »Wenn Svenja auf-
taucht ...«

»Nein, nein«, unterbrach Bodenstein sie, »gehen Sie nur.
Falls wir das Mädchen finden sollten, rede ich mit ihr. Ich bin
heute dran.«

Pia wusste genau, dass ihr Chef sich sofort auf Ostermann
stürzen und ihn wegen seiner Bemerkung löchern würde,
sobald sie das Büro verlassen hatte. Aber es war ihr egal.
Sie freute sich auf den ersten freien Abend seit zehn Tagen,
und noch mehr freute sie sich darauf, diesen Abend in Gesellschaft von Christoph Sander verbringen zu können.

Die letzten Besucher hatten vor einer Stunde den Zoo verlassen, nun gehörte das weitläufige Gelände nur noch den
Mitarbeitern und den Tieren. Sander und Pia begannen den
Rundgang in dem gerade fertiggestellten Verwaltungsgebäu-
de, in dem sich unten ein großzügiger Eingangsbereich und
oben die Büros für die Zooleitung befanden. Oberhalb des
Zoos war ein Restaurant entstanden, durch dessen Pano-
ramascheiben die Gäste in ein paar Wochen vom Tisch aus
direkt auf die neue Afrika-Savanne blicken und Giraffen,
Zebras, Impalas und Gnus im Freigehege beobachten konn-
ten. Sander führte Pia an diesem Gehege vorbei zum neuen
Giraffenhaus. Er erzählte von den Chancen und Möglichkei-
ten, die sich durch die neuen Gehege und Stallungen für den
Zoo eröffneten. Pia hörte aufmerksam zu, bewunderte seine
Begeisterung, seinen unverhohlenen Stolz auf das Geleistete.
Immer wieder warf sie ihm unauffällige Blicke zu und be-
merkte, dass sie ihn unwillkürlich mit Henning verglich, zum
Nachteil ihres Noch-Ehemannes.

Sie gingen den Weg unterhalb der Afrika-Savanne entlang,
vorbei an den freiheitsliebenden Erdmännchen, und bogen

in den Philosophenweg ein, den Fußweg, der, von Kronberg nach Königstein führend, den Zoo in seiner ganzen Länge durchschnitt.

»Wollten Sie schon immer Zoologe werden?«, erkundigte Pia sich.

»Biologe«, korrigierte Sander, »ja, eigentlich schon. Ich bin durch beide Eltern erblich vorbelastet. Sie waren ...«

Pias Handy summte. Sie entschuldigte sich und ging dran. Entgegen ihrer Befürchtung waren es weder Henning noch Bodenstein, sondern Lukas.

»Hey, Lukas«, sagte sie, damit Sander wusste, mit wem sie sprach. »Hast du herausgefunden, wo Svenja ist?«

»Nein«, erwiderte der Junge, »ich habe überall rumtelefoniert, aber niemand weiß was. Wo sind Sie gerade?«

»Noch unterwegs«, Pia hielt ihre Antwort bewusst vage. Erstens ging es Lukas gar nichts an, was sie tat, und zweitens wollte sie vermeiden, bei Sander den Eindruck allzu großer Vertrautheit mit dem Jungen entstehen zu lassen.

»Darf ich später bei Ihnen vorbeikommen?«

»Ich glaube, das ist keine gute Idee«, sagte Pia. »Ich muss jetzt auch Schluss machen. Danke, dass du mich noch mal angerufen hast.«

»Moment!«, rief Lukas, bevor sie das Gespräch beenden konnte.

»Ja?«

»Hab ich was falsch gemacht? Sind Sie sauer auf mich?«

»Nein. Ich habe nur gerade sehr wenig Zeit.«

»Okay. Wenn ich was von Svenja höre, melde ich mich.«

Eine Weile gingen Pia und Sander schweigend weiter.

»Ist es nicht unglaublich, was Lukas mit seiner Computerfirma auf die Beine gestellt hat?«, fragte sie schließlich.

»Computerfirma?« Sander blickte sie erstaunt an. »Er hat mir etwas von einem Internetcafé erzählt.«

»Nein, das ist viel mehr als das«, sagte Pia. »Lukas hat mir alles gezeigt und erklärt, es ist beeindruckend. Sie haben eine richtige Firma mit Angestellten, programmieren Webseiten und bieten ihren Kunden ein Programm an, mit dem man online die Seiten verwalten und gestalten kann.«

»Ach«, Sander blieb stehen.

»Ich wundere mich eigentlich, dass Sie nichts davon wissen. Lukas hat zu mir gesagt, dass Sie Verständnis dafür hätten, wenn er diese Farce mit dem Praktikum im Zoo beendet.«

»Das hat er gesagt?«, vergewisserte sich Sander.

»Ja, so ungefähr. Außerdem hat er erzählt, dass er das Geld von seinem Vater in seine Firma gesteckt und nicht Pauly gegeben hat.«

»Er scheint Vertrauen zu Ihnen zu haben«, stellte Sander fest, »das ist gut. Mich hält er nur noch für einen Erfüllungsgehilfen seines Vaters. Dabei würde es mich freuen, wenn er seinen Weg macht. Ich hoffe nur, dass ihm seine komplizierte Psyche nicht einen Strich durch die Rechnung macht.«

»Wie meinen Sie das?«, fragte Pia erstaunt.

»Lukas hat früh ein paar schmerzliche Verluste einstecken müssen«, erklärte Sander. »Nestwärme kennt er nicht, und die braucht jedes Kind. Nicht nur Kleider, Essen, Bildung und ein Dach über dem Kopf.«

Sie schlenderten weiter, vorbei am Kudu-Gehege und an den Euro-Kängurus. Sander holte seinen Schlüsselbund heraus und öffnete das Tor, das vom Philosophenweg wieder auf das Gelände des Zoos führte.

»Ich vermute, Sie wissen, wovon Sie sprechen«, sagte Pia. »Toni hat mir erzählt, dass Sie Ihre Frau verloren haben.«

»Vor fünfzehn Jahren«, bestätigte Sander nach kurzem Zögern. »Von einem Tag auf den anderen stand ich alleine mit drei kleinen Töchtern da.«

»Was ist passiert?«, fragte Pia leise.

»Hirnschlag. Ohne jede Vorwarnung. Carla lag zwei Monate im Koma, bevor sie starb.«

Sander stieß einen Seufzer aus. »Es passierte eine Woche, bevor wir nach Namibia auswandern wollten. Nach ihrem Tod habe ich diese Pläne aufgegeben und bin in Deutschland geblieben. Es war zwar nicht einfach, aber ich glaube, ich habe es mit den Mädchen ganz gut hingekriegt.«

Er lächelte, ein flüchtiger Schimmer, der gleich wieder erlosch.

»Ich habe ein gutes Verhältnis zu meinen Töchtern«, sagte er, »und selbst als Annika mir vor zwei Jahren verkündet hat, sie sei schwanger, war das keine Katastrophe. Vielleicht ist das der Grund, weshalb Lukas oder auch Svenja so gerne bei uns sind.«

»Svenja scheint mir auch ein armes Ding zu sein«, sagte Pia.

»Allerdings. Manche Leute denken tatsächlich, es reicht, wenn sie ihren Kindern nur genug Geld geben«, Sanders Stimme wurde hart. »Wie bei Lukas auch. Ich kenne den Jungen, seitdem er neun Jahre alt ist. Schon damals hatte er Probleme.«

»Inwiefern?«

»Er hat sich Freunde ausgedacht, sich in seine eigene Welt zurückgezogen. Sein Vater hat ihn mit elf Jahren das erste Mal zu einem Psychiater geschickt, anstatt sich einfach etwas mehr mit dem Jungen zu beschäftigen.«

»Glauben Sie, dass Lukas krank ist?«, fragte Pia. Das Unbehagen und die Zweifel waren plötzlich wieder da.

»Er stand immer unter einem hohen Erwartungsdruck«, sagte Sander. »Diesen Druck hat er dadurch kompensiert, dass er alles, was er getan hat, bis zum Exzess getrieben hat: Sport, Rauchen, Drogen, Sex. Vor ein paar Jahren hatte er einen Nervenzusammenbruch, danach hat er die Schule abgebrochen. Es war seine Art, sich gegen seinen Vater aufzulehnen, dabei wollte er immer nur Liebe und Anerkennung. Eigentlich ist er ein sehr unglücklicher Junge.«

»Sein Vater müsste doch vor Stolz platzen«, sagte Pia. »Lukas bringt am Computer unglaubliche Sachen fertig.«

»Das ist in van den Bergs Augen reine Zeitvergeudung«, entgegnete Sander. »Der Mann stammt aus einer anderen Generation. Lukas soll eine Banklehre machen, zur Bundeswehr gehen, studieren. Der Grund, weshalb er im Zoo arbeitet, ist der, dass sein Vater meint, er müsse Disziplin lernen.«

»Ich finde es ungeheuer diszipliniert, wenn jemand ganze Computerprogramme schreiben kann, tagsüber als Tierpfleger und abends in einem Bistro arbeitet und dazu noch eine Firma leitet.«

Allmählich begann Pia Lukas' Verhalten zu begreifen. Er war verzweifelt auf der Suche nach Anerkennung, nach echter, aufrichtiger Zuneigung, die sich nicht bloß auf sein Aussehen reduzierte.

»Er ist unglücklich über sein gutes Aussehen«, sagte sie.

»Ich weiß«, Sander nickte. »Vor ein paar Wochen erst hat er mich gefragt, wie er herausfinden kann, ob ein Mädchen es ernst mit ihm meint oder nur sein Äußeres und das Geld seines Vaters sieht. Ein schweres Problem für einen jungen Menschen.«

»Was haben Sie ihm geraten?«, wollte Pia wissen. Sander antwortete nicht sofort. Er betrachtete die Luchse in ihrem Gehege, die bei Einbruch der Dämmerung aus ihren Verstecken gekommen waren und nun reglos dasaßen und zurückstarrten.

»Dass er damit aufhören soll, mit jedem Mädchen gleich ins Bett zu steigen«, Sanders Tonfall war sachlich, aber Pia schoss das Blut ins Gesicht. »Ich habe versucht, ihm zu erklären, dass es ein großer Irrtum ist, Sex mit Liebe zu verwechseln.«

»Sex macht alles kaputt«, sagte Pia.

»Wie bitte?« Sander musterte sie erstaunt.

»Das hat Lukas zu mir gesagt. Er hat recht«, Pia spürte, wie ihr Herz klopfte und ihr abwechselnd heiß und kalt wurde. Da stand sie mutterseelenallein mit dem Mann, der sie seit ihrer ersten Begegnung fasziniert hatte, und sprach mit ihm über intimste Sachverhalte so beiläufig wie über das Wetter.

»Womit? Dass Sex alles kaputtmacht?«, fragte Sander. Der Ausdruck in seinen dunklen Augen ließ ihre Knie weich werden.

»Nein«, sie wich seinem Blick nicht aus, »dass Sex nicht gleichbedeutend ist mit Liebe. Die Lektion habe ich auf eine ziemlich schmerzliche Weise lernen müssen. Es hat mich tief erschüttert, als ich gemerkt habe, dass mein Glaube an die große Liebe eine alberne Illusion war.«

»Wieso?«, fragte Sander.

»Weil es sie nicht gibt. Es ist nur ein Märchen.«

Christoph Sander betrachtete sie forschend und aufmerksam.

»Das wäre traurig«, er blickte wieder zu den Luchsen hinüber. »Carla und ich kannten uns seit der Schulzeit. Es war nicht der ganz große Knall, die Liebe auf den ersten Blick, aber es war gut. In den letzten fünfzehn Jahren habe ich nie mehr eine Frau getroffen, die mich auch nur annähernd interessiert hätte.«

Als er sich ihr plötzlich wieder zuwandte, wurde Pia heiß. Die Sonne war hinter dem Taunus verschwunden, es wurde dämmerig. Der nahe Wald strömte einen betäubenden Duft nach Harz und wildem Knoblauch aus. Sanders Gesichtszüge waren im Halbdunkel kaum zu erkennen.

»Aber dann habe ich *Sie* kennengelernt, und auf einmal dachte ich, vielleicht gibt es doch eine zweite Chance im Leben.«

Pias Kehle war wie zugeschnürt. Sie konnte nicht antworten, war erschüttert und gleichzeitig tief berührt von diesem Geständnis. Auf einmal musste sie an Ostermanns albernes ›Petri Heil‹ denken. Sie standen sich gegenüber, sahen einander in die Augen. Sander machte einen Schritt auf sie zu, dann noch einen. In dem Moment, als sie schon glaubte, dass er sie in die Arme nehmen würde, klingelte sein Handy.

»Entschuldigung«, sagte er bedauernd. »Aber da muss ich drangehen. Das ist der Familienklingelton.«

»Kein Problem«, Pia verschränkte die Arme und wandte sich den Wildkatzen zu, vor denen sie stehen geblieben waren. Mit einem Ohr hörte sie, wie Sander sagte, sie solle ihm die SMS schicken, er werde die Polizei benachrichtigen. Sie blickte sich zu ihm um, blieb aber auf Distanz. Das, was zwischen ihnen hätte geschehen können, musste vorläufig eine Hoffnung bleiben.

»Toni hat von Svenja eine SMS erhalten«, sagte Sander nüchtern, und Pia brauchte ein paar Sekunden, um ihre Gedanken wieder auf den Fall zu konzentrieren, von dem sie sich innerlich meilenweit entfernt hatte. Wenig später las er ihr die Kurznachricht vor. *Hi Toni, tut mir leid, dass ich einfach abhaue, aber ich kann das alles nicht mehr aushalten. Ich melde mich, mir geht's gut, mach dir keine Sorgen. Svenja.*

Pia kramte ihrerseits nach dem Handy und rief Bodenstein an.

»Wir müssen sofort ihr Handy orten«, sagte sie zu ihrem Chef, »und mit den Eltern reden.«

»Ich kümmere mich darum«, erwiderte Bodenstein. »Schicken Sie mir die Nachricht. Wir treffen uns vor dem Haus von Svenjas Eltern.«

Anita Percusic war eine magere Person mit hellblond gefärbtem Haar, verlebten Gesichtszügen und einem runzligen Dekolleté, das einen jahrelangen, exzessiven Solarienmissbrauch verriet. Bodenstein schätzte das biologische Alter von Svenjas Mutter auf Anfang fünfzig.

»Wahrscheinlich schläft sie bei einer Freundin«, sagte sie mit der tiefen Stimme einer starken Raucherin, als Bodenstein sie vom Verschwinden ihrer Tochter unterrichtete. »Manchmal vergisst sie, mir Bescheid zu sagen.«

Sie ging in die Küche und zündete sich eine Zigarette an.

»Wir vermuten, dass Ihre Tochter Augenzeugin eines Mordes war«, sagte Bodenstein.

»Was? Wer ist denn ermordet worden?«

»Hans-Ulrich Pauly, der Lehrer von Svenjas Freund«, Pia fragte sich, ob eine Mutter wirklich so wenig über das Leben ihrer Tochter wissen konnte. »Svenja kannte ihn gut. Ihm gehörte ein Bistro in Kelkheim, in dem sie und Toni oft sind.«

»Werfen Sie Svenja irgendetwas vor?« Die Frau lehnte sich gegen die Arbeitsplatte aus Granit und blinzelte, weil ihr Rauch in die Augen geraten war.

»Nein. Wir wollen nur mit ihr sprechen.«

»Ihre Tochter ist schwanger«, mischte Pia sich ein. »Und ihr Freund Jonas, der wohl der Vater ist, wurde am Montagabend ermordet.«

»Was?« Anita Percusic ließ die Zigarette sinken. »Jonas ist tot?«

Bodenstein und Pia wechselten einen Blick.

»Ja«, sagte Bodenstein. »Hat Ihre Tochter Ihnen das nicht erzählt?«

»Nein«, murmelte Svenjas Mutter. Sie legte die brennende Zigarette achtlos in den Aschenbecher und setzte sich auf einen Küchenstuhl. Die Nachricht von Jonas' Tod schien sie erheblich mehr zu schockieren als die Schwangerschaft und das Verschwinden ihrer Tochter.

Einen Moment lang war es totenstill.

»Und was soll ich jetzt machen?«, fragte Svenjas Mutter ratlos und vorwurfsvoll zugleich. »Was erwarten Sie von mir?«

»Wo kann Svenja sein?«, wollte Bodenstein wissen. »Sie war seit letzter Woche nicht mehr arbeiten. Vor ein paar Stunden hat sie ihrer Freundin eine SMS geschrieben, danach aber das Handy ausgeschaltet, so dass wir es leider nicht orten können.«

Frau Percusic machte eine hilflose Geste.

»Wissen Sie überhaupt irgendetwas über Svenja?« Pia konnte kaum fassen, wie gleichgültig die Frau war. »Ihre Tochter ist noch minderjährig. Sie verletzen Ihre Aufsichtspflicht.«

»Hören Sie«, Anita Percusic blickte auf, »mein Mann arbeitet am Flughafen Schicht, und ich schufte von morgens bis abends, um Svenja ein Moped, einen Computer, einen MP3-Player und den ganzen anderen Mist zu bezahlen, damit sie mit ihren reichen Freunden mithalten kann. Aber alles, was ich von ihr kriege, ist Undank und ein motziges Gesicht!«

»Dürfen wir uns Svenjas Zimmer ansehen?«, bat Bodenstein.

Svenjas Mutter erhob sich, ging zum Zimmer ihrer Tochter und machte Licht. Das Bett war nicht gemacht, Kleider lagen herum, und es roch so, als sei seit Tagen nicht gelüftet worden. Pia setzte sich an den Schreibtisch des Mädchens und schaltete den Computer an. Es tat sich gar nichts. Sie bückte sich unter die Schreibtischplatte und stellte fest, dass das Gehäuse des Computers aufgeschraubt worden war. Die Festplatte fehlte. Pia machte ihren Chef darauf aufmerksam.

»Frau Percusic?«, rief Bodenstein. Die Mutter tauchte im Türrahmen auf, eine neue Zigarette brannte zwischen ihren Fingern.

»Hat Svenja ein Tagebuch geführt?«

»Nur in ihrem Computer. Und im Internet. Ein ... Bluff, oder so.«

»Blog«, schlug Pia vor.

»Genau. Block.«

»Könnte Svenja zu Verwandten gegangen sein?«, forschte Bodenstein. »Gibt es einen Ort, an dem sie sich besonders wohl gefühlt hat, im Urlaub oder bei einer Klassenfahrt? Was ist mit ihrem leiblichen Vater?«

»Den kennt sie gar nicht«, erwiderte Frau Percusic. »Meine Mutter lebt in Berlin. Ich kann mir nicht vorstellen, dass sie da hin ist. Und sonst – Urlaub, Klassenfahrt? Nee, da weiß ich nichts.«

Im Zimmer des Mädchens fanden sich keine Fotoalben, keine Briefe, keine Zettelchen, Konzertkarten oder andere Erinnerungen, wie junge Mädchen sie gerne aufbewahren. Das Zimmer hätte jeder x-beliebigen Person gehören können, so wenig Persönliches war zu finden. Das war eigenartig.

»Hat Svenja sich in der letzten Zeit irgendwie verändert?«

»Keine Ahnung. Sie hat ja kaum den Mund aufgekriegt.«

»Warum?«

»Warum, warum – was weiß ich!«

Pia holte ein paar Fotos aus ihrer Tasche, unter anderem einen Ausdruck von dem Bild von Svenjas Webseite, das das Mädchen mit einem Mann zeigte. Anita Percusic betrachtete das Foto und verzog angewidert das Gesicht.

»Wo haben Sie das her?«, fragte sie. Bodenstein erklärte es ihr. Die Frau sah genauer hin, schluckte.

»So ein Schwein«, murmelte sie und gab Pia das Foto zurück.

»Erkennen Sie den Mann?«, wollte Pia wissen.

»Nein«, Anita Percusic wandte sich abrupt ab, ging ins Wohnzimmer und setzte sich auf die Ledercouch. Bodenstein und Pia folgten ihr.

»Frau Percusic«, Bodensteins Stimme klang eindringlich, »Ihre Tochter ist in großen Schwierigkeiten. Wenn Sie den Mann auf dem Foto erkannt haben, sollten Sie uns sagen, wer es ist.«

»Ich habe ihn nicht erkannt«, die Frau klemmte die Hände zwischen ihre Knie und starrte vor sich hin. Pia erblickte auf einer Anrichte Fotos in silbernen Rahmen. Sie ergriff eines von Svenja, auf dem sie in die Kamera lachte. Das Mädchen hatte sich seither sehr verändert. Ein Hochzeitsfoto stach ihr besonders ins Auge.

»Wann haben Sie geheiratet?«, erkundigte sie sich.

»Vor drei Jahren. Wieso?«

»Ihr Mann ist noch ziemlich jung.«

»Na und? Ich bin achtunddreißig, das ist ja auch noch nicht alt«, erwiderte Frau Percusic spitz.

»Wie versteht Svenja sich mit ihrem Stiefvater? Wie heißt Ihr Mann?«

»Ivo. Sie verstehen sich gut, glaube ich.«

Bodenstein und Pia wechselten einen Blick. Anita Percusic wusste sehr viel mehr, als sie zugeben wollte. Aber warum sagte sie nichts? Wen wollte sie schützen? Was hatte sie zu verbergen?

Samstag, 24. Juni 2006

»Svenjas Mutter hat den Mann auf dem Foto erkannt«, sagte Bodenstein, als sie nach draußen traten und den Parkplatz überquerten. »Warum sagt sie nicht, wer er ist?«

»Vielleicht ist es der Stiefvater«, vermutete Pia.

»Das ist mir auch durch den Kopf gegangen«, Bodenstein nickte. »Nichts gegen Svenjas Mutter, aber im Vergleich zu ihrer hübschen, siebzehnjährigen Tochter ist sie eine alte Krähe. Und dieser junge Kerl hat das Mädchen den ganzen Tag vor Augen.«

Er zückte den Autoschlüssel.

»Fahren wir jetzt gleich zum Flughafen, oder warten wir bis morgen früh?«

Pia zog es nicht nach Hause. Sie hatte noch keinen Elektriker nach der defekten Sicherung schauen lassen und wusste, dass sie nach ihrem verwirrenden Erlebnis mit Sander ohnehin kein Auge zumachen würde.

»Von mir aus jetzt gleich«, erwiderte sie deshalb.

Eine Viertelstunde später brausten sie über das Frankfurter Kreuz zum Flughafen, der nachts mit seinen Lichtern dafür sorgte, dass der Himmel im Rhein-Main-Gebiet nie wirklich dunkel wurde. Pia mochte den Anblick des Flughafens bei Nacht, empfand ihn als ebenso tröstend wie hell erleuchtete Tankstellen in düsteren Winternächten. Sie warf einen Blick auf die Uhr. Viertel vor eins. Was wohl Sander gerade tat? Sie waren schweigend bis zu ihrem Auto gegangen, ihr Abschied war knapp und sachlich verlaufen.

Bodenstein manövrierte seinen BMW geschickt in eine Parklücke vor der Ankunftshalle A. Sie betraten die Ankunftshalle und mussten die gewaltigen Gebäude des Flughafens auf der Suche nach einem geöffneten Informationsschalter bis Halle C durchqueren.

»Was hat Ostermann vorhin mit dem Fisch gemeint?«, fragte er beiläufig. Auch wenn Pia diese Frage schon längst erwartet hatte, war sie unvorbereitet.

»Nichts«, erwiderte sie ausweichend. »Ein blöder Witz.«

»Das glaube ich Ihnen nicht«, sagte Bodenstein. »Man müsste schon blind und blöd sein, um nicht zu bemerken, dass da zwischen Ihnen und Sander etwas im Gange ist.«

Pia spürte, wie ihr das Blut ins Gesicht schoss.

»Das stimmt nicht. Da ist überhaupt nichts im Gange«, sie nahm sich vor, Ostermann bei passender Gelegenheit den Hals umzudrehen.

»Kirchhoff hat also keine Chance mehr«, bemerkte Bodenstein, während sie an den verwaisten Gates vorbeigingen. Pia sprach mit ihrem Chef nur selten über ihr Privatleben, und wenn überhaupt, dann nur über Belanglosigkeiten. Sie blieb stehen.

»Ich habe meinen Noch-Ehemann gestern beim Beischlaf mit einer Staatsanwältin auf dem Wohnzimmertisch überrascht. Seitdem bin ich mir ziemlich sicher, dass er keine Chance mehr braucht.«

Es bereitete ihr echte Genugtuung, ihren Chef für ein paar Sekunden sprachlos zu sehen. Auch wenn Bodenstein insgeheim begierig auf jede Art von Klatsch war, hatte er so viel Offenheit sicher nicht erwartet. Doch zu ihrer Überraschung begann er plötzlich zu grinsen.

»Jetzt verstehe ich«, sagte er.

»Was verstehen Sie?«, erkundigte sich Pia misstrauisch.

»Warum Sie nicht drangehen, wenn Kirchhoff anruft«, erwiderte Bodenstein. »Das tut er doch wohl dauernd, oder?«

»Stimmt. Dauernd.« Pia grinste auch. »Seit gestern Nacht ungefähr fünfzigmal.«

Es dauerte eine gute Stunde und rund zwanzig Telefonate, bis Ivo Percusic auf dem riesigen Gelände des Frankfurter Flughafens ausfindig gemacht worden war und am Informationsschalter in der Ankunftshalle C auftauchte. Er arbeitete bei einer Sicherheitsfirma, die für den Gebäudeschutz zuständig war. Pia schauderte bei seinem Anblick. Durchtrainierte eins fünfundachtzig, militärisch kurzer Haarschnitt, kantige Gesichtszüge – in der schwarzen Uniform des Sicherheitsdienstes sah Ivo Percusic wie ein Mann aus, mit dem man sich besser nicht anlegen sollte.

»Ihre Stieftochter ist verschwunden«, sagte Bodenstein. »Wann haben Sie Svenja das letzte Mal gesehen?«

Diese Nachricht schien Percusic zu beunruhigen.

»Wie – verschwunden?«, fragte er.

»Sie hat ihrer Freundin eine SMS geschrieben, dass sie für eine Weile ›abhauen‹ würde.«

Bodenstein stellte Percusic dieselben Fragen wie zuvor der Mutter des Mädchens, aber im Gegensatz zu ihr wollte Percusic Veränderungen an Svenja bemerkt haben. Sie sei in der letzten Zeit aggressiv gewesen, habe oft in ihrem Zimmer gesessen und geweint. Über den Grund für ihren Kummer habe sie aber nicht mit ihm sprechen wollen. Nein, Svenja und er hätten keine Probleme miteinander gehabt, das Mädchen habe ihn gemocht und respektiert, wie er sie übrigens auch.

»Svenja ist schwanger. Wussten Sie das?«

Der Mann zögerte. Das erste Mal schlich sich ein Ausdruck des Unbehagens in sein bis dahin regloses Gesicht. Er nickte.

»Svenjas Mutter wusste das nicht«, sagte Bodenstein. »Wieso haben Sie es Ihrer Frau nicht erzählt?«

Ivo Percusic zuckte die Schultern.

»Vielleicht deshalb nicht, weil Sie mit Ihrer Stieftochter geschlafen haben?«

»Nein«, erwiderte Percusic. »Das habe ich nicht.«

»Herr Percusic«, Bodensteins Stimme klang eindringlich, »Svenja ist verschwunden, nachdem sie wahrscheinlich Augenzeugin eines Mordes wurde. Außerdem wurde ihr Freund am vergangenen Montag brutal ermordet. Das hier ist keine nette Unterhaltung, verstehen Sie das?«

Der Mann starrte Bodenstein an.

»Jonas ist tot?«, fragte er fassungslos. »Ermordet?«

»Haben Sie Jonas gekannt?«, wollte Pia wissen.

»Ja, klar hab ich das«, Percusic nickte bestürzt.

»Warum haben Sie Ihrer Frau nichts von der Schwangerschaft Ihrer Stieftochter erzählt?«, hakte Bodenstein nach. »Dafür muss es doch einen Grund geben.«

»Svenja wollte das nicht. Ich musste es ihr versprechen«, erwiderte der Mann. Er ballte seine Hände zu Fäusten, kämpfte mit sich. »Letzte Woche ist sie spät nach Hause gekommen, so um vier Uhr morgens. Sie war völlig durcheinander und hat mir erzählt, dass sie einen Unfall mit dem Moped gehabt hätte.«

»Dienstag letzte Woche?«, vergewisserte sich Bodenstein. Percusic nickte.

»Sie hat wie verrückt geheult«, sagte er, »ich konnte sie kaum beruhigen. Dann hat sie gesagt, sie wäre schwanger. Und wüsste nicht von wem.«

»Wer kommt denn als Vater in Frage?«, wollte Pia wissen.

»Das hat sie nicht gesagt«, Percusic machte eine hilflose Bewegung mit beiden Armen. »Sie hat mir gesagt, dass sie keinen Bock auf die Jungs in ihrem Alter hat, eigentlich auch nicht auf Jonas. Und dann hat sie mir erzählt, sie hätte was mit einem verheirateten Mann. Ich hab gedacht, sie lügt.«

Percusic sprach ein gutes Deutsch, er hatte nach zehn Jahren in Deutschland kaum noch einen Akzent.

»Hat Svenja Ihnen erzählt, was Jonas getan hat?«, fragte Pia. »Diese E-Mail, die Fotos auf der Webseite?«

Percusic nickte erneut.

»Was genau hat sie Ihnen erzählt?«

Ivo Percusic überlegte einen Moment, kratzte sich an seinem fast kahlrasierten Schädel.

»Svenja war wütend auf Jonas, weil der irgendwas gemacht hat«, erinnerte er sich. »Es hatte was mit Jos Vater und mit dem Pauly zu tun. Deswegen haben sie Krach gehabt. Sie hat den ganzen Sonntag im Bett gelegen und geheult. Zu mir hat sie gesagt, sie würd sich umbringen, wenn Jo die Wahrheit rauskriegt.«

»Welche Wahrheit?«, fragte Pia.

»Keine Ahnung«, Percusic wich ihrem Blick aus. Er hatte sehr wohl Ahnung. Warum sagte er nicht, was er wusste? Pia reichte ihm das Foto, das Svenja beim Beischlaf mit einem Mann zeigte.

»Erkennen Sie den Mann auf dem Bild?«, fragte sie. Percusic betrachtete es genau, seine Miene verfinsterte sich, aber er schüttelte den Kopf. Er log genauso, wie zwei Stunden zuvor seine Frau gelogen hatte.

»Wo waren Sie am Montagabend zwischen 23:00 und 0:00 Uhr?«, wollte Bodenstein wissen.

»Zu Hause. Alleine. Scheiße, Sie glauben mir nicht.«

»Stimmt«, Bodenstein nickte. »Sie mögen Svenja. Als Sie hörten, was Jonas ihr angetan hat, wurden Sie wütend. Sie wollten ihn zur Rede stellen. Das Gespräch geriet außer Kontrolle, Sie haben Jonas getötet.«

»Nein, verdammt. Das hab ich nicht.«

»Sie wussten von seiner Party. Svenja hat es Ihnen erzählt.«

»Und wenn schon. Ich war da nicht.«

»Wir haben DNA vom Mörder des Jungen. Wenn Sie uns eine Speichelprobe geben und Ihre DNA stimmt nicht mit der überein, die wir gefunden haben, dann sind Sie raus.«

Auf der Fahrt nach Hofheim sprach niemand im Auto ein Wort. Pias Handy piepte, kurz bevor sie die Abfahrt Hofheim-Nord erreicht hatten. Sie öffnete ihr Handy, befürchtete schon, es sei wieder Lukas. Aber die Meldung, die eingegangen war, stammte von Christoph Sander.

Sind Sie noch wach?

Sie tippte eine Antwort ein.

Ja. Muss noch arbeiten. Wieso sind Sie wach?

Keine Minute später piepte es wieder.

Das fragen Sie ernsthaft???

Bodenstein warf Pia einen fragenden Blick zu, aber sie grinste nur und tippte eine Erwiderung.

Nein. Ich denke auch drüber nach, was gewesen wäre, wenn ...

Sie starrte wartend auf ihr Telefon, nachdem sie ihre Antwort abgeschickt hatte.

Wie können wir das herausfinden?, schrieb Sander zurück.

Pias Herz begann zu klopfen.

Indem wir uns treffen und da weitermachen, wo wir unterbrochen wurden ...

Sie hatten das Kommissariat erreicht. Bodenstein fuhr bis an die Eingangstür und stieg aus.

Da ist es jetzt viel zu dunkel. Aber treffen klingt gut. Nur wo?

Widerstrebend stieg Pia aus. Bodenstein ging um sein Auto herum und öffnete die Tür, damit Ivo Percusic aussteigen konnte.

»Komme gleich«, Pia merkte, dass ihre Finger vor Aufregung zitterten.

Schlagen Sie was vor, schrieb sie. Bodenstein und Percusic verschwanden im Gebäude der Polizeiinspektion.

Frühstücken?

Pia überlegte einen Augenblick. Es war zwanzig nach drei. Bis sie mit Ivo Percusic fertig waren, würde es sicher fünf sein.

Klingt gut. Bei mir? Um sechs?

Sie zögerte eine volle Minute, bevor sie die SMS abschickte. Als sie es getan hatte, lehnte sie sich an den Kotflügel von Bodensteins Auto und starrte auf ihr Handy. Sie hatte das Gefühl, als hätte sie zehn Tassen Kaffee getrunken und in eine Steckdose gegriffen. Das Display leuchtete auf, und Pia lächelte.

Ich bringe Brötchen mit. Sie machen Kaffee. Wo wohnen Sie?

Es war Viertel vor sechs, als sich Pia von einem Streifenwagen nach Hause fahren ließ. Ivo Percusic hatte sich widerstandslos Blut abnehmen lassen und eine Speichelprobe abgegeben, aber er war wenig mitteilsam gewesen. Wirklich interessant war allerdings die Tatsache, dass Ivo Percusic bis zu seiner fristlosen Kündigung Anfang April bei Dr. Carsten Bock als Chauffeur und Bodyguard gearbeitet hatte. Und noch interessanter war, dass er Svenjas Mutter bei Bocks kennengelernt hatte, denn sie war viele Jahre die Haushälterin im Bock'schen Schloss gewesen. Der Streifenwagen bremste vor dem grünen

Tor des Birkenhofs, Pia bedankte sich bei den uniformierten Kollegen und stieg aus. In den hohen Pappeln gaben die Vögel ihr Morgenkonzert und begrüßten den heraufdämmernden Morgen. Pia schloss das Tor auf und ließ es offen stehen, denn die Klingel war kaputt. Die beiden Stuten blickten über die Halbtüren der Boxen und wieherten ihr erfreut und hoffnungsvoll entgegen. Sie schüttete ihnen Futter in die Tröge und verteilte einen halben Ballen Heu, bevor sie zum Haus ging. Gleich würde Christoph Sander kommen! Er hatte die ganze Nacht nicht schlafen können – ihretwegen! Pia zitterte vor Aufregung, als sie die Haustür aufschloss. Sie kontrollierte im Vorbeigehen die Sicherungen, sie waren noch alle drin. Plötzlich erstarrte sie. Die Wohnzimmertür stand weit offen! Ein heftiger Adrenalinstoß fuhr durch ihren ganzen Körper und ließ sie erzittern. Im Reflex griff sie nach ihrer Waffe und stellte fest, dass sie nicht da war. Natürlich, sie hatte sie gestern zu ihrer Verabredung mit Sander nicht mitgenommen, und als sie ihr Auto abgestellt hatte, um mit Bodenstein zum Flughafen zu fahren, war sie nicht mehr im Haus gewesen. Pia hörte ihren Herzschlag überlaut in den Ohren, als sie wie eine Einbrecherin auf Zehenspitzen durch ihr eigenes Haus schlich. Es war niemand da, alles sah unberührt aus. Erleichtert schloss sie die Wohnzimmertür und ging ins Schlafzimmer. Sie öffnete den Kleiderschrank und schaute nach ihrer Dienstwaffe, die sie gestern Abend wie üblich in die Schublade mit der Unterwäsche gelegt hatte. Ihre Knie wurden vor Erleichterung weich, als ihre Finger den Lauf der SigSauer P6 berührten.

»Gott sei Dank«, murmelte sie und lehnte sich gegen den Schrank. Ihr Blick fiel auf den Tisch neben ihrem Bett, und sie zuckte zusammen. Sie stand stocksteif da, spürte das Prickeln echter Panik wie einen eisigen Schauer im Nacken. Auf dem Tisch stand eine Vase mit einem Strauß blutroter Rosen. Und die hatte sie selbst dort nicht hingestellt.

Pia flüchtete aus dem Haus in die Box von Gretna und Neuville und kauerte am ganzen Körper zitternd in einer Ecke. Niemand wusste etwas von den roten Rosen, niemand, außer diesem Kerl, der sie damals monatelang verfolgt und schließlich vergewaltigt hatte. Sie hatte mit keiner Menschenseele darüber gesprochen, abgesehen von den Polizisten damals, und so war es ihr im Laufe der Jahre gelungen, die schrecklichen Erlebnisse zu verdrängen. Die Tränen ballten sich in ihrer Kehle zu einem Knoten zusammen, ihr ganzer Körper schmerzte vor Angst. In ihrer Abwesenheit war jemand in ihr Haus eingedrungen und hatte die Blumen neben ihr Bett gestellt, jemand, der genau wusste, was es mit den roten Rosen auf sich hatte! Sie konnte nicht länger alleine auf dem Hof leben. Nur der Gedanke daran, dass jemand in ihrem Haus, in ihrem Schlafzimmer gewesen war, erfüllte sie mit abgrundtiefem Entsetzen. Mit einer Hand wehrte sie das neugierige Fohlen ab, das versuchte, ihre Haare anzuknabbern. Der Traum vom Leben unter einem Dach mit ihren Tieren war ausgeträumt. Schon heute Abend würde sie sich ein Hotelzimmer nehmen und gleich am Montagmorgen einen Makler mit dem Verkauf des Hofes beauftragen. Keine Sekunde länger würde sie hier bleiben!

»Hallo?«

Die Silhouette eines Mannes erschien in der Tür der Box. Sein Anblick jagte Pias Adrenalinspiegel in Bruchteilen von Sekunden erneut in schwindelnde Höhen. Sie zuckte hoch, Neuville und Gretna machten einen erschrockenen Satz.

»Ist alles in Ordnung?«, sagte Dr. Christoph Sander besorgt. »Die Haustür stand offen, und da habe ich …«

Er brach ab und hob die Hände.

»Ich ergebe mich«, er wich einen Schritt zurück. Erst da bemerkte Pia, dass sie die Waffe auf ihn gerichtet hatte, und brach in Tränen aus.

»Oliver?«

Bodenstein fuhr herum und sah Cosima mit verschlafenem Gesicht in der Tür stehen.

»Ich wollte dich nicht wecken.«

»Hast du nicht. Ich war schon wach.«

Cosima trug nur ein T-Shirt, das Haar fiel ihr wirr ins Gesicht, und als sie sich nun gähnend an den Küchentisch setzte, sah sie ihrer Tochter so ähnlich wie eine ältere Schwester.

»Hast du heute Nacht überhaupt geschlafen?«, fragte sie.

»Nein«, erwiderte er, »tue ich dir leid?«

»Schrecklich«, sie lächelte. »Was hältst du davon, wenn wir noch mal ins Bett gehen? Du erzählst mir von deinem Fall, und ich erzähle dir auch etwas.«

»Gute Idee«, Bodenstein nickte und gähnte. »Ich bin nämlich dabei, den Überblick zu verlieren. Jede Spur sieht zuerst verheißungsvoll aus und endet dann im Nichts. Auf jeden Fall stehen beide Morde irgendwie miteinander im Zusammenhang.«

Er warf Cosima einen raschen Blick zu und bemerkte erleichtert und erfreut, dass sie ihm aufmerksam und interessiert zuhörte. In den vergangenen Wochen hatte er den Gedankenaustausch mit ihr vermisst. Um sie in ihrem angeschlagenen Zustand nicht noch zusätzlich zu belasten, hatte er ihr wenig von den beiden Fällen erzählt, aber heute Morgen schien sie ihm wieder ganz die alte Cosima zu sein, von Nervosität und Blässe war nichts mehr zu bemerken. Sie gingen nach oben. In dem Moment, als Bodenstein Schuhe, Anzug und Krawatte ausgezogen hatte, verbanden sich plötzlich und unvermittelt die Gedankenfetzen, die in einem wilden Durcheinander in seinem Kopf herumgewirbelt waren. Auf einmal erkannte er die Zusammenhänge glasklar, die er vorher nicht begriffen hatte.

»Jonas' Vater«, sagte er laut.

»Jonas' Vater?«, fragte Cosima vorsichtig nach. »Was ist mit ihm?«

Ivo Percusic und seine Frau hatten beide den Mann auf dem Foto sofort erkannt. Was, wenn Svenjas Behauptung, sie habe ein Verhältnis mit einem verheirateten Mann, gar nicht gelogen war? Auch wenn Bodenstein Bock nicht besonders sympathisch fand, so war es möglich, dass er in Lebensgefahr war. Percusic hatte Gründe genug, Hass auf die Familie Bock zu haben.

»Ich muss noch mal los«, er zog sich eilig wieder an und griff nach seinem Handy. »Wolltest du mir nicht etwas erzählen?«

»Nicht so zwischen Tür und Angel«, Cosima schlüpfte unter die Bettdecke. »Das hat Zeit, bis du wieder da bist.«

»Okay«, Bodenstein war in Gedanken schon wieder ganz woanders und lächelte nur zerstreut, während er vergeblich versuchte, Pia Kirchhoff auf dem Handy zu erreichen.

Im Dunkel der Pferdebox berichtete Pia Christoph Sander mit zittriger Stimme und von hysterischen Schluchzern unterbrochen, was geschehen war. Er hatte sich neben sie ins Stroh gesetzt, sie tröstend in die Arme genommen, und Pia hatte vor lauter Erleichterung angefangen zu weinen.

»Ich glaube, meine Nerven sind nicht mehr die besten«, gestand sie, nachdem sie sich etwas beruhigt hatte. »Erst die offenen Türen und jetzt dieser Blumenstrauß.«

Sander musterte sie mit besorgter Miene.

»Wer hat denn einen Schlüssel für das Tor?«, fragte er.

»Die Nachbarin, mein Noch-Ehemann, meine Eltern und ich«, Pia wischte sich mit dem Handrücken die Tränen ab. »Aber von denen würde niemand so etwas machen. Vor allen Dingen das mit den roten Rosen, das weiß ja niemand ...«

Sie brach ab und schüttelte stumm den Kopf.

»Was hat es mit diesen Rosen denn auf sich?«, fragte Sander leise.

Pia verspürte in einer plötzlichen Anwandlung das starke Bedürfnis, ihm alles zu erzählen, was seit so vielen Jahren auf ihrer Seele lastete. Sie kannte ihn zwar kaum, trotzdem glaubte sie, ihm vertrauen zu können.

»Es ist schon ziemlich lange her«, begann sie nach kurzem Zögern stockend. »Ich war im Sommer nach dem Abitur mit Freunden in Frankreich. Da habe ich jemanden kennengelernt, einen Studenten aus Frankfurt. Für mich war es nur ein Flirt, aber für ihn war es mehr. Er fing an, mich zu verfolgen. Über Wochen und Monate hinweg hat er mich belästigt, mir aufgelauert und mich bedroht. Dreimal ist er heimlich in meiner Wohnung gewesen und hat mir immer einen Strauß roter Rosen neben das Bett gestellt.«

Die Erinnerung an diese grauenhafte Zeit ließ sie schaudern.

»Ich wusste mir nicht mehr zu helfen und habe Anzeige gegen ihn erstattet und der Polizei die Briefe gezeigt, die er mir geschrieben hat. Aber sie haben gesagt, sie könnten erst dann etwas tun, wenn etwas passiert sei«, Pia schluchzte auf. »Von einem Tag auf den anderen hörte der Kerl dann auf, mich zu verfolgen. Ich dachte schon, es wäre vorbei, aber da kam er in meine Wohnung und hat mich … vergewaltigt und beinahe erwürgt.«

»O Gott«, Sander hielt sie ganz fest in seinen Armen. »Das ist ja entsetzlich.«

»Ich habe nie mit jemandem darüber gesprochen, nicht einmal mit meinem Mann«, sagte Pia. Ihr war ganz flau, teils vor Erleichterung, weil sie endlich, endlich diese Geschichte jemandem erzählt hatte, teils vor Sorge, Sander wäre von diesem Schatten aus ihrer Vergangenheit abgestoßen.

»Manchmal tut es gut, zu reden«, sagte er leise. Sie sahen sich an.

»Ich habe mir unser Frühstück eigentlich anders vorgestellt«, flüsterte Pia. »Es tut mir leid, dass ich so …«

»Nein, nein«, unterbrach er sie rasch, »es muss Ihnen gar nichts leidtun. Das ist schon in Ordnung. Aber Sie sollten wirklich etwas unternehmen. Können Sie nicht von Ihren Kollegen Polizeischutz bekommen?«

»Dann müsste ich ja über alles reden.«

»Das würde ich an Ihrer Stelle auch tun«, sagte Christoph Sander ernst. »Es nützt nichts, wenn man so etwas einfach totschweigt. Dann wird alles immer größer und schlimmer. Es ist viel besser, darüber zu sprechen. So viel wie möglich.«

Allein der Gedanke daran verursachte Pia Unbehagen. Jeder würde von ihrer Schwäche erfahren, von ihrer Angst und davon, dass sie gedemütigt, erniedrigt wurde und beinahe getötet worden wäre. Einen Moment war es ganz still. Christoph Sander zog sie enger an sich und streichelte zärtlich ihr Gesicht. Pia spürte, dass sein Herz nicht weniger heftig klopfte als ihres.

»Wir haben einen Zuhörer«, flüsterte er auf einmal. Pia hob den Kopf und sah das Fohlen, das sie mit drollig schiefgelegtem Kopf neugierig betrachtete. Da musste sie lachen. Sander lachte auch. Er stand auf, hielt ihr die Hand hin und zog sie hoch. Sie sahen sich an und wurden wieder ernst.

»Komm«, sagte er und ergriff ihre Hand, »jetzt werfen wir erst mal diese Rosen in den Müll.«

Das Tor von Bocks Grundstück stand sperrangelweit offen. Bodenstein fuhr hindurch und erblickte einen weißen Nissan Micra vor der Haustür der Villa. Das war das Auto, mit dem Anita Percusic vor ungefähr zwei Stunden ihren Mann auf dem Kommissariat abgeholt hatte. Ganz offensichtlich hatte er mit seiner Eingebung recht behalten. Hoffentlich kam er nicht zu spät! Er griff zum Funkgerät und forderte Verstärkung an, dann nahm er seine Waffe aus dem Handschuhfach, stieg aus und ging zur Haustür. Die Tür stand offen. Bodenstein befürchtete, dass Percusic bewaffnet und zu allem bereit war. Er entsicherte seine Waffe und betrat die große Eingangshalle. Auf der Freitreppe zum ersten Stock näherten sich rasche, schleichende Schritte.

»Benjamin!«, rief Bodenstein leise, als er den jüngeren Bruder von Jonas auf dem Treppenabsatz erkannte. Der Junge erstarrte und blieb stehen. Bodenstein ließ die Waffe sinken und bedeutete ihm mit einer Geste, näher zu kommen. Der Junge zögerte. Er blickte sich ängstlich um und huschte quer durch die Halle.

»Was ist hier los«, flüsterte Bodenstein, »wo sind deine Eltern?«

»Ich ... ich w... weiß nicht«, der Junge stotterte vor Angst und Aufregung. »Ich glaube, sie sind in der Bibliothek.«

»Ist Ivo alleine hier, oder ist jemand bei ihm?«, fragte Bodenstein.

»Alleine«, Benjamin war schneeweiß im Gesicht und zitterte am ganzen Leib. »Er hat gesagt, Papa hätte Jonas umgebracht.«

Bodenstein wusste, dass er keine Zeit mehr zu verlieren hatte.

»Du gehst jetzt hinaus«, er legte dem Jungen die Hand auf die Schulter und beugte sich zu ihm hinunter. »Da steht mein Auto, ein BMW. Du steigst ein und bleibst dort sitzen, bis ich zurückkomme. In Ordnung?«

Benjamin nickte mit angstvoll aufgerissenen Augen und verschwand durch die offene Haustür. Bodenstein hatte keine Ahnung, was ihn in der Bibliothek erwartete, aber er konnte nicht einfach vor der Tür stehen bleiben und auf seine Kollegen warten. Er holte tief Luft und riss die Tür auf. Seinen Augen bot sich eine erstaunliche Szenerie: Dr. Carsten Bock saß auf einem Stuhl, nur mit einem T-Shirt und einer Boxershorts bekleidet, hinter ihm stand seine Frau und hielt eine Waffe an seinen Hinterkopf. Ivo Percusic stand mit verschränkten Armen vor ihm. Frau Bock sah sich selbst nicht mehr ähnlich. Die gepflegte, beherrschte Hausherrin mit Perlenkette und Dauerlächeln hatte sich mit dem Tod ihres ältesten Sohnes in Luft aufgelöst, an ihre Stelle war eine verhärmte, blasse Frau getreten, die eine entsicherte .38er an den Kopf ihres Mannes hielt, bereit, jederzeit abzudrücken. Bodenstein erinnerte sich daran, wie Frau Bock ihren Mann weggestoßen hatte, bevor sie schreiend zusammengebrochen war. *Fass mich nicht an,* hatte sie gebrüllt. Hinter der prachtvollen Fassade des Schlosses war schon lange nichts mehr so gewesen, wie es nach außen hin den Anschein machte.

»Frau Bock«, sagte Bodenstein mit ruhiger Stimme, »legen Sie die Waffe weg.«

»Nein«, antwortete die Frau ohne auch nur aufzublicken, »ich denke nicht dran. Ich will jetzt endlich die Wahrheit wissen. Dieser Kerl hat mich lange genug belogen und betrogen.«

»Seien Sie vernünftig«, Bodenstein erkannte, dass Frau Bock zu allem entschlossen war. »Denken Sie an Benjamin. Er braucht Sie, wenn Ihr Mann erst im Gefängnis sitzt.«

»Im Gefängnis?« In den Augen von Frau Bock flackerte es, sie blickte zu Percusic hinüber. Carsten Bock sagte gar nichts. Er starrte geradeaus an die Wand, seine Augen waren ausdruckslos.

»Ja, im Gefängnis«, bestätigte Bodenstein. »Wir haben genug Beweise gegen ihn gesammelt. Er wird sich vor Gericht wegen Bestechung und Nötigung verantworten müssen.«

»Pah«, Frau Bock drückte die Mündung des Revolvers wieder gegen den Hinterkopf ihres Mannes, »da kommt er mit Hilfe seiner Anwälte und einer Kautionszahlung schnell wieder raus. Wussten Sie, dass er die Freundin seines Sohnes geschwängert hat?«

Ihre Stimme wurde schrill.

»Als Jonas das erfahren hat, musste er sterben!«

»Falls es wirklich so war, dann wird sich Ihr Mann auch dafür verantworten müssen«, sagte Bodenstein. »Aber wenn Sie ihn jetzt erschießen, kommen Sie auch ins Gefängnis.«

»Das ist mir scheißegal«, die Frau lachte rau. »Ich habe mir schon so oft gewünscht, dass dieses Schwein tot ist! Sie haben ja keine Ahnung, was er mir, meinem Vater und unseren Söhnen angetan hat!«

»Gerlinde, bitte nimm die Waffe runter«, sagte Bock nun mit mühsam beherrschter Stimme. »Ich erkläre dir alles. Ich habe nichts ...«

»Du hältst dein Maul«, unterbrach seine Frau ihn grob und versetzte ihm einen Schlag mit der Waffe auf den Kopf. »Du hast mich lange genug für blöd gehalten.«

›Deeskalation‹, dachte Bodenstein. Aber wie konnte er Frau Bock davon überzeugen, ihm die Waffe auszuhändigen? Reden. Sie musste immer weiter reden. Die Frau war keine eiskalte Killerin. Hätte sie ihren Mann wirklich erschießen wollen, dann hätte sie das sofort und ohne zu zögern getan. Je mehr sie redete, umso größer war die Chance auf eine Gelegenheit, ihr die Waffe abnehmen zu können. Bodenstein blickte auf und begegnete dem Blick von Ivo Percusic. Er signalisierte Svenjas Stiefvater mit den Augen, bloß den Mund zu halten.

»Meinen Vater hast du ins offene Messer laufen lassen«, fuhr Frau Bock unterdessen fort und unterstrich jedes Wort mit einem Stoß der Revolvermündung gegen den Kopf ihres

Gatten. »Am ausgestreckten Arm wolltest du mich verhungern lassen! Du hast wohl gedacht, ich wüsste nicht, wie du wirklich bist, du Dreckschwein! Aber jetzt bist du zu weit gegangen. Du hast meinen Sohn umgebracht, weil du Angst hattest, dass er dir Schwierigkeiten macht. Sag es schon! Gib es zu!«

Dr. Carsten Bock verzog sein hageres Gesicht zu einer unwilligen Grimasse. Er machte nicht den Eindruck, als würde er vor Angst zittern.

»Ich gebe zu, dass ich mit diesem Mädchen eine Affäre hatte«, sagte er mit heiserer Stimme. »Aber mit Jonas' Tod habe ich nichts zu tun.«

»Ich glaube dir kein Wort«, Gerlinde Bock lächelte hasserfüllt, ihre Augen glänzten wie im Fieber, aber die Hände, die die Waffe hielten, zitterten nicht. »Du warst an dem Abend nicht in München, das weiß ich genau!«

»Frau Bock, geben Sie mir die Waffe. Bitte«, Bodenstein streckte bittend die Hand aus. »Alles, was Sie jetzt von Ihrem Mann bekommen, ist ein erzwungenes Geständnis, das vor einem Gericht keinerlei Bedeutung haben wird. Lassen Sie mich mit ihm sprechen.«

Ihre Augenlider flatterten, sie zögerte.

»Du hörst doch, was er sagt«, Bock richtete sich auf und machte einen verhängnisvollen Fehler, indem er den Hass seiner gedemütigten Ehefrau unterschätzte. »Tu jetzt endlich den verdammten Revolver runter, du blöde Kuh!«

Ein Zug der Entschlossenheit zuckte um ihren Mund, dann drückte sie ab. Bodenstein reagierte im Bruchteil einer Sekunde. Er versetzte ihrem Arm einen Stoß, der Schuss krachte ohrenbetäubend laut, aber die Kugel traf statt des Hinterkopfes von Bock nur ein Bücherregal. Gerlinde Bock taumelte vom unerwarteten Rückstoß der Waffe, und Bodenstein gelang es, ihr den Revolver abzunehmen. Da begann die Frau hysterisch zu kreischen, sie fiel auf die Knie und trommelte mit beiden Fäusten auf den Boden. Gleichzeitig stürmten die Polizisten, die Bodenstein angefordert hatte, in die Bibliothek. Bock und Percusic ließen sich widerstandslos abführen, Frau Bock beruhigte sich erst, als ihr Mann verschwunden war. Bodenstein ging neben ihr in die Knie und legte seine Hand auf ihre knochige Schulter.

»Warum haben Sie das getan«, flüsterte sie unter Tränen, »warum haben Sie mich daran gehindert, dieses Schwein zu erschießen?«

»Seien Sie froh, dass ich Sie daran gehindert habe«, erwiderte Bodenstein, »Ihr Sohn Benjamin braucht Sie. Ihr Mann wird nämlich eine ganze Weile im Gefängnis sitzen.«

Bodenstein trank die sechste oder siebente Tasse Kaffee, als Pia sein Büro betrat. Sie sah blass und mitgenommen aus, nicht viel besser als er selbst.

»Es tut mir leid«, wiederholte sie das, was sie vorhin am Telefon schon zu ihm gesagt hatte. »Ich hatte das Handy im Auto liegen lassen.«

»Schon okay«, Bodenstein stieß einen Seufzer aus.

»Hat Bock etwas über Svenja gesagt?«, fragte Pia.

»Er hatte wirklich ein Verhältnis mit ihr, aber er weiß angeblich nicht, wo sie jetzt ist. Dass er etwas mit der Ermordung seines Sohnes zu tun hat, streitet er ab. Die Kollegen vom K30 sind auf dem Weg hierher. Sie werden heute alle verhaften, die sich von Bock haben korrumpieren lassen.«

»Und wo ist Frau Bock?«

»In der Psychiatrie in Höchst«, Bodenstein nippte an seinem Kaffee und verzog das Gesicht. »Mein Gott, das war knapp. Um ein Haar hätte sie ihren Mann erschossen.«

»Wie ist es überhaupt so weit gekommen?«

»Percusic hatte Bock auf dem Foto mit Svenja erkannt«,

sagte er. »Er wollte seinen früheren Chef deswegen zur Rede stellen. Die ganze Sache ist eskaliert, als Frau Bock hörte, wie Percusic ihrem Mann vorwarf, er habe Jonas getötet, weil der von seinem Verhältnis mit Svenja erfahren hatte.«

»War es denn so?«

»Die Ähnlichkeit der DNA, die wir bei Jonas gefunden haben, spricht tatsächlich dafür, dass es ein enger Blutsverwandter getan hat. Aber Bock behauptet, er sei am Montagabend in München gewesen.«

»Wie sind Sie überhaupt darauf gekommen, dass Percusic zu Bock gefahren sein könnte?«, wollte Pia wissen.

»Intuition«, Bodenstein brachte ein schwaches Lächeln zustande, »Gott sei Dank ist die mir noch nicht ganz abhandengekommen.«

Als er nach Hause kam, saß Cosima in der Küche am Tisch und schrieb einen Einkaufszettel.

»Und?«, fragte sie neugierig.

»Frag nicht«, Bodenstein ging zum Kühlschrank und nahm sich einen Joghurt, »ich hatte den 7. Sinn.«

Er erzählte ihr eine kurze Version der Ereignisse vom Morgen.

»Gut, dass ich nicht weiß, was du so alles erlebst«, sagte Cosima. »Ich hätte wohl keine ruhige Minute mehr.«

»Ich bin selbst noch ganz zittrig«, gab Bodenstein zu. »Vielleicht habe ich aber auch nur zu wenig geschlafen und zu viel Kaffee getrunken.«

»Musst du noch mal weg?«

»Später«, er holte sich einen Löffel aus der Schublade und öffnete den Joghurt.

»Ich werde übrigens die Neuguinea-Expedition im Herbst absagen«, sagte Cosima beiläufig und schrieb weiter an ihrem Einkaufszettel. Bodenstein hielt beim Joghurtessen inne.

»Wieso denn das? Sag bloß, du wirst allmählich vernünftig.«

»Na ja«, Cosima sah ihn an und lächelte. »Ob das so vernünftig ist, wozu ich mich stattdessen entschlossen habe, ist fraglich.«

»Jetzt bin ich aber mal gespannt.«

»Ich habe es vor einer Woche erfahren«, sagte Cosima. »Zuerst war ich einfach schockiert. Irgendwie war ich gedanklich schon im Oma-Fach, und dann das ...«

Bodenstein sah seine Frau verständnislos an.

»Ich habe erst geglaubt, ich wäre krank, weil ich damit überhaupt nicht gerechnet hätte«, Cosima wurde ernst. »Mit fünfundvierzig bin ich zwar nicht wirklich alt, aber mit der Vorstellung, noch mal mit Windeln und Stillen und all dem anfangen zu müssen, musste ich mich erst mal anfreunden.«

Allmählich begann Bodenstein zu begreifen.

»Nein«, sagte er ungläubig, »das ist nicht wahr, oder?«

»Doch«, sie nickte, »wir kriegen ein Kind.«

Bodenstein starrte sie sprachlos an. Dann begann er zu grinsen. Wenn er alles erwartet hätte, das nicht.

»Und deshalb lässt du Neuguinea ausfallen?«

»Hältst du mich deswegen für ein Weichei?« Cosima lächelte.

»Na ja, du scheinst im Alter etwas zimperlich zu werden«, entgegnete er, aber dann ging er zu ihr, zog sie in seine Arme und hielt sie fest an sich gedrückt. Cosima schlang ihre Arme um seinen Hals.

»Es tut mir leid, dass ich es dir nicht eher gesagt habe«, flüsterte sie, »aber ich musste erst mal selbst damit fertig werden. Ist es wirklich okay für dich? Noch mal das ganze Programm?«

»Ich bin ... begeistert«, Bodenstein spürte, wie ihm vor

Glück die Tränen in die Augen stiegen. »Ach, Cosi, ich kann es gar nicht glauben, das ist großartig, wirklich!«

Sie sahen sich an und lächelten.

»Wer hätte das gedacht«, sagte Bodenstein leise. Er berührte ihre Wange, dann küsste er sie, erst zärtlich, dann mit wachsender Leidenschaft.

»Was ist denn in euch gefahren?«, ertönte hinter ihnen Rosalies Stimme. Sie unterbrachen ihren Kuss, sahen sich an und kicherten wie zwei Frischverliebte.

»Sollen wir es ihr sagen?«, fragte Bodenstein. Cosima nickte.

»Was sagen?« Rosalie blickte ihre Eltern misstrauisch an.

»Sag du's ihr«, forderte Bodenstein seine Frau auf. Cosima ließ ihn los, ging zu ihrer Tochter und umarmte sie.

»Stell dir vor, Rosi: Ich bin schwanger. Wir bekommen im Dezember ein Baby«, verkündete sie. Unsanft befreite Rosalie sich aus den Armen der Mutter.

»Wie bitte?« Sie war fassungslos und sah erst ihre Mutter, dann ihren Vater mit einem beinahe entsetzten Gesichtsausdruck an. »Das gibt's doch wohl nicht! Ist ja mega-peinlich!«

»Wieso?«, fragte Bodenstein. »Was ist denn daran peinlich?«

»Wisst ihr, wie alt ihr seid?«, erwiderte Rosalie vorwurfsvoll.

»Was meinst du damit?« Cosima grinste belustigt. »Zu alt zum Kinderkriegen oder zum Kindermachen?«

Das verschlug Rosalie die Sprache.

»Ich fasse es nicht«, stieß sie hervor und verschwand. Bodenstein grinste. Junge Menschen waren erstaunlich prüde und verdrängten zu gerne den Gedanken daran, dass ihre Eltern ebenso liebten und miteinander schliefen, wie sie selbst es taten. Er erinnerte sich daran, wie er mit etwa zwölf Jahren seine Eltern mal ›dabei‹ überrascht hatte. Wochenlang hatte er sie nicht ansehen können, ohne sich insgeheim für sie zu schämen.

»Jetzt sind wir bei ihr unten durch«, sagte er und ergriff Cosimas Hand. »Was hältst du davon, wenn wir ins Bett gehen und die Tür abschließen?«

»Und dann?« Cosima legte den Kopf schief und grinste.

»Das zeige ich dir dann schon«, erwiderte Bodenstein.

Die Vermisstenmeldung nach Svenja Sievers ging am Nachmittag und Abend durch Radio und Fernsehen. Eine Ortung ihres Handys war ergebnislos verlaufen; dem Bewegungsprofil zufolge war das Mobiltelefon zuletzt am Freitag um 20:07 Uhr in Bad Soden eingeschaltet worden, also ungefähr zu dem Zeitpunkt, als Svenja die SMS an Antonia Sander geschickt hatte. Seitdem war es ausgeschaltet. Es gab einige Hinweise aus der Bevölkerung, die sich aber bei genauerer Überprüfung als falsch herausstellten. Sämtliche Ermittlungen in beiden Mordfällen hatten die Beamten des K11 in eine Sackgasse geführt. Als Bodenstein bester Laune ins Kommissariat zurückkehrte, traf er seine Mitarbeiter in einem Zustand missmutiger Lethargie an. Die ausbleibenden Erfolge hatten eine demoralisierende Wirkung auf das ganze Team, die drückende Bruthitze in den unklimatisierten Büros ließ die Stimmung gegen den Nullpunkt sinken.

»Gibt es etwas Neues?«, fragte Bodenstein, obwohl er wusste, dass er sich die Frage hätte sparen können.

»Vorhin hat eine Andrea Aumüller angerufen«, sagte Kathrin Fachinger. »Sie gehört zu der Grünzeug-Clique und wollte mit Ihnen sprechen.«

»Ich rufe sie an«, sagte Bodenstein. »Geben Sie mir die Nummer.«

Er wollte seine Mitarbeiter gerade nach Hause schicken,

als Ostermann einen Laborbericht vom LKA aus dem Faxgerät zog.

»Wir haben etwas!«, verkündete er, nachdem er den Bericht überflogen hatte. »Die Leiche von Pauly hat tatsächlich auf der Ladefläche des Pick-ups vom Opel-Zoo gelegen.«

Bodensteins Blick begegnete kurz dem von Pia Kirchhoff.

»Die KTU hat Haare, Blut und Hautpartikel von Pauly an der Palette und an der Innenseite der Ladefläche gefunden, außerdem stimmt das Holz von der Palette mit den Splittern überein, die bei der Obduktion gefunden wurden«, berichtete Ostermann. »Es gab jede Menge Spuren von grobkörnigem Kochsalz, wie es zur Herstellung von Salzlecksteinen benutzt wird. Und es wurden Lackspuren von Paulys Fahrrad an der hinteren Verladeklappe festgestellt. Es ist absolut eindeutig.«

Für einen Moment war es ganz still. Dann räusperte Bodenstein sich.

»Frau Kirchhoff«, sagte er, »geben Sie mir die Nummer von Dr. Sander. Frank, Sie überprüfen Sanders Alibi. Stellen Sie fest, ob er wirklich mit der Maschine gekommen ist, die er uns genannt hat.«

»Ich könnte ...«, begann Pia, doch Bodenstein brachte sie mit einer Handbewegung zum Schweigen.

»Nein«, sagte er, »das mache ich. Sie fahren nach Hause.«

Pia seufzte und nickte. Bodenstein hielt sie für nicht mehr objektiv, was Sander betraf, deshalb schloss er sie von den Ermittlungen aus, und vielleicht hatte er ja recht. Sie schrieb ihrem Chef die Handynummer von Sander auf und reichte ihm den Zettel.

»Ich fahre dann jetzt«, sagte sie und ergriff ihre Tasche.

»Moment«, hielt Bodenstein sie zurück und musterte sie eindringlich. »Tun Sie jetzt bitte nichts Unbedachtes.«

Das klang wie eine Warnung.

»Wie meinen Sie das?«, fragte Pia.

»Halten Sie sich aus den Ermittlungen gegen Sander heraus. Und damit meine ich, Sie sollten ihn jetzt weder anrufen noch eine SMS schreiben.«

»Sie glauben doch wohl nicht im Ernst, dass er etwas mit dem Mord an Pauly zu tun hat?«

Bodenstein zögerte kurz.

»Er hatte ein Motiv und die Mittel«, erwiderte er, »ob er auch die Gelegenheit hatte, werde ich herausfinden.«

Dr. Christoph Sander erschien nur eine halbe Stunde, nachdem Bodenstein ihn erreicht hatte, auf dem Kommissariat in Hofheim. Er verlor kein Wort darüber, dass ihm die Unterbrechung seiner Arbeit an einem sonnigen Samstagnachmittag, an dem im Opel-Zoo Hochbetrieb herrschte, ausgesprochen ungelegen kam. Bodenstein führte ihn in sein Büro, bot ihm einen Kaffee an, den er dankend ablehnte, und präsentierte ihm die Fakten, die das Labor geliefert hatte.

»Der Mörder von Pauly steht in irgendeiner Verbindung zum Zoo«, sagte Bodenstein abschließend. »Er muss die Möglichkeit gehabt haben, das Auto zu benutzen. Auf jeden Fall sind Sie und Ihre Mitarbeiter nun in den Fokus unserer Ermittlungen geraten.«

»Alle meine Mitarbeiter haben Pauly gekannt, er hat ja oft genug Ärger gemacht«, Sander verschränkte die Arme vor der Brust, »aber dass jemand von ihnen so weit gehen würde, ihn zu töten und seine Leiche ausgerechnet auf die Wiese über dem Zoo zu legen, kann ich mir nicht vorstellen.«

»Was ist mit Ihnen? Sie sind nicht mit dem Flug aus London gekommen, den Sie uns genannt haben. Ihr Name taucht allerdings auf der Passagierliste eines Fluges auf, der schon um Viertel nach acht gelandet ist. Welche Erklärung haben Sie dafür?«

Sander musterte Bodenstein unverwandt aus wachsamen, dunklen Augen.

»Ich war auf den frühen Flug gebucht«, sagte er. »Ich hatte auch schon telefonisch eingecheckt, aber auf dem Weg nach Heathrow hatte es einen Unfall gegeben, ich stand mit dem Taxi im Stau. Als ich am Flughafen ankam, war die Maschine weg, deshalb habe ich die nächste genommen.«

Das klang glaubhaft, konnte aber genauso gut erfunden sein.

»Ich will ganz offen sein«, gab Bodenstein zu. »Im Augenblick spricht jede Menge gegen Sie. Motiv, Mittel, Gelegenheit – alles passt. Dazu könnte man Ihr freundschaftliches Verhältnis zu Frau Kirchhoff als Versuch betrachten, sie zu Ihren Gunsten zu beeinflussen.«

Sander zuckte mit keiner Wimper, seine Miene blieb ausdruckslos.

»Gegen Sie als Täter«, fuhr Bodenstein fort, »sprechen für mich der Fundort der Leiche und die Tatsache, dass wir überhaupt Spuren auf der Ladefläche des Pick-ups gefunden haben. Ich nehme an, dass Sie, wenn Sie Paulys Leiche tatsächlich irgendwo abgelegt hätten, einen anderen Ort als die Wiese am Zoo gewählt hätten. Außerdem hätten Sie die Palette entsorgen und das Fahrzeug gründlich reinigen können.«

Sander hob nur die Augenbrauen und schwieg. Bodenstein lehnte sich in seinem Schreibtischsessel zurück und betrachtete sein Gegenüber eingehend.

»Decken Sie jemanden?«, fragte er. Auf diesen Gedanken schien Sander überhaupt nicht gekommen zu sein.

»Nein«, er schüttelte überrascht den Kopf, »wieso sollte ich das tun und mich selbst dabei verdächtig machen?«

»Aus Sympathie zum Beispiel …«

»Sicher nicht. Ich verstehe mich mit allen meinen Mitarbeitern gut, aber so weit würde ich niemals gehen.«

»Auch nicht für einen Freund Ihrer Familie und Sohn eines Stiftungsratmitgliedes?«, forschte Bodenstein.

»Sie sprechen von Lukas«, Sander runzelte die Augenbrauen und sann einen Augenblick über diese Möglichkeit nach, verwarf sie aber augenblicklich. »Der Junge hätte doch überhaupt keinen Grund gehabt, Pauly umzubringen. Er mochte ihn.«

»Wie gut kennen Sie den Jungen?«, wollte Bodenstein wissen.

»Ziemlich gut«, erwiderte Sander, »und ziemlich lange.«

»Sehen Sie, ich kenne Lukas nicht besonders gut«, Bodenstein lehnte sich zurück und versuchte den Mann, der ihm gegenübersaß, einzuschätzen. »Aber im Gegensatz zu den meisten anderen Menschen ist er mir nicht besonders sympathisch. Er ist zu nett. Das kann täuschen.«

»Wie meinen Sie das?« Sander richtete sich auf.

»Lukas sieht gut aus, er ist intelligent und beliebt. Nicht einer von den vielen Leuten, die wir im Laufe der letzten Tage verhört haben, hat seinen Namen auch nur mit einem Wort erwähnt.«

»Wieso auch? Was soll er mit den Morden an Pauly oder an Jonas zu tun haben? Beide waren seine engen Freunde.«

»Es ist eine Angewohnheit von mir, Menschen zu misstrauen, denen andere Menschen überhaupt nicht misstrauen«, Bodenstein lächelte. »Meine Kollegin Frau Kirchhoff ist von Lukas ganz angetan. Ich habe den Eindruck, dass sie nicht mehr ganz neutral ist, was den Jungen betrifft.«

»Und woran kann das liegen?«

Die Männer sahen sich schweigend an.

»Emotionen können die Objektivität eines Menschen stark beeinflussen«, sagte Bodenstein, »davor sind nicht einmal erfahrene Kriminalbeamte gefeit. Frau Kirchhoff hat für Lukas Mitgefühl entwickelt, nicht zuletzt durch das, was Sie ihr über den Jungen erzählt haben. Mitgefühl ist eine sehr starke Emotion.«

Sander sagte nichts, blickte Bodenstein nur abwartend an.

»Für meine Begriffe«, fuhr dieser fort, »ist Lukas ein Meister der Manipulation. Er zeigt jedem Menschen das Gesicht, das derjenige gerade sehen will oder das ihm für seine Belange nützlich erscheint. Jeder sieht in Lukas also nur das, was er sehen will. Den wahren Lukas kennt überhaupt niemand.«

Sander stützte nachdenklich das Kinn auf seine geballte Faust.

»Ich glaube, da überschätzen Sie den Jungen«, antwortete er. »Sie haben recht, er sieht gut aus und macht einen selbstsicheren Eindruck, aber eigentlich ist er ein zutiefst verunsicherter, sehr sensibler junger Mann auf der Suche nach Anerkennung und Rückhalt, die er von seinem Vater nicht bekommt.«

»Sie mögen ihn«, stellte Bodenstein fest.

»Ja, das ist wahr«, bestätigte Sander, »ich mag Lukas. Er hat einige sehr traumatische Erlebnisse verkraften müssen, als er klein war. Es tut mir in der Seele weh, dass er jetzt wieder leiden muss.«

»Pauly wurde vor seiner Küchentür erschlagen«, sagte Bodenstein. »Seine Leiche wurde auf die Ladefläche Ihres Pick-ups geladen und lag dort etwa vierundzwanzig Stunden lang, bevor sie auf die Wiese gelegt wurde. Dazu gehört etwas.«

»Genau. Kaltblütigkeit oder Hass. Beides traue ich Lukas gerade in Bezug auf diesen Pauly ganz und gar nicht zu. Im Übrigen hat der Junge noch nicht einmal einen Führerschein.«

»Wem trauen Sie es dann zu? Wer von Ihren Mitarbeitern, der Zugang zu dem Fahrzeug hatte, kann Pauly so sehr gehasst haben, um so etwas zu tun?«

»Niemand.«

»Dann frage ich mal anders: Wer von Ihren Mitarbeitern kann *Sie* so sehr hassen, um *Ihnen* mit dieser Tat eins auswischen zu wollen?«

»Sie denken, dass dies alles passiert sein könnte, um *mir* einen Mord in die Schuhe zu schieben? Warum?« Sander lächelte ungläubig.

»Vielleicht wollte sich jemand an Ihnen rächen. Gibt es einen ehemaligen Mitarbeiter, den Sie entlassen haben und der sich ungerecht behandelt fühlte?«

Zoodirektor Sander legte die Stirn in Falten und dachte nach. Bodenstein beobachtete ihn scharf.

»Einen gibt's tatsächlich«, sagte er nach einer ganzen Weile zögernd. »Das war einer von der Sorte Menschen, die sich grundsätzlich benachteiligt fühlen. Er war nur vier Wochen da, aber er hatte keinen Teamgeist, war faul und nachlässig. Ich habe ihn zweimal abgemahnt und dann vor ungefähr einem Monat fristlos entlassen. Er war deswegen so sauer, dass er auf mich losgegangen ist. Wir hatten eine handfeste Auseinandersetzung.«

»Verraten Sie mir seinen Namen? Ich würde das gerne überprüfen.«

»Er heißt Tarek. Tarek Fiedler.«

Bodenstein richtete sich auf. Tarek Fiedler! Das war der Freund von Lukas und Jonas Bock, der in der Gärtnerei in Schwalbach arbeitete und Esther Schmitt an der Ruine ihres Hauses abgeholt hatte! Er hatte Pauly zweifellos gekannt.

»Sie können gehen, Herr Dr. Sander«, sagte Bodenstein und griff nach der Akte Jonas Bock, die vor ihm auf dem Schreibtisch lag. »Danke, dass Sie gleich gekommen sind.«

»Bitte«, der Zoodirektor erhob sich und verließ das Büro, ohne Bodenstein die Hand zu geben.

Als Bodenstein eine halbe Stunde später vor der Tür der Wohnung von Tarek Fiedler in einem der Hochhäuser am Ostring in Schwalbach eintraf, prallte er beinahe mit einem jungen Mann zusammen, der mit mehreren Taschen bepackt gerade die Wohnung verließ. Der Junge fuhr zusammen und ließ vor Schreck die Taschen fallen.

»Bist du nicht Franjo Conradi?« Bodenstein glaubte sich an das Gesicht des Jungen von dessen Besuch auf dem Kommissariat zu erinnern.

»Ja. Wieso?« Der Junge wich ängstlich zurück. Im schummerigen Licht des fensterlosen Flurs erkannte Bodenstein Verletzungen in seinem Gesicht. Seine Lippe war dick geschwollen, das linke Auge zierte ein Veilchen, seine Brille war verbogen und ein Glas gesplittert.

»Was ist denn mit dir passiert?«, fragte er.

»Nichts«, der Junge bückte sich, um die Taschen wieder aufzuheben. Er war klein und schmächtig, seine fahrigen Bewegungen verrieten seine Anspannung. Franjo Conradi hatte Angst.

»Ist Herr Fiedler in seiner Wohnung?«, fragte Bodenstein. »Ich muss ihn dringend sprechen.«

»Nein, der ist in der Firma«, erwiderte Franjo nervös.

»Ziehst du aus?«

»Ja«, sagte der Junge wortkarg. Erstaunt bemerkte Bodenstein, dass er mit den Tränen kämpfte. Irgendetwas musste ihn tief erschüttert haben, denn Jungs in seinem Alter würden lieber aus dem 14. Stock eines Hochhauses springen, als vor fremden Leuten zu heulen.

»Hast du dich mit jemandem geprügelt? Mit Tarek? Ich dachte, ihr wärt Freunde und hättet gemeinsam diese Computerfirma.«

»Freunde!« Franjo gab einen Laut von sich, eine Mischung aus Lachen und Schluchzen. »Das waren wir mal, bevor Tarek aufgetaucht ist. Dem ging es immer nur ums Geld.«

Er hob die Hand an seine lädierte Lippe, die leicht blutete.

»Ich hab die ganze Scheiße mit der Firma und diesem dämlichen Spiel satt«, sagte er heftig, »ich dachte, denen ginge es echt darum, etwas zu verändern, zu verbessern. Aber das hat die überhaupt nicht interessiert! Ullis Ideen und Projekte waren denen scheißegal. Ich hab echt viel zu lange nicht geblickt, was da wirklich läuft.«

Der Junge war ein Idealist, der aus echter Überzeugung mit seinen Eltern gebrochen hatte.

»Wer sind ›die‹?«, fragte Bodenstein in der Hoffnung, dem enttäuschten Jungen ein paar Informationen zu entlocken. Aber diese Frage, von einem Polizisten gestellt, ging dem Jungen dann doch zu weit. Er antwortete nicht.

»Wie kommst du hier weg?«

»Keine Ahnung«, Franjo zuckte die Schultern.

»Wenn du willst, nehme ich dich mit. Ich fahre nach Kelkheim.«

Auf der Fahrt entspannte sich Franjo ein wenig. Er erzählte, dass Pauly ihn ermutigt hatte, seinen eigenen Weg zu gehen.

»Mein Vater versteht nicht, dass ich kein Metzger werden will«, sagte er, »er meint, ich wäre undankbar. Aber ich hab bei der Vorstellung, dass ich bis an mein Lebensende Wurst machen und hinter der Ladentheke stehen soll, einen Horror gekriegt.«

Bodenstein hörte schweigend zu. Er hatte Verständnis für Conradi empfunden, als der ihm voller Empörung erzählt hatte, Pauly habe seinen Sohn gegen ihn aufgehetzt. Aus dem Munde des Jungen klang das ganz anders. Franjo wollte kein Metzger werden, so, wie Lorenz nicht zur Polizei gehen wollte. Bodenstein erinnerte sich noch gut an die Enttäuschung seines Vaters, als er ihm damals mitgeteilt hatte, er wolle nicht der Erbe von Hofgut Bodenstein werden, sondern lieber Jura studieren und dann zur Polizei gehen. Er selbst hatte sich vorgenommen, seine Kinder nie zu einem Beruf zu zwingen, dennoch hatte er sich dabei ertappt, dass er Rosalie den Sommerjob als Küchenhilfe verbieten wollte. »Ich will Biologie studieren«, sagte Franjo gerade, »und auf einer Forschungsstation auf den Galapagosinseln arbeiten. Mein Vater hat mich ausgelacht und gesagt, er würde mich enterben.«

Bodenstein warf einen kurzen Seitenblick auf das übel zugerichtete Gesicht des Jungen.

»Deshalb hab ich auch mitgemacht«, fuhr Franjo fort. »Jo hat gesagt, wir würden ein Schweinegeld verdienen. Ich bin gut am Computer, ich kann programmieren, aber ich bin halt nicht – Lukas!«

»Wie meinst du das?«, fragte Bodenstein. Hatte er etwa endlich jemanden gefunden, der Lukas nicht mochte und bewunderte?

»Lukas ist ein Genie«, erwiderte Franjo dann aber zu seiner Enttäuschung. »Er liest Quellcodes wie andere Leute Bücher und kann Perl, Java, BASIC und C, zehnmal besser als Tarek. *Double Life* war seine Idee, aber jetzt meint Tarek, er müsste alles an sich reißen.«

»Können Lukas und Tarek sich gut leiden?«

»Lukas kommt mit jedem klar«, sagte Franjo, dann wurde seine Stimme bitter. »Tarek schleimt sich an Lukas ran, weil ohne ihn nichts geht. Das hat sogar Tarek kapiert.«

»Magst du Lukas?«

»Ja«, Franjo nickte, »er hat zwar hin und wieder mal Ausraster, aber das ist ja bei Genies oft der Fall. Wenn Lukas mal komisch war, hat Ulli zu uns gesagt, das wäre seine Krankheit. Tarek hat sich über Lukas lustig gemacht, natürlich nur heimlich, aber ich fand's total mies von ihm. Ich finde, Freunde sollten nicht schlecht voneinander reden.«

Das fand Bodenstein hochinteressant.

»Was für eine Krankheit hat Lukas denn?«, wollte er wissen.

»Ulli hat gesagt, Lukas wäre dissoziativ«, Franjo zuckte die Schultern. »Ich weiß nicht, was er damit gemeint hat.«

Bodenstein konnte sich auch nichts darunter vorstellen und beschloss, das später nachzuschlagen.

Tarek Fiedler verließ gerade die Lagerhalle im Münsterer Gewerbegebiet, in der die Internetfirma untergebracht war, als Bodenstein in den Hof fuhr. Er hatte sein Handy zwischen Ohr und Schulter eingeklemmt und diskutierte heftig und offensichtlich verärgert mit jemandem, während er die verschiedenen Schlösser an der Tür nacheinander abschloss. Als er Bodenstein erblickte, hob er grüßend die Hand und beendete sein Telefonat.

»Hallo, Herr … ich hab Ihren Namen leider vergessen«, sagte er freundlich und lächelte. Von seiner Verärgerung war ihm nichts mehr anzumerken.

»Bodenstein. Haben Sie Zeit, mir ein paar Fragen zu beantworten?«

»Klar«, der junge Mann nickte. Sein Handy meldete sich mit einer Melodie, aber er beachtete es nicht.

»Die Leiche von Herrn Pauly wurde auf der Ladefläche eines Lieferwagens vom Opel-Zoo transportiert«, sagte Bodenstein, »wir fragen uns jetzt, wie sie dahin gekommen ist und wer die Gelegenheit hatte, dieses Auto zu benutzen.«

Das Lächeln auf dem Gesicht des jungen Mannes verschwand.

»Ach, ich verstehe«, sagte er. »Sie haben sicherlich mit Sander gesprochen. Ich hatte mit ihm Streit, als er mich gefeuert hat. Nicht zu fassen, dass er mir einen Autodiebstahl zutraut.«

»Tut er nicht«, erwiderte Bodenstein, »aber wir verfolgen jede Spur, auch wenn sie noch so unwahrscheinlich ist.«

Tareks Handy klingelte penetrant weiter.

»Wieso fragen Sie nicht Lukas nach dem Auto? Er nimmt immer die Pick-ups mit, wenn Sander nicht da ist.«

»Ich denke, er hat keinen Führerschein.«

»Keine Ahnung. Auto fahren kann er aber.«

Bodenstein fragte sich, wieso der junge Mann seinen Freund Lukas anschwärzte. War er vielleicht eifersüchtig? Er dachte daran, dass Sander Tarek Fiedler als einen Menschen charakterisiert hatte, der sich ständig ungerecht behandelt fühlte.

»Was machen Sie genau in der Firma von Lukas und Jonas?«, fragte er.

»Die Firma gehört uns zu gleichen Teilen«, verbesserte Tarek, »allerdings hatte ich nicht das Geld, das wir für die GmbH gebraucht haben, deshalb sind offiziell Lukas und Jo als Geschäftsführer eingetragen. Intern gibt's aber keine Hierarchie. Jeder macht das, was er am besten kann.«

»Und was können Sie am besten?«

»Programmieren«, Tarek lächelte. »Natürlich nur noch völlig legale Sachen. Ich habe meine Lektion gelernt.«

»Wie kommen Sie mit Lukas zurecht?«

»Meistens gut«, der junge Mann wurde nachdenklich. »In der letzten Zeit hat er sich ziemlich verändert.«

»Inwiefern?«

»Schwer zu sagen. Er ist manchmal … total abwesend, dann flippt er ohne Grund aus und brüllt herum. Aber er kriegt ja auch wahnsinnigen Druck von seinem Vater. Der hat ihm den Geldhahn zugedreht, das ist schon bitter für jemanden wie Lukas.«

»Wieso?«

»Das Geld für die Firma kommt vom alten van den Berg und von Jo's Vater. Größtenteils, ohne dass die das mitbekommen haben. Lukas und Jo haben es ... hm ... geklaut ist nicht das richtige Wort. Sie wollen es zurückzahlen, mit Zinsen.«

Sein Handy klingelte wieder, diesmal mit einer anderen Melodie. Tarek Fiedler warf einen Blick aufs Display.

»Gibt es sonst noch etwas?«, fragte er ungeduldig. »Ich habe noch ziemlich viel zu tun.«

»Warum haben Sie Franjo Conradi zusammengeschlagen?«

»Wer behauptet denn so was?«

»Sie haben Verletzungen an den Fingerknöcheln«, bemerkte Bodenstein. »Und Franjo hat welche im Gesicht. Ich habe nur kombiniert.«

Plötzlich wirkte der junge Mann nervös.

»Wir hatten Streit. Nichts Wichtiges.«

»Dafür, dass es um nichts Wichtiges ging, sieht Franjo aber ziemlich mitgenommen aus«, sagte Bodenstein. »Wie sehen denn Leute nach einem Streit mit Ihnen aus, bei dem es um etwas Wichtiges ging?«

»Auf jeden Fall sind sie nicht tot«, Tarek Fiedler lächelte, aber seine Augen blieben ernst, »so wie ein Freund von mir, der mit jemandem Streit hatte.«

»Jonas?«

»Genau. Er hatte Streit. Mit Lukas.«

Die erdrückende Hitze des Tages war einem lauen Sommerabend gewichen. Von der Terrasse des Schlossrestaurants hatte man einen herrlichen Blick durch das Tal bis hoch nach Ruppertshain. Bodensteins Bruder Quentin hatte sich zu Cosima und ihm an den Tisch gesetzt, nachdem sie gegessen hatten.

»Ich habe übrigens eine neue Einstellerin bei mir im Stall«, sagte Quentin gerade. »Eure zukünftige Schwiegertochter. Thordis Hansen.«

»Tatsächlich?« Bodenstein erinnerte sich an die frühmorgendliche Begegnung neulich in der Garage, die beinahe peinlich geworden wäre. »Seit wann?«

»Seit vorgestern. Die Besitzverhältnisse auf Gut Waldhof sind noch immer ungeklärt, die Anlage verlottert.«

»Schade drum«, bemerkte Bodenstein. Im vergangenen Jahr hatte er nicht nur den alten, sondern auch den neuen Besitzer der noblen Reitanlage am Ortsrand von Kelkheim hinter schwedische Gardinen befördert.

»Mir soll's recht sein«, Quentin winkte einem der Kellner und deutete auf die leere Rotweinflasche. »Ich habe jetzt alle Boxen voll. Außerdem habe ich endlich einen positiven Bescheid vom Bauamt bekommen. Wenn wir jetzt noch die Finanzierung durchkriegen, können wir im nächsten Frühjahr mit dem Abriss der alten und dem Bau der neuen Reithalle beginnen.«

»Ach. Wie hast du das mit dem Bauamt hingekriegt?«, erkundigte sich Bodenstein bei seinem Bruder, »die hatten doch stärkste Bedenken wegen des Denkmalschutzes der alten Reithalle.«

»Der Leiter vom Bauamt geht gerne gut essen«, erwiderte Quentin.

»Das ist Bestechung.«

»Ach was«, Quentin winkte lässig ab. »Ihr Bullen nehmt alles viel zu genau.«

»Nicht nur wir Bullen«, sagte Bodenstein. »Übrigens sitzen der Leiter vom Bauamt und der, der ihn bestochen hat, seit heute Morgen in U-Haft. Und zwar genau deswegen. Ich hoffe für dich, dass er deinen Vorgang abgeschlossen und unterschrieben hat, sonst kannst du nur auf einen ebenso verfressenen Amtsnachfolger hoffen.«

»Red keinen Unsinn«, Quentin setzte sich kerzengerade auf.

»Tu ich nicht«, erwiderte Bodenstein. »Schäfer hat sich nicht nur von dir bestechen lassen.«

Neue Gäste erschienen auf der Terrasse, wurden von Quentins Frau Marie-Louise begrüßt und zum letzten freien Tisch geleitet.

»Ist das da drüben nicht Thordis' Mutter«, bemerkte Cosima in einem etwas spöttischen Tonfall, »euer beider Jugendschwarm?«

Die Brüder Bodenstein wandten die Köpfe. Tatsächlich. Es war Inka Hansen, in Begleitung einiger Herren und Damen. Bodenstein traute seinen Augen nicht, als er Dr. Christoph Sander erkannte.

»Schau mal einer an«, murmelte er.

»Das sind Vorstand und Stiftungsrat vom Opel-Zoo in Kronberg mitsamt Damen«, erklärte Quentin. »Sie kommen einmal im Monat zum Essen. Wenn im Herbst ihr eigenes Restaurant fertig ist, werden wir sie wohl als Gäste verlieren.«

Bodenstein beobachtete, wie Dr. Sander Inka Hansen galant den Stuhl zurechtrückte. Sie dankte ihm dafür mit einem Lächeln, für das er vor fünfundzwanzig Jahren bereitwillig gemordet hätte. So, wie es aussah, hatte sich Pia Kirchhoff vergebliche Hoffnungen auf diesen Sander gemacht. Die Art und Weise, wie der Zoodirektor und seine Tierärztin miteinander umgingen, sich anlächelten und gemeinsam in einer Speisekarte blätterten, zeugte von Vertrautheit. Ein attraktiver Witwer und eine nicht minder attraktive alleinstehende Frau, die durch ihre Arbeit viele Berührungspunkte und gemeinsame Interessen hatten – eine ideale Kombination. Wie passte dagegen eine noch verheiratete Kriminalbeamtin in das Leben eines Dr. Sander? Bodensteins Misstrauen gegen den Mann wurde stärker. Und ganz plötzlich wusste er, was ihn die ganze Zeit schon gestört hatte.

Pia hatte den ganzen Spätnachmittag und Abend in höchster Anspannung, wenn auch vergeblich, darauf gewartet, dass Sander sich bei ihr meldete. War er verärgert, weil sie ihn nicht gewarnt hatte? Oder hatte Bodenstein ihn womöglich etwa verhaftet? Die Ungewissheit machte sie schrecklich nervös.

Es war Viertel vor zehn, als ihr Handy summte. Zu ihrer Enttäuschung war es Bodenstein, nicht Sander.

»Frau Kirchhoff«, er sprach leise, im Hintergrund war das Klappern von Geschirr und Stimmengewirr zu hören. »Darf ich Ihnen eine sehr persönliche Frage stellen?«

»Wieso? Ich meine: ja. Natürlich.«

»Dr. Sander und Sie – ist das etwas Ernstes oder nur ein ... hm ... Flirt?«

Pia merkte, wie ihr Herz bei der Erwähnung von Sanders Namen bis in ihre Kniekehlen sackte. Unwillkürlich dachte sie an das, was heute Morgen vielleicht geschehen wäre, wenn ihr Chef nicht angerufen hätte.

»Wieso müssen Sie das wissen?«, fragte sie vorsichtig. »Oder sind Sie einfach mal wieder neugierig?«

»Nein, es ist ernst«, sagte Bodenstein mit gedämpfter Stimme. »Je länger ich über alles nachdenke, desto mehr habe ich das eigenartige Gefühl, dass wir – oder speziell Sie – Teil einer genau geplanten Inszenierung sind.«

»Wie kommen Sie darauf?« Pia schluckte beklommen und richtete sich auf. »Was für ein Interesse sollte ...«, es fiel ihr schwer, seinen Namen auszusprechen, »... Sander daran haben, irgendetwas zu inszenieren?«

»Das ist mir auch nicht ganz klar. Es hängt vielleicht mit Svenja zusammen, der besten Freundin seiner Tochter. Oder mit Lukas. Die zwei sind irgendwie in unsere Fälle verwickelt, Sander weiß das und will sie schützen. Aber es ist nur so ein Gefühl von mir.«

Bodenstein und seine Gefühle! Die hatten ihn schon öfters getrogen. Pia dachte flüchtig an den Zusammenstoß zwischen ihrem Chef und einer Karatekämpferin im vergangenen Herbst, die er auch aus einem Gefühl heraus fälschlicherweise für tatverdächtig gehalten hatte.

»Ich bin gerade im Restaurant meines Bruders«, erklärte Bodenstein. »Sander ist auch hier. In Begleitung von Inka Hansen. Das muss nichts heißen, sie ist die Tierärztin vom Zoo, aber sie … na ja …«

»Aber was?« Pia schloss die Augen. Sollten all die schönen Worte, die SMS gestern Nacht, der verständnisvolle Trost heute Morgen, nur Teil eines perfiden Planes gewesen sein, um der verliebten Bullentante Sand in die Augen zu streuen? Die Bestätigung ihrer leisen Zweifel schmerzte wie eine offene Wunde.

»Die beiden machen einen ziemlich vertrauten Eindruck.«

»Warum auch nicht? Sie arbeiten ja täglich zusammen«, hörte Pia sich mit hohler Stimme sagen. »Zwischen ihm und mir ist nichts weiter als … Nichts weiter eben.«

Sie hasste sich für ihre Träume, für ihre bescheuerte, kindische Verliebtheit, und sie hasste Bodenstein, weil er ihre schöne Illusion zerstört hatte. Die Enttäuschung verwandelte sich in Zorn. Als Bodenstein das Gespräch endlich beendet hatte, starrte sie blicklos in den Abendhimmel. Mit Tränen in den Augen grübelte Pia darüber nach, ob sie sich von Sander hatte benutzen lassen. Er musste schnell gemerkt haben, dass sie ihn sympathisch fand. Hatte er diese Schwäche ausgenutzt? War der Fisch etwa gar nicht in ihr Netz geschwommen, sondern sie in seines? Pia konnte nicht glauben, dass sie sich so sehr geirrt haben sollte – und doch saß der Mann, dem sie heute Morgen ihr schlimmstes Geheimnis anvertraut hatte, in diesem Augenblick mit einer anderen Frau beim Essen und verschwendete offenbar keine Gedanken mehr an sie, sonst hätte er sich wenigstens noch kurz gemeldet. Selten hatte sie sich so elend, so einsam gefühlt. Unmerklich hatten sich Beruf und Privatleben auf eine verhängnisvolle Weise miteinander vermischt. Pia dachte angestrengt nach, versuchte zurückzuverfolgen, wann sich der richtige Weg im Gewirr ihrer konfusen Träume und Ängste verloren hatte. Während sie noch in den Himmel starrte, schrillte wieder das Handy. Pia warf einen Blick auf das Display. Lukas! Er war jetzt genau der Richtige, um ihre verletzte Seele zu streicheln.

Ganz Deutschland befand sich im Ausnahmezustand, seitdem die deutschen Fußballer am Nachmittag die Schweden mit 2:0 im ersten Achtelfinalspiel bei der WM aus dem Wettbewerb geschossen hatten. Noch am späten Abend kurvten Autokorsos mit jubelnden, Fähnchen schwenkenden Fans durch die Straßen Frankfurts, ganz so, als ob Deutschland bereits Fußballweltmeister geworden wäre.

»Idioten«, sagte Lukas. »Die haben doch alle ein Rad ab.«

Pia warf ihm einen kurzen Blick zu. Er war nur eine Viertelstunde nach ihrem Telefonat bei ihr gewesen, schön wie ein Erzengel in einer engen Jeans, einem weißen Hemd mit aufgerollten Ärmeln und den offenen blonden Haaren. Sie hatte ihn nicht gefragt, wo er mit ihr hinfahren wollte. Hauptsache, sie musste nicht länger allein in ihrem Haus sitzen und über Christoph Sander und sein Verhalten grübeln.

»Was ist passiert?«, fragte Lukas, als sie im Smart von van den Bergs Haushälterin an der Messe vorbei in Richtung Innenstadt fuhren.

»Was soll passiert sein?«, entgegnete Pia.

»Sie sind anders als sonst«, stellte er fest. »Durcheinander und abwesend.«

»Ich habe zwei Morde aufzuklären und komme einfach nicht weiter«, sagte Pia, überrascht von Lukas' Sensibilität.

»Das ist es nicht. Jemand hat Sie verletzt. Hab ich recht?«

Seine Stimme war so voller Mitgefühl, dass Pia beinahe in Tränen ausgebrochen wäre.

»Schon gut«, Lukas gewährte ihr taktvoll den Moment, den sie brauchte, um die Kontrolle zurückzugewinnen. Er bog in die Mainzer Landstraße ein, dann in die Neue Mainzer.

»Wo fahren wir hin?«, erkundigte sich Pia.

»Cocktails trinken.«

»Hier? Im Bankenviertel?«

»Ja. Waren Sie schon mal im Maintower?«

Lukas war konzentriert auf der Suche nach einem Parkplatz und fand schließlich einen, der gerade groß genug war für den Smart.

»Nein«, Pia schüttelte den Kopf, »kommt man da einfach so rein?«

»Ich schon«, Lukas grinste. Daran zweifelte Pia keine Sekunde. Als sie sich dem Wolkenkratzer der Helaba näherten, in dem sich in 187 Metern Höhe ein Studio des Hessischen Rundfunks und ein Restaurant befanden, zückte er eine Plastikkarte. Er ergriff ihre Hand, drängte sich durch die wartenden Menschen und zog Pia mit sich. Hinter dem Granittresen der Rezeption beherrschten zwei junge Frauen und ein Mann in dunkelblauen Uniformen mit Dauerlächeln höflich und bestimmt die Einlasskontrolle. Lukas präsentierte dem Trio, dessen Gnade über Ge- oder Misslingen eines Samstagabends entschied, die Plastikkarte, die durch ein Lesegerät gezogen wurde.

»Dürfte ich bitte Ihren Personalausweis sehen?« Der Mann war misstrauisch. Seitdem Terroranschläge auf Hochhäuser nicht mehr bloße Utopie waren, hatte man auch in Frankfurt die Sicherheitsbestimmungen verschärft. Lukas reichte ihm den gewünschten Ausweis. Nach einer eingehenden Prüfung wurde das gefrorene Lächeln des Mannes herzlich, beinahe devot.

»Herzlichen Dank«, er gab Lukas den Ausweis und die Plastikkarte zurück. »Willkommen im Maintower. Bitte sehr ...«

Das begehrte Eingangstürchen ging mit einem Surren auf, und Pia folgte Lukas durch eine Sicherheitskontrolle zu den Aufzügen.

»Wie hast du das denn hingekriegt?«, flüsterte Pia, als sie alleine mit einem Sicherheitsmann im Aufzug standen.

»Der Name meines Vaters öffnet in Frankfurt Tür und Tor«, Lukas zwinkerte ihr zu. Der Aufzug schoss in Sekunden einhundertsiebenundachtzig Meter hoch.

»Du willst mich beeindrucken«, stellte Pia fest.

»Natürlich«, Lukas grinste entwaffnend. »Wenn Sie schon mal mit mir ausgehen, dann nicht in irgendeine Spelunke.«

Beim Betreten des Maintower-Restaurants verschlug es Pia kurz den Atem. Acht Meter hohe Panoramascheiben gewährten einen Ausblick über die ganze Stadt. Zu ihren Füßen breitete sich ein grandioses Lichtermeer aus.

»Guten Abend, Herr van den Berg«, begrüßte sie die Restaurantleiterin genauso zuvorkommend wie zuvor das Bodenpersonal. »Was können wir für Sie tun?«

»Meine Freundin ist das erste Mal hier«, Lukas gab sich blasiert. »Deshalb möchte sie gerne am Fenster sitzen. Am liebsten in der Bar.«

»Selbstverständlich. Einen Moment bitte«, beflissen eilte die Frau davon. Sekunden später war der Tisch bereit, irgendjemand hatte für den Sohn des Bankvorstandes van den Berg den Platz räumen müssen. Die Aussicht aus den bis zum Boden reichenden Glasfenstern war atemberaubend, die Cocktails suchten ihresgleichen. Lukas' Gesellschaft tat Pia gut, seine Aufmerksamkeit und seine unaufdringliche Zuvorkommenheit waren Balsam für ihre enttäuschte Seele. Sander, Henning und ihre beruflichen Probleme waren so weit entfernt wie der Mond. Zum Teufel mit den Männern und den Gefühlen! Nach dem fünften Cocktail hatte sich Pias Laune erheblich gebessert.

»Hier wird's allmählich öde«, fand Lukas auf einmal. »Lass uns woanders hinfahren.«

»Ich bin dabei«, erwiderte Pia. Sie hatte einen ordentlichen Schwips, und unter Lukas' Blicken fühlte sie sich so jung und begehrenswert wie lange nicht mehr. Das Alarmsystem ihrer Vernunft hatte sich mit einem letzten, schwachen Flackern längst abgeschaltet. Seit Jahren war sie immer vernünftig und besonnen gewesen, aber in dieser Nacht wollte sie es einmal nicht sein.

Sonntag, 25. Juni 2006

Der Notruf ging um Viertel nach sieben bei der Zentrale ein. Der Anrufer teilte mit, dass im Haus des Nachbarn eine Leiche läge. Der wachhabende Beamte informierte die Besatzung eines Streifenwagens, unter der angegebenen Adresse nachzuschauen. Polizeiobermeister Krause und Polizeimeisterin Bernhardt waren gerade in der Nähe, fuhren in die Freiligrathstraße 52 und kletterten über das mit Kameras gesicherte Tor, nachdem sich auch nach mehrfachem Klingeln im Haus nichts rührte. Sie gingen durch einen parkähnlich angelegten Garten um die Villa herum zur Rückseite des Gebäudes, stiegen vorsichtig durch kunstvoll angelegte Blumenrabatten und betraten durch die weit geöffneten Terrassentüren das Haus. Wie der Nachbar gesagt hatte, fanden sie einen nur mit einer Badehose bekleideten Mann auf dem Parkettfußboden vor dem Schreibtisch. Um seinen Kopf hatte sich eine Blutlache gebildet, die bereits geronnen war. Polizeiobermeister Krause ging neben der Leiche in die Knie und legte die Finger an die Halsschlagader des Mannes.

»Ruf einen Notarzt an!«, sagte er zu seiner Kollegin. »Der Mann lebt noch!«

»Was ist passiert?«, fragte Bodenstein, der gleichzeitig mit den Beamten der Spurensicherung eingetroffen war.

»Jemand muss versucht haben, ihm den Schädel einzuschlagen«, erwiderte der Notarzt. »Er hat auch Blutergüsse an den Armen und Schultern.«

»Wie ist sein Zustand?«, erkundigte sich Bodenstein.

»Kritisch«, der Notarzt blickte auf, »er liegt sicher schon ein paar Stunden hier.«

»Ist das der van den Berg von der Deutschen Bank?«, fragte der Leiter der Spurensicherung. Bodenstein nickte. Die Kleidung van den Bergs hing ordentlich über einem der Liegestühle am Pool im Garten. Alles sah danach aus, als ob der Mann vor einer abendlichen Runde im Pool von einem Angreifer überrascht und im Haus niedergeschlagen worden war. Es hatte einen Kampf gegeben, davon zeugten zwei umgefallene Stühle und eine Stehlampe.

»Hier auf der Terrasse sind auch Blutspuren!«, rief einer der Beamten von der Spurensicherung. »Und hier liegt auch die Tatwaffe.«

»Was ist das?«

»Ein Briefbeschwerer.«

Bodenstein versuchte, den Tathergang zu rekonstruieren. Van den Bergs Angreifer musste aus dem Haus gekommen sein, denn niemand brachte einen Briefbeschwerer mit. Der Schwerverletzte hatte sich noch bis in sein Arbeitszimmer geschleppt, dort war es erneut zum Kampf gekommen. Aber wie war der Angreifer unbemerkt in das gut gesicherte Haus gelangt?

»Frau Kirchhoff meldet sich nicht«, sagte einer der uniformierten Beamten zu Bodenstein. »Ihr Handy ist aus.«

»Das Handy ist aus?« Bodenstein war darüber mehr verwundert als verärgert, denn normalerweise schaltete seine Kollegin ihr Mobiltelefon nie ab, schon gar nicht, wenn sie Bereitschaftsdienst hatte, wie an diesem Wochenende. Pia Kirchhoff war gewissenhaft, dazu eine Frühaufsteherin. Wenn ihr Handy nicht an war, dann hatte das einen Grund.

Er wandte sich vom Anblick des Schwerverletzten ab und rief auf der Festnetznummer seiner Kollegin an.

»Hallo«, hörte er ihre Stimme und war erleichtert, bis er begriff, dass es nur die Ansage vom Anrufbeantworter war. Da stimmte etwas nicht. Wäre sie krank gewesen, hätte sie sich bei ihm gemeldet. Der Beamte stand noch da und blickte ihn abwartend an.

»Schicken Sie eine Streife hin«, Bodenstein hatte plötzlich ein ungutes Gefühl. Hatte Pia gestern Abend doch noch mit Sander telefoniert? Hatten sie sich vielleicht getroffen? Er wandte sich an den Nachbarn der van den Bergs, der diskret ein Stück weit entfernt wartete, und erfuhr, dass es außer dem Sohn Lukas keine nahen Verwandten gab. Die Haushälterin war seit ein paar Tagen verreist. Gerade als er nach dem Hausarzt des Verletzten fragte, ging die Haustür auf, und ein junger Mann betrat die Eingangshalle.

»Das ist Lukas«, sagte der Nachbar betroffen. »Der arme Junge.«

»Was ist hier los?« Lukas ließ seinen Haustürschlüssel fallen und drängte sich an den Beamten und Sanitätern vorbei ins Arbeitszimmer seines Vaters. Ein paar Sekunden lang stand er stocksteif da und starrte seinen Vater fassungslos an.

»Papa«, murmelte er tonlos. »Papa, wach auf, bitte! Papa!«

»Dein Vater ist schwer verletzt und nicht bei Bewusstsein«, Bodenstein legte eine Hand auf die Schulter des Jungen. »Die Sanitäter bringen ihn ins Krankenhaus.«

Lukas schlug seine Hand weg. Er richtete sich auf und blickte die Männer aus blutunterlaufenen Augen wild an.

»Lasst uns in Ruhe! Haut ab hier!«, schrie er plötzlich unbeherrscht. »Verpisst euch aus unserem Haus, ihr Arschlöcher! Was habt ihr hier zu suchen? Raus! Ich rufe die Polizei!«

Bodenstein starrte den jungen Mann ungläubig an. Bisher

hatte er ihn nur freundlich und lächelnd erlebt, doch mit einem Mal schien eine aggressive, bösartige Person von seinem Körper Besitz ergriffen zu haben. Mit wutverzerrtem Gesicht stürzte sich Lukas auf den Beamten, der ihm am nächsten stand, und schlug mit beiden Fäusten auf ihn ein. Es bedurfte dreier Männer, ihn zu überwältigen.

»Mein Gott«, sagte der Notarzt, »das habe ich ja noch nie erlebt.«

»Ich auch nicht«, entgegnete Bodenstein. Ihm kam wieder sein Verdacht in den Sinn, dass sich hinter Lukas' hübscher Fassade etwas ganz anderes verbarg, als er es die Menschen gemeinhin sehen ließ. Bodenstein ging in die Hocke und ergriff ein Handgelenk des jungen Mannes, der keuchend auf dem Boden lag. Die Beamten hielten ihn vorsichtshalber noch fest, aber alle Energie war aus seinem Körper gewichen, und er leistete keinen Widerstand mehr.

»Dein Vater muss sofort ins Krankenhaus gebracht werden«, sagte Bodenstein ernst. »Er ist sehr schwer verletzt.«

»Was ist überhaupt passiert?« Lukas blickte ihn verwirrt an.

»Das wissen wir noch nicht genau.«

»Aber wir wollen doch heute zusammen zum Brunch ins Schlosshotel gehen«, murmelte er undeutlich, dann verzog sich sein Gesicht zu einer Grimasse, und er begann zu schluchzen.

»Lasst ihn los«, sagte Bodenstein. Er reichte Lukas die Hand, half ihm aufzustehen und legte ihm den Arm um die Schultern. Der Junge blickte sich unsicher um. Bei dem Kampf hatte sich der Verband von seinem Arm gelöst, die Wunde blutete leicht. Lukas starrte blicklos darauf. Unsicher, beinahe wie ein Betrunkener, schlurfte er zwischen Bodenstein und einem Beamten hinüber ins Wohnzimmer, es schien ihn unsägliche Kraft zu kosten, einen Fuß vor den anderen zu setzen.

»Ich muss im Schlosshotel anrufen und absagen«, flüsterte er.

Bodenstein hatte den Hausarzt der van den Bergs ausfindig gemacht, weil Lukas sich gegen die Beruhigungsspritze gewehrt hatte, die ihm der Notarzt verabreichen wollte. Dr. Bertram Röder traf im Hause van den Bergs ein, kurz nachdem Lukas' Vater mit dem Notarztwagen abtransportiert worden war. Der Junge saß apathisch auf einer Treppenstufe und starrte mit leerem Blick vor sich hin. Er hatte sich geweigert, auf sein Zimmer zu gehen, und da alle noch seinen gewalttätigen Ausbruch vor Augen hatten, versuchte niemand, ihn dazu zu zwingen.

»Was wird jetzt aus Lukas?«, fragte Bodenstein den Arzt. »Jemand sollte seine Mutter benachrichtigen. Wenn ich mich richtig erinnere, hat er gesagt, dass sie in Boston arbeitet.«

Dr. Bertram Röder warf ihm einen seltsamen Blick zu.

»Das hat Lukas erzählt?«, fragte er.

»Ja, so etwas in der Art«, Bodenstein nickte, »wieso?«

»Lukas' Mutter ist tot. Sie ist vor vierzehn Jahren an Krebs gestorben.«

Einen Augenblick herrschte völlige Stille in dem großen Haus. Bodenstein fiel etwas ein.

»Was bedeutet ›dissoziativ‹?«, fragte er den Arzt, dann erklärte er, was Franjo Conradi ihm erzählt hatte.

»Nun«, Röder räusperte sich, »es ist tatsächlich so, dass Lukas vor vielen Jahren psychologisch behandelt wurde. Man vermutete eine multiple Persönlichkeitsstörung.«

»Was ist das? Schizophrenie?«

»Im weitesten Sinne.«

Bodenstein blickte zu dem Jungen hinüber, der geistesabwesend auf seinen verletzten Arm starrte.

»Zur Ausbildung einer multiplen Persönlichkeit kommt es

durch traumatische Erlebnisse, vor allem in früher Kindheit. Viele multiple Patienten wurden emotional vernachlässigt, haben schon oft die Erfahrung gemacht, verlassen zu werden. Lukas hat seine Mutter verloren, als er sieben Jahre alt war.«

»Multiple Persönlichkeit«, Bodensteins Blick wanderte wieder zu Lukas, »ist das so wie Dr. Jekyll und Mr Hyde?«

»So in etwa. Die Ausbildung verschiedener Persönlichkeiten ist ein Selbstschutzmechanismus, die Persönlichkeitswechsel werden durch einen sogenannten ›trigger‹, ein auslösendes Moment, aktiviert.«

»Wie macht sich diese Störung bemerkbar?«

»Menschen, die unter einer multiplen Persönlichkeitsstörung leiden, haben Angst vor dem Verlassenwerden. Sie fallen oft durch Instabilität in persönlichen Beziehungen auf, durch impulsive sexuelle Aktivität, unangemessen heftige und unkontrollierte Zornausbrüche und dadurch, dass ihnen die Erinnerung an gewisse Zeiträume fehlt.«

»Das bedeutet«, Bodenstein legte die Stirn in Falten, »wenn die eine Persönlichkeit etwas tut, weiß es die andere mitunter gar nicht?«

»So etwas wurde schon beobachtet«, bestätigte Dr. Röder.

In dem Moment klingelte es an der Haustür. Einer der Polizeibeamten öffnete. Christoph Sander stürmte in die Halle, er wirkte sehr besorgt. Sein Blick fiel auf Lukas. Er ging vor ihm in die Hocke und ergriff seine Hand. Bodenstein konnte nicht verstehen, was er sagte, aber bemerkte, dass sich Lukas' stierer Blick mit Leben füllte. Sander strich dem Jungen übers Haar und nahm ihn tröstend in die Arme. Lukas vergrub sein Gesicht an der Schulter des Mannes.

»Papa stirbt!«, schluchzte er und klammerte sich an Sander fest wie ein verzweifeltes Kind. »Was soll ich denn jetzt bloß machen?«

Bodensteins Handy summte. Seine Hoffnung, es könnte Pia Kirchhoff sein, die ihm erklärte, sie habe vergessen, den Akku ihres Handys zu laden, wurde nicht erfüllt. Stattdessen meldete sich die Besatzung des Streifenwagens, die man zum Birkenhof geschickt hatte.

»Hier ist keine Menschenseele«, berichtete ein Beamter. »Das Tor ist zu. Aber vor dem Haus steht ein Geländewagen.«

»Gehen Sie rein«, Bodenstein senkte seine Stimme. »Schauen Sie nach, ob etwas passiert ist.«

»Wie denn?«, fragte der Polizist phantasielos.

»Fragen Sie auf dem Hof nebenan«, entgegnete Bodenstein scharf, »die haben einen Schlüssel, soweit ich weiß.«

Sander hatte Lukas dazu gebracht, mit ihm nach oben zu gehen, um sich eine Weile hinzulegen. Fünf Minuten später kam er die Treppe hinunter.

»Ich hab den Notarzt vor dem Haus stehen sehen«, sagte er. »Was ist passiert?«

»Lukas' Vater lag bewusstlos vor seinem Schreibtisch. Jemand hat ihn niedergeschlagen«, Bodenstein hegte keine besonders große Sympathie mehr für den Mann, erst recht nicht, seitdem er beobachtet hatte, wie Inka Hansen ihn angestrahlt hatte.

»O Gott«, Sander wirkte ehrlich betroffen, »dem Jungen bleibt auch gar nichts erspart. Was wird jetzt mit ihm?«

»Er sollte vorerst nicht alleine sein«, sagte Dr. Röder. Die beiden Männer schienen sich zu kennen.

»Dann schicke ich gleich meine Tochter hierher, damit sie bei ihm bleibt. Danach kann er zu uns kommen.«

»Das wäre gut. Er hat vorhin ein wenig die Nerven verloren.«

»Er ist völlig ausgerastet«, präzisierte Bodenstein, »hat einen Beamten angegriffen und unbeherrscht herumgebrüllt.«

»Erst wird ein guter Bekannter von ihm ermordet, dann sein bester Freund, und kurz darauf liegt sein Vater bewusstlos vor ihm«, entgegnete Sander heftig. »Was erwarten Sie von dem Jungen? Dass er genauso abgebrüht und gleichgültig ist wie Sie?«

Dieser Vorwurf verärgerte Bodenstein über alle Maßen. Es bedurfte seiner ganzen Beherrschung, die heftige Entgegnung, die ihm auf der Zunge lag, zurückzuhalten.

»Ist Frau Kirchhoff auch hier?«, erkundigte Sander sich nun.

»Nein«, Bodenstein hatte nicht vor, sich länger mit dem Mann zu unterhalten als notwendig. »Wieso fragen Sie?«

»Weil ich heute Morgen um kurz nach vier eine eigenartige SMS von ihr bekommen habe.«

»Eine SMS? Was hat sie Ihnen geschrieben?«

Sander kramte sein Handy aus der Hosentasche, ließ es aufschnappen und drückte auf den Tasten herum, bis er die Nachricht auf dem Display hatte. Er reichte Bodenstein das Gerät.

DOUblelIFE. Tark. Rosn.

»Was soll denn das bedeuten?« Bodenstein blickte auf.

»Tja«, Sander zuckte ratlos die Schultern, »wenn ich das wüsste.«

»Warum schreibt Ihnen Frau Kirchhoff um vier Uhr morgens eine SMS?«, fragte Bodenstein argwöhnisch. »Ging eine Korrespondenz voraus?«

Sanders Gesicht nahm einen verschlossenen Ausdruck an.

»Sie meinen, ob ich ihr vorher geschrieben habe? Nein.«

»Aber in der Nacht zuvor haben Sie ihr geschrieben.«

»Stimmt«, Sander hielt Bodensteins Blick, ohne mit der Wimper zu zucken, stand. »Wie Sie richtig bemerkt haben, in der Nacht zuvor.«

Bodensteins Abneigung gegen Sander wuchs mit jedem

Wort, das dieser sagte. Was hatte der Mann bloß an sich? Er sah nicht übermäßig gut aus, war meistens mürrisch, und doch hatte er nicht nur Pia Kirchhoff, sondern auch der nüchternen, kühlen Inka den Kopf verdreht! Bodenstein konnte sich die nächste Bemerkung nicht verkneifen.

»Letzte Nacht stand Ihnen der Sinn dann eher nach Inka Hansen ...«

»Wie kommen Sie denn darauf?«

»Stimmt es oder stimmt es nicht, dass Sie gestern mit ihr zusammen waren?«, beharrte Bodenstein in einem Anflug alberner Eifersucht.

»Ich weiß zwar nicht, was Sie mein Privatleben angeht«, sagte Sander mit einem sarkastischen Unterton, der Bodenstein noch mehr verärgerte, »aber ja: es stimmt. Wir waren zusammen essen. Danach bin ich nach Hause gefahren. Alleine. Ist Ihre Frage damit ausreichend beantwortet?«

»Das ist sie. Danke«, entgegnete Bodenstein frostig. Die beiden Männer maßen sich mit feindseligen Blicken, schließlich drehte sich Sander auf dem Absatz um und marschierte aus dem Haus.

»Ach, Dr. Sander!«, rief Bodenstein ihm nach. Der Mann blieb stehen und blickte sich widerwillig um.

»Wenn Lukas sich etwas beruhigt hat, rufen Sie mich bitte an. Ich muss mit ihm sprechen. Im Gegensatz zu Ihrer Annahme kann er nämlich durchaus Auto fahren. Den Pick-up vom Zoo hat er in Ihrer Abwesenheit gerne mal mit nach Hause genommen.«

Es bereitete Bodenstein eine kindische Genugtuung zu beobachten, wie Sander erst blass, dann rot wurde und sichtlich verärgert abzog. Wahrscheinlich würde er jetzt seine Töchter zur Rede stellen und erfahren, dass der schöne Lukas sein Vertrauen schamlos ausgenutzt hatte.

Auf dem Birkenhof war keine Spur von Pia Kirchhoff. Die Nachbarin hatte den Polizisten das Tor aufgeschlossen, und diese hatten Bodenstein angerufen, der eine Viertelstunde später eintraf. Ihr Auto stand unter dem Walnussbaum, im Haus waren die Rollläden hochgezogen, die Schlösser an allen Türen unversehrt. Nichts deutete auf ein gewaltsames Eindringen oder gar eine Entführung hin. Bodenstein rief den Noch-Ehemann seiner Kollegin an und erkundigte sich, ob er etwas von Pia gehört hatte, aber das war nicht der Fall. Kirchhoff war auch besorgt, denn es war nicht Pias Art, einfach zu verschwinden und niemandem Bescheid zu sagen. Er rief bei ihren Eltern und ihrer Schwester an, vergeblich. Gegen elf Uhr war klar, dass ihr etwas zugestoßen sein musste. Behnke wurde beauftragt, alle verfügbaren Beamten des Kommissariats aus dem Wochenende zu holen, um eine Sonderkommission zu bilden, die in allen Polizeistationen, Kranken- und Leichenschauhäusern der Region nach Pia Kirchhoff suchen sollten. Vielleicht war sie mit Freunden unterwegs gewesen, und es hatte einen Unfall gegeben, sie war überfallen, beraubt oder … nein, an diese letzte Möglichkeit wollte Bodenstein gar nicht erst denken. Wahrscheinlich stellte sich ihr Verschwinden im Nachhinein als ganz harmlos heraus. Die Nachbarin hatte weder etwas Ungewöhnliches gehört noch gesehen; am frühen Abend hatte sie noch mit Pia über den Zaun hinweg gesprochen. Sie wollte noch einmal ihren Mann und die Erntehelfer fragen, die in den Obstplantagen hinter dem Birkenhof arbeiteten, und versprach, sich um die Tiere und Blumen zu kümmern, bis Pia wieder da war. Tief beunruhigt fuhr Bodenstein nach Hofheim ins Kommissariat. Während der Fahrt grübelte er darüber nach, ob er durch seinen gestrigen Anruf bei seiner Kollegin eine Kurzschlussreaktion ausgelöst hatte, die letztendlich zu ihrem Verschwinden geführt hatte. Gingen Pia Kirchhoffs Gefühle für diesen Sander doch tiefer, als sie es ihm gegenüber zugegeben hatte? Warum hatte sie ihm diese eigenartige SMS geschickt? Eines war Bodenstein glasklar: Er misstraute dem Mann, den Inka Hansen gestern Abend so angelächelt hatte und dem offenbar auch seine Kollegin auf Anhieb verfallen war, aus tiefstem Herzen.

Die Anspannung bei den Mitarbeitern des K11 war anders als sonst, wenn nach Vermissten, nach Mördern oder ihren Opfern gesucht wurde. Diesmal galt die Suche einer der ihren, einer Kollegin, und nicht ein einziger Beamter der Kriminalinspektion hatte es sich nehmen lassen, bei der SoKo Pia dabei zu sein. Zweiunddreißig Männer und Frauen drängten sich in dem Besprechungsraum, als Bodenstein und Dr. Henning Kirchhoff eintraten. Ostermann berichtete, dass in keinem Krankenhaus in der Umgebung eine Frau eingeliefert worden war, auf die Pias Beschreibung passte. Jede Polizeistation in Hessen war über ihr Verschwinden unterrichtet worden. In Pias Haus hatte die Spurensicherung benutzte Kaffeetassen und Gläser aus der Spülmaschine sichergestellt, Bettzeug und ein Handtuch, an dem Blutspuren waren. Es widerstrebte Bodenstein, im Privatleben seiner Kollegin herumzuschnüffeln und intime Details vor allen Mitarbeitern zu besprechen, deshalb ergriff er das Wort. Wichtig waren zuerst die Überprüfung sämtlicher Telefonverbindungen von Handy und Festnetz und ein Bewegungsprofil ihres Handys, außerdem sollten weiterhin die Krankenhäuser überprüft werden. Ein Kollege vom Betrugsdezernat kam herein.

»Heute Morgen um halb fünf wurde eine Frau im Kreiskrankenhaus Idstein eingeliefert«, verkündete er. »Sie war bewusstlos und hatte keine Papiere bei sich. Ein Mitarbeiter der Autobahnmeisterei hat sie am Autobahnparkplatz Idstein gefunden. Von der Beschreibung her könnte es sich um Frau Kirchhoff handeln.«

Bodenstein blickte auf. Idstein?

»Auf was warten Sie?«, sagte er. »Fahren Sie hin!«

»Es gibt ein Problem. Die Frau ist vor anderthalb Stunden verstorben, ohne das Bewusstsein wiedererlangt zu haben.«

Die Stimmen der Beamten brachen ab wie ein Orchester, wenn der Dirigent das Pult betritt. Entsetzte Stille lag im Raum. Bodenstein erhob sich abrupt.

»Ich fahre hin«, sagte er.

»Ich komme mit«, Dr. Kirchhoff, der schweigend im Hintergrund gestanden und zugehört hatte, richtete sich auf. Er war blass, aber gefasst.

›Bitte, bitte, bitte, lieber Gott, lass es nicht Pia sein‹, betete Bodenstein stumm und inbrünstig, als er Kirchhoff und der sichtlich überarbeiteten und übermüdeten Oberärztin der Unfallchirurgie in die Katakomben des Idsteiner Kreiskrankenhauses folgte. Während der Fahrt von Hofheim nach Idstein hatten Kirchhoff und er kaum zehn Worte miteinander gewechselt, zu schrecklich war die Möglichkeit dessen, was sie am Ziel ihrer Fahrt erwarten konnte. Um Viertel vor zehn gestern Abend hatte er mit Pia telefoniert – er verfluchte sich für diesen Anruf! Auch wenn sich seine Kollegin stets kühl und gelassen gab, sie war auch ein Mensch, eine Frau, die sich womöglich in den falschen Mann verliebt hatte. Hatte sie Sander noch angerufen? War er zu ihr gefahren? Hatten sie gestritten? Hatte er sie im Verlaufe des Streits … Sie hatten den Kühlraum erreicht, in dem das Krankenhaus die Leichen aufbewahrte, bis sie in die Rechtsmedizin oder zum Bestattungsunternehmen gebracht wurden. Eine Bahre mit einem abgedeckten Körper stand in dem gefliesten Raum, eine Kühlmaschine brummte. Bodenstein starrte auf den Boden und ballte die Hände in den Taschen zu Fäusten. Er wollte es nicht sehen. Er wollte es nicht wissen. Das Laken, mit dem die Leiche bedeckt war, raschelte leicht, als die Ärztin es kommentarlos zurückzog.

»Das ist sie nicht«, hörte er Kirchhoff sagen, und die Erleichterung flutete durch Bodensteins Körper wie hochprozentiger Alkohol. Er schlug die Augen auf und trat mit zittrigen Knien an die Bahre. Die Frau war blond. Und das war auch schon alles, was sie an äußerlichen Merkmalen mit Pia Kirchhoff gemeinsam hatte.

Als Bodenstein eine Stunde später ins Kommissariat zurückkehrte, gab es eine erste Spur. Behnke und ein paar Kollegen hatten trotz großer sprachlicher Probleme mit sämtlichen der knapp fünfzig Erntearbeitern des Elisabethenhofes gesprochen, und zwei von ihnen erinnerten sich daran, dass Pia etwa gegen halb elf von einer Frau mit schulterlangem blondem Haar in einem Smart abgeholt worden war. Eine Entführung schied offenbar aus. Ostermann hatte von der Telekom das Bewegungsprofil ihres Handys erhalten. Sie war in Frankfurt gewesen, bis etwa um zwei Uhr morgens, zuletzt war das Telefon in Königstein geortet worden. Um kurz nach halb vier wurde es ausgeschaltet.

»Haben Sie auch schon die Liste der Telefonate?«, fragte Bodenstein.

»Heute ist Sonntag, Chef«, Ostermann schüttelte den Kopf. »So schnell sind die von der Telekom auch nicht.«

»Machen Sie Druck, auch im Labor. Ich will innerhalb der nächsten Stunde alle Ergebnisse haben«, sagte Bodenstein. »Haben Sie Kriminaldirektor Nierhoff erreicht?«

»Ja«, erwiderte Ostermann, »er plant schon die Pressekonferenz. Für einen halbtoten Bankvorstand lässt er sogar das Golfspielen sausen.«

Bodenstein enthielt sich eines Kommentars. Zwischen Nierhoff und ihm herrschte eine klare Arbeitsteilung, was

die Öffentlichkeitsarbeit betraf, Bodenstein war froh darüber. Er holte sich die Akten Pauly und Jonas Bock und
setzte sich an einen der Schreibtische, um alle Berichte zu
lesen, die Pia verfasst hatte. Unkonzentriert überflog er die
Vernehmungsprotokolle im Mordfall Jonas Bock. Plötzlich
durchzuckte ihn eine flüchtige Erinnerung. Er blätterte zurück, in der Hoffnung, etwas zu lesen, was diese Erinnerung
greifbar machte. Opel-Zoo. Sander. Lukas. Der Pick-up. Da
war noch etwas gewesen, aber was nur? Bodenstein vermisste Pia und ihre beeindruckende Fähigkeit, sich an kleinste
Details zu erinnern. In dem Moment fiel ihm die mysteriöse
SMS ein, die Pia an Sander geschickt hatte. Er öffnete sein
Handy und suchte die Nachricht, die Sander an ihn wei-
tergeleitet hatte.

»Ostermann?«

»Ja?« Sein Mitarbeiter blickte hinter seinem Monitor hervor. Bodenstein reichte ihm sein Handy.

»Diese SMS hat Frau Kirchhoff letzte Nacht an Zoodirektor Sander geschickt.«

»*DOUblelIFE. Tark. Rosn*«, las Ostermann.

»Was halten Sie davon?«, fragte Bodenstein.

»*Double Life* ist ein Internetspiel, das vom Verfassungs-
schutz als gewaltverherrlichend eingestuft und deshalb verboten wurde. Auf der Webseite von Svenja habe ich einen
Link dazu gefunden. Ich habe Pia davon erzählt.«

Bodenstein erinnerte sich an sein Gespräch mit Franjo
Conradi und versuchte, sich den genauen Wortlaut dessen,
was der Junge gesagt hatte, ins Gedächtnis zu rufen. *Dieses
dämliche Spiel. Double Life war Lukas' Idee.*

»Rufen Sie Franjo Conradi und Tarek Fiedler an«, sagte er
zu Ostermann, der ihm einen überraschten Blick zuwarf.«Sie
sollen sofort hierher kommen, denn sie wissen etwas über
dieses Spiel.«

Ostermann starrte seinen Chef verständnislos an.

»Ich habe gestern mit den beiden gesprochen«, erklärte er. »Tarek Fiedler hat mal im Opel-Zoo gearbeitet, er und Franjo Conradi haben eine Verbindung zu diesem *Double-Life*-Spiel und zu Lukas. Versuchen Sie, irgendetwas aus ihnen herauszubekommen.«

Er nahm sein Handy an sich, rief nach Behnke und ging zur Tür.

Vor der Villa der van den Bergs hatten sich die Ü-Wagen einiger Fernsehsender und Dutzende von Reportern eingefunden und warteten geduldig auf Neuigkeiten.

»Der Einzige, der wirklich vom Tod van den Bergs profitieren würde, wäre Lukas«, überlegte Bodenstein laut. »Für ihn als Täter spricht auch, dass wir keine Einbruchspuren am Haus gefunden haben.«

»Warum sollte Lukas seinen eigenen Vater umbringen wollen?«, fragte Behnke erstaunt. Bodenstein erinnerte sich an das, was Tarek Fiedler gesagt hatte.

»Weil er ihm kein Geld mehr gegeben hat. Weil er es satthatte, sich von seinem Vater Vorschriften machen zu lassen.«

»Glaube ich nicht. Der Junge war doch völlig schockiert.«

»War er das wirklich – oder hat er uns etwas vorgespielt? Lukas ist clever, außerdem ist er psychisch krank.«

Bodenstein hielt vor dem Haus der Sanders an.

»Schicken Sie die Presseleute nach Hofheim«, sagte Bodenstein zu seinem Kollegen. »Ich gehe zu Sanders und spreche mit Lukas.«

Aber Lukas war nicht bei den Nachbarn. Er habe sich geweigert, das Haus zu verlassen, sagte ihm die ältere Schwester von Antonia.

»Ist Ihr Vater bei ihm?«, erkundigte sich Bodenstein.

»Nein, Toni ist drüben«, erwiderte Annika Sander. »Papa ist im Zoo.«

Bodenstein bedankte sich und ging zurück zu seinem Auto. Die Pressemeute rüstete sich zum Aufbruch; Minuten später lag die Straße still und verlassen da. Bodenstein klingelte an der Tür, aber nichts regte sich. Behnke zögerte nicht lange und kletterte geschickt über das hohe Tor, dann öffnete er die Tür von innen. Sie gingen über den Rasen um das Haus herum. Die Fenstertüren des Wohnzimmers standen noch immer offen.

»Lukas?«, rief Bodenstein und betrat das Haus. »Lukas!«

Er fuhr erschrocken zusammen, als ein Mädchen in der Tür des Wohnzimmers erschien. Antonia Sander war blass und machte einen verstörten Eindruck. Der Anblick Bodensteins schien sie zu erleichtern.

»Ich habe die Klingel abgestellt«, erklärte sie Bodenstein. »Die haben in einer Tour Sturm geklingelt. Entschuldigung.«

»Schon in Ordnung«, Bodenstein musterte das Mädchen. »Wo ist Lukas? Wie geht es ihm?«

Antonia Sander zögerte.

»Er ist ganz komisch«, sagte sie leise, »kommen Sie.«

Sie drehte sich um, Bodenstein und Behnke folgten ihr durchs Wohnzimmer in die Halle und weiter in das Arbeitszimmer, in dem sie vor ein paar Stunden van den Berg gefunden hatten. Jemand hatte die Stühle und die Stehlampe wieder aufgestellt, der Blutfleck auf dem glänzenden Parkettfußboden war nicht entfernt worden. Hinter dem wuchtigen Mahagonischreibtisch saß Lukas und starrte blicklos vor sich hin.

»Hallo, Lukas.«

Der Junge warf Bodenstein einen flüchtigen Blick zu und lächelte verschwommen. Seine Augen waren blutunterlaufen und glänzten stark.

»Ich warte auf einen Anruf«, sagte er leise. »Mama hat doch meine Handynummer nicht.«

Bodenstein hatte eigentlich vorgehabt, den Jungen danach zu fragen, was er gestern Abend gemacht hatte, aber auf einmal empfand er Mitleid. Jetzt war nicht der richtige Moment für Fragen.

»Deine Mutter wird nicht anrufen, Lukas«, sagte er behutsam. »Dr. Röder hat uns gesagt, dass sie vor vierzehn Jahren gestorben ist.«

Lukas starrte ihn an. Sein Mund zuckte, er verschränkte die Arme vor der Brust und krümmte sich zusammen, als habe er Schmerzen. Eine Träne lief über sein Gesicht.

»Der Röder hat doch keine Ahnung«, sagte er mit gepresster Stimme, dann schien ihm etwas einzufallen. »Wo ist Frau Kirchhoff?«

»Sie ist … sie musste sich um etwas anderes kümmern«, erwiderte Bodenstein ausweichend.

»Ihr Handy ist aus«, sagte Lukas. »Ich habe schon versucht, sie anzurufen. Ist sie krank?«

»Nein.«

Lukas blickte zwischen Bodenstein und Behnke hin und her.

»Sie verheimlichen mir was«, stellte er fest. »Ihr ist doch nichts zugestoßen, oder?«

»Das kann ich dir im Augenblick leider nicht sagen, Lukas«, entschied sich Bodenstein für einen Mittelweg. »Fühlst du dich in der Lage, uns ein paar Fragen zu beantworten?«

»Muss das jetzt sein? Ich bin müde. Ich will schlafen.«

»Lass uns zu uns rüber gehen«, mischte sich Antonia ein, »ich mache uns Frühstück.«

Lukas' Augenlider flackerten, er blickte sich verwirrt um. Offenbar hatte er die Anwesenheit des Mädchens völlig vergessen.

»Toni«, sagte er, und plötzlich liefen ihm die Tränen über das Gesicht, »Toni! Papa ist im Krankenhaus. Er stirbt wahrscheinlich!«

Gegen Mittag war das Thermometer auf dreiunddreißig Grad im Schatten gestiegen. Kein Lufthauch regte sich, der Himmel wurde fahl. Die Stimmung im K11 war so bleiern wie das Wetter. Jede Polizeidienststelle in Deutschland war über das Verschwinden von Kriminalkommissarin Pia-Luise Kirchhoff, 38, 1,78 groß, schlank, blond, blaue Augen, informiert, alle Krankenhäuser im Main-Taunus-Kreis, Hochtaunuskreis, in Frankfurt, Darmstadt, Offenbach, Limburg und Gießen überprüft. Das Telefon klingelte und klingelte, aber kein Anruf brachte eine neue Erkenntnis. Tarek Fiedler war nicht zu erreichen, aber Franjo Conradi war der Aufforderung, umgehend aufs Kommissariat nach Hofheim zu kommen, gefolgt. Er saß steif auf einem Stuhl, fuhr bei jedem Geräusch und Telefonklingeln zusammen und blickte sich verängstigt um, sobald jemand das Büro betrat.

»Was weißt du über *Double Life*?«, fragte Ostermann. Er war zwar auf die Startseite des Spiels gelangt, aber es war ihm nicht gelungen, sich als Spieler zu registrieren. Beim dritten Versuch war der Hinweis FATAL ERROR erschienen, und er war rausgeflogen.

»Nichts«, log der schmächtige Junge mit dem übel zugerichteten Gesicht und starrte auf seine Hände. Ostermann hob die Augenbrauen. Franjo war von jemandem schwer eingeschüchtert worden. Warum? Was wusste er?

»Hör mal«, er beugte sich vor, »dieses Spiel ist mir völlig egal. Zwei Menschen, die du kanntest, sind tot. Svenja Sievers ist verschwunden, genauso wie meine Kollegin, Frau Kirchhoff. Wir wollen die beiden finden, bevor ihnen auch etwas zustößt, und wir sind mittlerweile sicher, dass Lukas etwas mit den Morden zu tun hat, deswegen musst du mir sagen, was du weißt. Dir wird nichts passieren, das verspreche ich dir.«

»Lukas?« Franjo blickte erstaunt auf. »Wieso Lukas?«

»Das kann ich dir nicht sagen. Aber ich muss wissen, was Lukas und Tarek Fiedler mit diesem Spiel zu tun haben.«

Bei der Erwähnung von Tareks Namen zuckte der Junge zusammen. Er kämpfte mit sich, entschloss sich dann aber zu reden.

»Lukas hat *Double Life* geschrieben. Ursprünglich war es nur als eine Computeranimation gedacht, die den Verlauf der geplanten B8-Trasse zeigt. Es sollte mit den Webseiten des BUNTE und der ULK verlinkt werden und als CD-Rom an alle Kelkheimer und Königsteiner Haushalte verteilt werden.«

Lukas, Jonas und Tarek hatten das Spiel, das Lukas aus der Computeranimation gemacht hatte, immer weiter entwickelt und ins Internet gestellt. Zuerst war es noch harmlos, die Mitspieler konnten mit einer Figur durch Kelkheim und Königstein laufen, im Grünzeug Essen bestellen, im Kelkheimer Kino Karten reservieren. Dann hatten sich Lukas und Jonas in den Rechner der Taunus-Sparkasse gehackt, um zu schauen, ob man auch Onlinebanking mit einbinden könnte. Sie wollten aus dem Spiel etwas Ähnliches machen wie Second Life in Amerika.

»Lukas hatte eine Client-Software entwickelt, mit der man online über unseren Server seine Seiten verwalten und bearbeiten kann«, erklärte Franjo. »Aus dieser Software wurde dann das Werkzeug, mit dem die Mitspieler in *Double Life* ihre Figur gestalten und sich im Spiel bewegen können. Um einen Account zu eröffnen, muss man bei der Registrierung seine Kreditkartennummer angeben, und für alles, was man macht, muss bezahlt werden. Das lief so ähnlich wie bei einem Internetshop.«

Ostermann nickte fasziniert. Sein Respekt vor den Jungen wuchs.

»Je mehr Leute mitgemacht haben, desto besser wurde *Double Life*, denn Lukas hat jedem Mitspieler Teile des Quellcodes zur Verfügung gestellt, damit sie an der Gestaltung mitarbeiten konnten. Aber Tarek hat alles versaut.«

»Wieso?«

Franjo blickte auf. »Wissen Sie, was ein TPS ist?«

»Ein Third-Person-Shooter«, Ostermann nickte, »wie bei Tomb Raider.«

»Genau«, bestätigte Franjo, »Tarek fand, es würde dem Spiel einen Kick geben, wenn es auch Verbrecher und Waffen gäbe.«

Er verzog das Gesicht zu einer Grimasse.

»Was hat Lukas dazu gesagt?«, fragte Ostermann.

»Zuerst nichts. Er hat an den Sicherheits- und Zugangscodes gearbeitet, mit deren Hilfe wir das Spiel später vor den Nachforschungen von Interpol versteckt haben. *Double Life* läuft auf unserem eigenen Server, aber Lukas hat es irgendwie hingekriegt, diesen Server mit einem anderen zu vernetzen, der über ein Portal irgendwo im Ausland sitzt. Da kommen die Bullen ... äh ... die Polizei nie drauf.«

Franjo stieß einen Seufzer aus.

»Wir konnten uns nicht mehr retten vor Anfragen. Nicht zu glauben, was die Leute für ein Geld ausgegeben haben, nur um einer von den Killern sein zu können. Ein Waffenschein kostet hundert Euro, die Waffenscheine konnte nur der Pate ausstellen.«

»Lukas?«, vermutete Ostermann, und Franjo nickte.

»Was passiert mit denen, die erschossen wurden?«

»Man ist für vierundzwanzig Stunden gesperrt, die Figur wandert so lange ins Verlies der Burg. Man kann sich freikaufen – oder warten.«

»Aber das Geld ist doch nur virtuell, oder nicht?«

»Nein. Man kann es sich auf sein Konto auszahlen lassen«, Franjo lächelte bitter, »*Double Life* ist eine Goldgrube. Und deshalb gab es Krach.«

Bodenstein saß an seinem Schreibtisch und schob die Akten über Jonas Bock und Pauly zur Seite, nachdem er sie wieder und wieder in der vergeblichen Hoffnung auf eine neue Erkenntnis oder einen Geistesblitz durchgeblättert hatte. Obwohl Bodenstein ehrliches Mitleid mit Lukas verspürte, misstraute er ihm. Er hatte wissentlich noch nie Umgang mit einem ›Multiplen‹ gehabt, konnte also auch nicht beurteilen, ob Lukas' eigenartiges Verhalten ein Symptom dieser psychischen Störung oder nur ein perfektes Theaterspiel war. Sicherheitshalber hatte Bodenstein dafür gesorgt, dass ein Streifenwagen vor dem Haus der Sanders stand, in dem er Lukas zurückgelassen hatte. Die offizielle Begründung für die Anwesenheit der Polizei war der Schutz vor Neugierigen oder aufdringlichen Reportern. In Wahrheit wollte Bodenstein wissen, ob Lukas das Haus verließ oder nicht. Er war der einzige Angehörige von Heinrich van den Berg, der Einzige, der ein Interesse an seinem Tod haben konnte. Aus dem Krankenhaus gab es nichts Neues. Van den Bergs Zustand hatte sich etwas stabilisiert, aber er war noch immer ohne Bewusstsein. Die Ärzte konnten nicht beurteilen, ob er durch die schweren Kopfverletzungen bleibende Schäden davongetragen hatte oder nicht. Ein heißer Windstoß fuhr durchs Fenster herein und wirbelte die Verhörprotokolle der Erntearbeiter vom Elisabethenhof von Bodensteins Schreibtisch. Mit einem unterdrückten Fluch machte er sich daran, die Blätter aufzusammeln. Und da war er, der Geistesblitz, auf den er gewartet hatte! Natürlich! Er hatte die Lösung längst vor Augen gehabt, sie aber nicht erkannt. Bodenstein sprang auf und ging hinüber in Ostermanns Büro.

Franjo Conradi saß an Ostermanns Computer und zeigte diesem, wie man das Portal von *Double Life* öffnen konnte. Er loggte sich mit einem Spielernamen ein, und vor den faszinierten Augen von Ostermann öffnete sich eine nahezu perfekte 3D-Simulation der Städte Kelkheim und Königstein, allerdings nur für ein paar Sekunden. Auf dem Bildschirm erschien eine Digitalanzeige, die in hoher Geschwindigkeit rückwärts lief. Wie bei einer Bombe.

»Was bedeutet das?«, wollte Ostermann wissen.

Franjo biss sich auf die Lippen.

»Lukas wollte *Double Life* abschalten«, sagte er schließlich. »Er hatte schon damit gedroht, als Jo noch nicht tot war, weil Jo und Tarek dauernd deswegen gestritten haben. Es fing an, als sich ein paar Softwarefirmen für *Double Life* interessiert haben. Lukas wollte das Spiel unter keinen Umständen verkaufen, Jo und Tarek haben ihn aber immer wieder gedrängt.«

»Es gab Angebote von Softwareherstellern?«

»Mehrere. Die Japaner haben drei Millionen geboten, die Amis noch mehr.«

»Drei Millionen Dollar?« Ostermanns ungläubiger Blick begegnete dem von Bodenstein.

»Euro«, Franjos Stimme klang tonlos. »Lukas hat gesagt, er würde seine Welt nicht verkaufen, vorher zerstört er sie. Tarek ist ausgeflippt und hat Lukas vorgeworfen, er hätte ja leicht reden, weil er eines Tages die Kohle von seinem Vater erben würde. Tarek ging es immer nur ums Geld, bei allem.«

»Und was hat es mit diesem Countdown auf sich?«

»Der Countdown bedeutet, dass Lukas die Deinstallation gestartet hat. In sechs Stunden und vierunddreißig Minuten startet der Rechner eine Denial-of-Service-Attacke und aktiviert einen Wurm, den Lukas selber programmiert hat. Er wird sämtliche Server und Rechner, mit denen der von *Double*

Life vernetzt ist, lahmlegen. Und gegen ›Svenja‹ waren Sober, MyDoom oder Sasser der reinste Kindergeburtstag.«

Ostermann glaubte dem Jungen jedes Wort. Lukas ging es nicht um Geld, ihm ging es um seine Hackerehre. Lieber würde er sich mit einem gigantischen Knall aus der Community verabschieden, als sein geistiges Eigentum zu vermarkten.

»Svenja?«, fragte Bodenstein, der näher gekommen war. »Wieso hat Lukas den Wurm so genannt?«

Franjo warf ihm einen kurzen Blick zu.

»Tarek meint, weil er total versessen auf Svenja ist. Aber umgekehrt ist es nicht genauso.«

»Was meinst du damit?«, wollte Bodenstein wissen. Franjo verzog das Gesicht.

»Na ja«, druckste er. »Ich hab keine Ahnung, aber Tarek behauptet, es hätte Lukas verrückt gemacht, dass Svenja das einzige Mädchen ist, das nicht in ihn verliebt ist.«

Bodenstein starrte den Jungen an. In seinem Gehirn ordneten sich die losen Puzzlestücke wie von selbst und fügten sich zu einem logischen Ganzen zusammen, das er bis dahin nicht verstanden hatte. Behnke und Kathrin Fachinger kamen herein, als Ostermanns Telefon klingelte. Er nahm ab und lauschte eine Weile.

»Das war das Labor«, sagte er schließlich betroffen. »Die DNA vom Blut an einem Küchenhandtuch stimmt mit der von der Gewebeprobe aus Jonas' Mund überein. Sein Mörder war also bei Pia im Haus.«

»Ich kann mir denken, wer das war«, murmelte Bodenstein. »Ich war blind.«

»Dr. Bock?«, vermutete Behnke. »Oder Sander?«

»Nein«, Bodenstein schüttelte den Kopf. »Kommt mit in mein Büro.«

»Und ich?«, meldete sich Franjo Conradi schüchtern.

Bodenstein blickte den Jungen an, der wie ein verschrecktes Kaninchen aussah.

»Wo warst du an dem Abend, als Pauly ermordet wurde?«

»Im Grünzeug. Auf der Versammlung«, erwiderte der Junge. »Das habe ich neulich doch schon ...«

»Kannst du dich erinnern, ob Lukas den ganzen Abend da war?«

Der Junge zog die Stirn in Falten und überlegte angestrengt.

»Die Versammlung war so um halb neun zu Ende«, sagte er. »Wir saßen vorne im Bistro. Die Svenja kam rein, total verheult. Ich weiß das noch, weil ein paar Jungs blöde Bemerkungen gemacht haben.«

»Weiter«, drängte Bodenstein.

»Svenja hat mit Lukas geredet, dann ist sie wieder raus. Lukas war erst noch da, aber irgendwann war Sören alleine hinter dem Tresen.«

»Ist Lukas noch mal wiedergekommen?«

»Ich glaub nicht«, Franjo warf Bodenstein einen unsicheren Blick zu. »Aber die Andi hat ihn noch mal gesehen, als sie heimgefahren ist.«

»Andi?«

»Andrea. Andrea Aumüller.«

Der Name rief eine dunkle Erinnerung in Bodenstein wach.

»Das Mädchen, das gestern angerufen hat und mit Ihnen sprechen wollte«, erinnerte Kathrin Fachinger ihn.

»Was hat Andrea gesehen?«, fragte Bodenstein. Franjo zögerte.

»Diesen grünen Pick-up vom Opel-Zoo. An der Kreuzung in Münster. Lukas war oft damit unterwegs, wenn Tonis Vater nicht da war.«

Bodenstein ließ den Jungen stehen und ging in sein Büro.

Er hatte gewusst, dass mit Lukas irgendetwas nicht stimmte. Lukas war an dem Abend, an dem Pauly ermordet worden war, mit dem Pick-up unterwegs gewesen, wie Tarek Fiedler es gesagt hatte. Als die von ihm angebetete Svenja heulend das Grünzeug verlassen hatte, war er ihr gefolgt. Zu Pauly. Niemand anderes als Lukas hatte Pauly erschlagen und später auf der Wiese am Zoo entsorgt, als die Gelegenheit günstig gewesen war. Bodenstein wählte die Nummer von Dr. Sander. Besetzt. »Verdammt.«

»Was ist denn, Chef?« Behnke erschien in der Tür.

Bodensteins Handy summte. Es war Sander.

»Ich wollte Sie auch gerade anrufen«, sagte er, dann lauschte er angespannt auf das, was Sander ihm mitteilte.

»Was? Er ist weg? Das gibt's doch nicht! Warten Sie auf uns, wir sind in fünfzehn Minuten bei Ihnen.«

Er knallte den Hörer auf die Gabel und drehte sich um.

»Ostermann«, sagte er, »leiten Sie eine Großfahndung nach Lukas van den Berg ein. Er hat uns alle schön an der Nase herumgeführt. Von wegen, er kann nicht Auto fahren!«

»Könnten Sie uns mal aufklären, Chef?«, fragte Behnke verwirrt. Bodenstein nahm seine Dienstwaffe aus der Schreibtischschublade und steckte sie ein.

»Die Erntearbeiter haben angeblich eine Frau mit schulterlangen blonden Haaren bei Frau Kirchhoff gesehen. Das war keine Frau, sondern Lukas! Ostermann, rufen Sie auch diese Andrea an und fragen Sie, was sie an dem Abend genau gesehen hat. Wir fahren zu Sander. Ich bin mir ganz sicher, dass der Junge Svenja in seine Gewalt gebracht hat, und wahrscheinlich auch Frau Kirchhoff. Sie hatte ihn wohl durchschaut und ist deshalb zu einer Gefahr für ihn geworden.«

»Und was hatte sie durchschaut?«, fragte Ostermann.

»Lukas ist Paulys Mörder«, antwortete Bodenstein und stand auf. »Ich habe es die ganze Zeit vermutet, aber ich war mir nicht über sein Motiv im Klaren. Jetzt schon: Lukas war eifersüchtig. Das einzige Mädchen, das ihm widerstanden hat, war Svenja. Und als er sie zusammen mit Pauly gesehen hat, sind bei ihm die Sicherungen durchgebrannt. Er hat ihn erschlagen, auf den Pick-up geladen und später auf der Wiese entsorgt. Dann stand ihm nur noch Jonas im Weg. Mit dem hatte er sowieso Streit wegen *Double Life*. Um zu verhindern, dass sich Svenja und Jonas wieder vertragen, hat er die E-Mail zu den Fotos auf Svenjas Webseite lanciert. Als Frau Kirchhoff an dem Montagabend bei ihm im Bistro war, hat er ihr die Party von Jonas verschwiegen, weil er die ganze Zeit schon geplant hatte, seinen Freund umzubringen. Die Biss-wunde am Arm hat er dadurch vor uns verborgen, indem er sich von dem Kamel hat beißen lassen.«

»Aber es ist doch sehr unwahrscheinlich, dass Lukas' DNA der von Jonas so ähnlich ist«, warf Behnke ein. Bodenstein hatte auch für diese Schwachstelle in seiner Theorie eine Erklärung.

»Wir haben uns irritieren lassen«, sagte er. »Derjenige, den Jonas gebissen hat, muss ja nicht zwangsläufig sein Mörder sein.«

Behnke zweifelte noch immer.

»Warum soll Lukas etwas mit Svenjas Verschwinden zu tun haben?«, fragte er.

»Weil in ihrem Computer die Festplatte fehlte«, Bodenstein ergriff sein Jackett, »und auf der Festplatte befand sich etwas, was dort nicht sein durfte, nämlich ein Zugang zu *Double Life*. Beeilen wir uns. Der Junge ist schwer psychisch gestört und zu allem fähig.«

Bodenstein bog gerade am alten Kurpark in die Kronberger Straße ein, als sich das Autotelefon meldete. Es war Ostermann.

»Andrea Aumüller hatte gestern Abend einen schweren Verkehrsunfall und liegt in der Uniklinik in Frankfurt im Koma. Ein Zeuge hat unseren Kollegen berichtet, er habe einen dunklen Mercedes oder BMW beobachtet, der dem Mädchen an der Münsterer Kreuzung regelrecht aufgelauert und sie gezielt über den Haufen gefahren habe.«

»Wann war das?«

»Gegen halb zwölf.«

»Der Vater von Lukas hat eine dunkle S-Klasse«, sagte Behnke. »Ich habe das Auto heute Morgen in der Garage stehen sehen.«

Bodenstein presste die Lippen zusammen. Das Mädchen hatte gestern angerufen und mit ihm reden wollen, aber er hatte es vergessen. War sie angefahren worden, weil sie bei ihm angerufen hatte? Hatte Lukas womöglich erfahren, dass das Mädchen ihn im Pick-up gesehen hatte? Auch Franjo Conradi war stark eingeschüchtert. Um was ging es hier überhaupt? Auf jeden Fall schreckte der Täter vor nichts zurück, auch nicht vor Mord. Falls Lukas wusste, wo Pia Kirchhoff war, schwebte sie in allerhöchster Gefahr!

Vor dem Haus von Sander warteten schon zwei Streifenwagen. Bodenstein hielt und stieg aus. Der grüne Opel-Zoo-Pick-up stand quer in der Auffahrt. Behnke und Kathrin Fachinger liefen weiter, um mit den Beamten das Haus von van den Berg nach Spuren und Hinweisen zu durchsuchen. Dr. Sander kam Bodenstein entgegen. Er war blass, seine Miene verriet, dass er unter höchster Anspannung stand.

»Lukas hatte Antonia in der Toilette eingesperrt«, berichtete er, »dann ist er durch unseren Garten abgehauen.«

»Wo ist Ihre Tochter?«, fragte Bodenstein. »Ich muss mit ihr sprechen.«

»Das würde ich auch gerne«, erwiderte Sander, »aber sie

hat zu ihren Schwestern gesagt, sie wüsste, wo Lukas sei, und würde zu ihm fahren. Sie hat sich Sorgen gemacht, dass er sich etwas antun könnte.«

»Warum haben Sie sie nicht daran gehindert?«

»Herrgott, weil ich nicht da war!«, antwortete Sander heftig. »Hin und wieder muss ich noch ein bisschen arbeiten!«

»Ihre Tochter ist in höchster Gefahr«, sagte Bodenstein ernst, »Lukas hat Pauly und wahrscheinlich auch Jonas getötet. Er war am Abend von Paulys Tod mit Ihrem Pick-up unterwegs. Eine Zeugin hat das Fahrzeug in Münster an der Kreuzung gesehen. Wir sind uns sicher, dass er Svenja und Frau Kirchhoff in seiner Gewalt hat.«

Sander starrte Bodenstein fassungslos an.

»Lukas muss den Angriff von dem Kamel provoziert haben, um so die Bisswunde, die Jonas ihm bei dem Kampf zugefügt hatte, verbergen zu können«, fuhr Bodenstein fort. »Der Junge hat nichts mehr zu verlieren. Ich vermute sogar, dass er versucht hat, seinen Vater zu töten. Und er hat dieses Internetspiel, in dem er quasi gelebt hat, so programmiert, dass es sich in sechs Stunden selbst zerstört und damit einen nicht absehbaren Schaden an Tausenden von Computern anrichten wird.«

»Sie spinnen ja«, Sander zwang sich zu einem ungläubigen Auflachen. »Das ist doch alles völlig abstrus!«

»Ich glaube nicht, dass das abstrus ist«, widersprach Bodenstein mit plötzlich aufflammendem Zorn. »Welche Beweise brauchen Sie denn noch, um zu kapieren, dass Ihr Lukas nicht der ist, für den Sie ihn halten? Der Junge ist krank. Er besitzt eine gespaltene Persönlichkeit.«

Sander schüttelte den Kopf.

»Rufen Sie Ihre Tochter an«, forderte Bodenstein den Mann auf.

»Das habe ich schon versucht. Sie geht nicht an ihr Handy. Ihre Schwestern versuchen es weiter.«

»Ist es denn angeschaltet?«

»Ja.«

Einer der Polizeibeamten kam quer über die Straße.

»Der Mercedes in der Garage war vor kurzem in einen Unfall verwickelt«, sagte er. »Er ist vorne beschädigt, und am Kühlergrill sind Blutspuren.«

Bodenstein und Sander folgten dem Polizisten in die Garage der van den Bergs. Behnke untersuchte das Innere des Autos.

»Ich habe etwas gefunden«, sagte er plötzlich und stieg aus. In der Hand hielt er zwei Handys.

»Das eine gehört Pia«, stellte Kathrin Fachinger fest.

»Und das andere könnte das Handy von Svenja sein«, ergänzte Sander mit bebender Stimme. »Sie und Toni haben sich erst vor ein paar Wochen dieselben Handys gekauft. O Gott.«

Er lehnte sich an den Kotflügel des Mercedes und fuhr sich mit einer Geste der Hilflosigkeit über das Gesicht.

»Ich sage euch, was das bedeutet«, sagte Behnke, »derjenige, der mit diesem Auto das Mädchen vorsätzlich über den Haufen gefahren hat, hat nicht nur Svenja und Frau Kirchhoff in seine Gewalt gebracht, sondern auch versucht, van den Berg zu töten.«

»Und dieser Jemand ist Lukas«, Bodenstein nickte grimmig. Eine junge Frau kam über die Straße gelaufen.

»Papa!«, rief sie atemlos, Sander fuhr herum. »Ich habe Toni erreicht! Sie ist in Kelkheim, in Lukas' Firma!«

Vor der Lagerhalle im Gewerbegebiet in Münster stand einsam und verlassen die silberne Vespa von Antonia Sander. Die Tür zur Halle stand offen, ebenso die Tür zum Computerraum. Bodenstein und Behnke zogen und entsicherten ihre Waffen. Es war möglich, dass das Mädchen nicht alleine war und Lukas die Dienstwaffe von Pia Kirchhoff hatte. Plötzlich erblickte Bodenstein Sander, der quer durch die Halle auf sie zukam.

»Wo ist sie?«, rief er aufgebracht. »Wo ist meine Tochter?«

»Was machen Sie hier?«, fuhr Bodenstein ihn an. »Hatte ich Ihnen nicht gesagt, dass Sie zu Hause bleiben sollen?«

Die Sorge um Pia Kirchhoff, die sich womöglich in der Gewalt eines geisteskranken Einundzwanzigjährigen befand, machte Bodenstein schier verrückt. Bis zu dem Augenblick, als er ihr Handy gesehen hatte, hatte er noch insgeheim gehofft, sie würde sich auf einmal bei ihm melden. Aber nun stand fest, dass ihr etwas zugestoßen sein musste.

»Ich kann nicht tatenlos zu Hause hocken, wenn meine Tochter in Gefahr ist«, entgegnete Sander hitzig. »Antonia! Toni!«

»Hier!«, ertönte die Stimme des Mädchens. »Ich bin hier!«

Bodenstein betrat den großen Raum und blickte sich ungläubig um. Gegen die schwüle Hitze, die draußen herrschte, war es hier beinahe kalt. Er betrachtete die summenden und blinkenden Geräte im bläulichen Licht mehrerer Neonlampen, die Kabelstränge und Monitore, auf denen der Countdown rückwärts lief, rote Zahlen auf schwarzem Hintergrund. In fünf Stunden und achtzehn Minuten würde sich *Double Life* zerstören und gleichzeitig einen verheerenden Wurm aufs Internet loslassen. Antonia kauerte mit verweintem Gesicht in einer Ecke, sie war an Händen und Füßen mit Kabeln gefesselt, das Handy hielt sie in einer Hand.

»Toni!« Sander stürzte zu seiner Tochter und zerrte an den Kabeln, um sie zu befreien. Mit Behnkes Hilfe gelang es ihm schließlich. Das Mädchen fiel seinem Vater um den Hals.

»Papa«, schluchzte Antonia, »Lukas ist völlig durchgedreht! Als ich hier ankam, hat er sich gerade mit Tarek geprügelt. Ich hab echt gedacht, die bringen sich um.«

»Wer hat dich gefesselt?«, fragte Bodenstein.

»Lukas«, Antonia wischte sich die Tränen vom Gesicht und rieb ihre Handgelenke, in die sich die Kabel tief eingeschnitten hatten. »Er wollte nicht, dass ich hinter ihm herfahre.«

»Wo wollte er hin? Und wo ist Tarek?«

»Ich weiß es nicht«, erwiderte Antonia mit zitternder Stimme. »Lukas hat etwas von einem Wurm gesagt, und dass er sich nicht erpressen lassen und den Kerl eher umbringen würde.«

Bodenstein begegnete Sanders Blick und erkannte darin blanke Angst. Sollte er sich in dem Mann getäuscht haben? Machte er sich wirklich Sorgen um Pia Kirchhoff?

»Der Junge wird den beiden nichts tun«, sagte Sander mit bebender Stimme, aber es klang eher so, als wollte er sich selbst davon überzeugen.

»Ich hoffe sehr, dass Sie recht haben«, antwortete Bodenstein düster. »Ich bin kein Psychologe und auch kein Profiler, aber ich glaube, dass Lukas ein gefährlicher Psychopath ist, der schon zweimal gemordet hat und einmal beinahe.«

Lukas erschien Bodenstein als tickende Zeitbombe, zu allem bereit. Die Zeit drängte.

»Ich glaube, er ist auf der Burg in Königstein«, sagte Kathrin Fachinger plötzlich. Bodenstein fuhr herum.

»Wie kommen Sie denn darauf?«, fragte er überrascht.

»Das Verlies in *Double Life*«, entgegnete Kathrin Fachinger. »Vielleicht hat sich Lukas von seinem eigenen Spiel inspirieren lassen.«

»Lukas liebt die Burg«, bestätigte Antonia, »wir waren oft da, Jo, Svenja, Lukas und ich.«

»Okay«, Bodenstein hob den Kopf und blickte Sander an. »Sie fahren mit Ihrer Tochter nach Hause.«

»Nein«, widersprach Antonia, »ich fahre mit. Ich kenne mich besser auf der Burg aus als Sie. Außerdem wird Lukas mir nichts tun.«

Der Himmel über dem Taunus war dunkel wie Schiefer. Unbeweglich verharrte die tiefste Wolkenschicht, der Himmel war eine einzige schwere Masse und senkte sich immer tiefer auf die Erde. Die Vögel hatten aufgehört zu zwitschern. Jedem Lebewesen war klar, dass etwas von oben drohte, außer den Fußballfans. Ganz Königstein war ein Meer in Schwarzrotgold. Autokorsos mit ausgelassenen, Fähnchen schwenkenden Fans verstopften den Kreisel. Bodenstein trommelte ungeduldig mit der Faust aufs Lenkrad.

»Biegen Sie Richtung Mammolshain ab«, Sander beugte sich vor.

»Und dann?«

»Herrgott, tun Sie's doch einfach!«

Bodenstein warf dem Mann im Rückspiegel einen ärgerlichen Blick zu und gehorchte. Sander lotste ihn über den Waldparkplatz des Opel-Zoo auf die Straße nach Kronberg. Kurz vor dem Ortseingang ließ er ihn links Richtung Falkenstein einbiegen. Minuten später hatten sie die Königsteiner Altstadt erreicht.

»Wann ist das SEK da?«, fragte er. Behnke griff zum Telefon.

Ein heißer Wind trieb Staub und Papierfetzen vor sich her über das Kopfsteinpflaster. In der Fußgängerzone war wenig los, die Leute hatten sich vor dem herannahenden Gewitter in ihre Häuser geflüchtet. Sander dirigierte Bodenstein mit knappen Befehlen durch die schmalen Gassen, vorbei am luxemburgischen Schloss und der evangelischen Kirche. Bodenstein trat aufs Gaspedal, als er den Weg erreicht hatte, der zum Haupttor der Burg führte.

»Das SEK ist in einer halben Stunde da«, verkündete Behnke. »Wenn sie gut durch die Stadt kommen.«

»So lange können wir nicht warten.« Bodensteins Nerven vibrierten. Lukas war bewaffnet, und niemand von ihnen trug eine schusssichere Weste! Er durfte Sander und seine Tochter nicht in Gefahr bringen, dennoch brauchte er das Mädchen dringend. Die ersten schweren Regentropfen klatschten auf die Windschutzscheibe.

»Da steht Lukas' Smart!«, rief Antonia aufgeregt. Bodenstein trat heftig auf die Bremse. Das kleine Auto stand halb im Unterholz, die Fahrertür war offen. Der Junge war in höchster Eile gewesen, weil er ahnte, dass Antonia die Polizei rufen würde. Hoffentlich kamen sie nicht zu spät! Er drehte sich um und blickte Antonia an. Im Vergleich zu anderen mittelalterlichen Festungsanlagen war die Königsteiner Burg nicht besonders groß, aber es gab Dutzende von Gewölben, Kellern und Gängen. Und die Zeit wurde knapp.

»Erklär uns, wo wir hinmüssen.«

»Das dauert viel zu lange«, erwiderte das Mädchen. »Ich gehe mit.«

»Nein. Das ist zu gefährlich. Lukas ist bewaffnet.«

»Wir gehen mit«, bekräftigte Sander.

»Das kann ich nicht verantworten«, Bodenstein schüttelte den Kopf. »Ich muss darauf bestehen, dass …«

»Wie lange wollen Sie denn noch rumquatschen?«, schnitt Sander ihm das Wort ab und öffnete die Tür. Er stieg aus und marschierte Richtung Burgtor. Antonia folgte ihm.

»Den halten Sie nicht auf, Chef«, sagte Behnke. »Beeilen wir uns, sonst gibt's noch ein Unglück!«

Pia hatte jedes Zeitgefühl verloren. Ihr Mund war papiertrocken, ihr Kopf dröhnte. Sie versuchte, Arme und Beine zu bewegen, und stöhnte, als das Blut wieder zu zirkulieren begann. Mühsam öffnete sie die Augen und blinzelte benommen in das flackernde Licht einer fast niedergebrannten Kerze. Ein paar Meter über ihr erkannte sie undeutlich ein Gitter. Was war geschehen? Wo war sie? Wie lange lag sie schon hier? Der Boden war kalt und feucht, schmerzhaft drückten sich Steine in ihren Rücken. Es war Samstagabend gewesen, als Lukas zu ihr gekommen und mit ihr in den Maintower gefahren war. Sie hatte viel mehr getrunken, als sie normalerweise vertrug, aber warum? Pia schloss die Augen und dachte nach. Sie hatte Durst, und ihre Blase drohte zu platzen. Maintower. Lukas. Danach waren sie noch irgendwo anders gewesen, in einer Discothek, in der eine Party mit Hunderten von Leuten stattfand. Sie hatten Tarek, den Gärtner, getroffen und noch mehr getrunken. Dann riss ihre Erinnerung ab, wurde bruchstückhaft. Ihr war schlecht geworden, sie hatte sich übergeben, Lukas und Tarek hatten einen heftigen Streit miteinander bekommen, und plötzlich hatte Lukas es eilig gehabt. »Es tut mir leid, Pia«, hatte er gesagt, »aber ich muss noch etwas erledigen.« Er hatte sie nach Hause fahren wollen. Pia zermarterte ihr Gehirn. Sie erinnerte sich an einen Kofferraum. An Rosen. Rote Rosen. Im Kofferraum des Autos hatten rote Rosen gelegen, dieselben, die bei ihr neben dem Bett gestanden hatten. Zu Hause war sie nie angekommen, stattdessen lag sie jetzt hier auf dem kalten, steinigen Boden in einem Loch von etwa zwei mal zwei Metern Durchmesser. Wie viel Zeit war seitdem vergangen? Drei Stunden? Dreißig Stunden? Irgendwo in der Ferne rumpelte ein Donner. Pias Finger waren taub und steif, aber es gelang ihr mühsam, sich aufzurichten. Einen Moment lang blieb sie stehen und wartete darauf, dass das Schwindelgefühl nachließ. Die Wände waren massiv und ziemlich glatt, das Gitter viel zu hoch, als dass sie es hätte erreichen können. Plötzlich hörte sie über sich Schritte. Mit klopfendem Herzen presste Pia sich an die kalte Mauer. Auf einmal war ihr Gehirn wieder klar, und sie empfand Angst.

»Frau Kirchhoff?«, flüsterte jemand über ihr. »Wo sind Sie?«

Lukas! Eine Welle der Erleichterung flutete durch ihren Körper. Sie war in Sicherheit!

»Hier bin ich!«, rief sie heiser. »Hier unten!«

Das Licht der Taschenlampe blendete kurz von oben in ihr Gesicht.

»Gott sei Dank!« Lukas ergriff das Gitter mit beiden Händen. »Ich dachte schon, Sie sind tot.«

Sein Gesicht war hager vor Anspannung, seine Augen glänzten fiebrig, und der Schweiß tropfte ihm von der Stirn.

»Wo bin ich hier? Was ist passiert?«

»Wir sind auf der Burg in Königstein«, Lukas blickte sich hektisch um, als ob er fürchtete, hinterrücks angegriffen zu werden. »Wir müssen sofort von hier verschwinden.«

»Warum?«, fragte Pia. »Was ist überhaupt los?«

Statt zu antworten, rüttelte Lukas an dem Gitter. Er keuchte vor Anstrengung, schaffte aber kaum, es von der Stelle zu bewegen.

»Verdammt!«, stieß er hervor. »Ich krieg das Scheißgitter nicht weg! Das gibt's doch nicht!«

Lukas' Panik ernüchterte Pia merkwürdigerweise.

»Warum müssen wir verschwinden? Vor wem hast du Angst? Lukas!«

»Nimm die Finger von dem Gitter weg!«, ertönte plötzlich eine scharfe Stimme und hallte von den Wänden des Gewölbes wider. »Los!«

Lukas zuckte zusammen und fuhr herum.

»Tu ihr nichts«, sagte er mit bebender Stimme. »Sie hat mit all dem doch gar nichts zu tun!«

Schritte knirschten.

»Hast du das Ding stoppen können?«

»Nein, verdammt! Ich hätte es hingekriegt, wenn du diesen Scheißwurm nicht dazwischengebaut hättest!«

»Blöde Ausrede! Du kriegst doch immer alles hin, du Superhirn! Erzähl mir nicht, dass das ein Problem für dich ist.«

Pia versuchte, die Stimme des anderen Mannes zu erkennen. Ihr Magen zog sich zu einem schmerzhaften Knoten zusammen. Das war kein Spiel, sondern tödlicher Ernst. Niemand wusste, wo sie war. Wenn Lukas etwas passierte, würde sie in diesem Loch verrecken! Die Angst kroch eisig durch ihre Adern.

»Lukas?«, rief sie mit gedämpfter Stimme. »Lukas, wo bist du?«

Aber sie bekam keine Antwort. Und plötzlich krachte ein Schuss.

Antonia führte sie zielstrebig über den äußeren Burghof hinauf zum Bergfried der alten Festungsruine. Der Regen wurde stärker, Sturmböen fegten durch die Mauerreste. Blitz und Donner folgten in immer kürzeren Abständen aufeinander. Plötzlich blieb das Mädchen stehen und deutete auf eine schmale, halb verfallene Tür.

»Dort geht es in die Katakomben«, rief Antonia. »Sonst gibt's nur noch den Weg durch den Brunnenschacht zum Verlies und zum Geheimgang.«

»Was für ein Geheimgang?« Bodenstein hob den Arm, um seine Augen vor dem Regen zu schützen.

»Wir haben vor ein paar Jahren einen halb verschütteten Gang entdeckt, der direkt hinunter in die Altstadt führt«, erwiderte Antonia. »Ich glaube, nicht mal die von der Stadtverwaltung wissen von dem Gang. Aber wir können so immer auf die Burg, wenn wir Lust dazu haben.«

Sie ging auf den verfallenen Torbogen zu, quetschte sich

durch den Spalt und verschwand im Dunkeln. Bodenstein, Behnke und Sander folgten ihr. Im Inneren war es warm. Die Hitze der vergangenen Tage staute sich in dem kleinen Raum. Behnke ließ seine Taschenlampe aufflammen. Vorsichtig tasteten sie sich über den mit Geröll und Schutt bedeckten Boden zu einer steilen Treppe, die den Namen kaum noch verdiente. Behnke leuchtete in das düstere Loch. Je tiefer sie in die alte Festung vordrangen, desto feuchter und kälter wurde die modrig riechende Luft. Endlich hatten sie den Abstieg hinter sich und standen in einem schmalen Gang, der so eng war, dass Bodenstein fast Platzangst bekam. Er verbot sich jeden Gedanken an die Tonnen losen Gesteins über sich und folgte Antonia, bis sie unvermittelt stehen blieb.

»Da vorne ist Licht«, flüsterte sie und wies auf einen schwachen Lichtschein, der durch Löcher im Gemäuer fiel. »Da ist das Verlies.«

Bodensteins Herz schlug hektisch, jetzt, da er mit Bestimmtheit wusste, dass er auf der richtigen Spur war. Er holte tief Luft und hob seine Waffe.

»Geh nach hinten zu deinem Vater«, befahl er dem Mädchen, »und bleib bei ihm, egal, was jetzt passiert!«

Wenig später blickte er von einer Art halb verfallener Galerie hinunter in das große Gewölbe, das vom Schein flackernder Kerzen erhellt war, die in einem Kreis auf dem Boden standen. Bodenstein erkannte Lukas, der auf dem Boden kniete und an einem rostigen Gitter zerrte. Gerade als er etwas sagen wollte, hallte eine Stimme durch das Gewölbe.

»Nimm die Finger von dem Gitter weg! Los!«

»Was machen wir?«, zischte Behnke. Sie duckten sich hinter die Reste der Brüstung. Bodenstein riskierte einen Blick nach unten.

»Das ist Tarek Fiedler«, flüsterte er, »und er hat eine Waffe.«

Seine Gedanken rasten. Wo war Pia Kirchhoff? Ihm durfte jetzt kein Fehler unterlaufen. Aber abwarten war in dieser Situation die schlechteste Alternative.

»Wir greifen ein«, entschied er deshalb und nickte Behnke zu.

»Werfen Sie die Waffe weg!«, schrie er. »Polizei!«

Tarek Fiedler zögerte keine Sekunde. Statt die Waffe fallen zu lassen, riss er sie hoch und schoss in die Richtung, aus der Behnkes Stimme gekommen war. Das Krachen des Schusses in dem Gewölbe war ohrenbetäubend. Die Kugel schlug in das Mauerwerk ein wie eine Explosion, Steinbrocken flogen durch die Luft. Steine bröckelten. Ein zweiter Schuss fiel, ein dritter. Mit einem dumpfen Poltern stürzte eine ganze Wand ein.

»Dieser kleine Idiot!«, knirschte Behnke. Die Luft war voller Staub, doch Bodenstein ignorierte die Panik, die der Gedanke, lebendig begraben zu werden, in ihm auslöste.

»Seid ihr alle in Ordnung?«, fragte er leise.

»Ja«, erwiderte Behnke und hustete unterdrückt. Sander und Antonia nickten stumm. Bodenstein erhob sich aus der Deckung und stellte fest, dass fast alle Kerzen erloschen waren.

»Taschenlampe!«, sagte er. Behnke leuchtete hinab. Der Staub verschluckte das Licht, aber es war deutlich zu erkennen, dass das Gewölbe leer war. Von Lukas und Tarek war nichts mehr zu sehen. Sie kletterten über die Brüstung hinab in das alte Verlies.

»Hilfe! Hallo! Hört mich jemand?«, erklang es dumpf aus dem Boden. Behnke und Sander reagierten schneller als Bodenstein. Sie stürzten zu dem Gitter, an dem Lukas vorhin gerüttelt hatte. Behnke leuchtete in das Loch.

»Pia!«, rief Sander, und Bodenstein wurde vor Erleichterung ganz flau. Gemeinsam gelang es ihnen, das rostige Gitter auf die Seite zu schieben. Pia Kirchhoff war erschöpft, verdreckt, aber unverletzt. Die Männer legten sich auf den Bauch und zogen sie nach oben. Sie blieb einen Moment mit geschlossenen Augen auf dem Rücken liegen, dann blickte sie Behnke an.

»Pech gehabt«, sie lächelte schwach, »ich lebe noch.«

»Ich habe nichts anderes von Ihnen erwartet«, erwiderte Behnke trocken und hielt ihr die Hand hin, um ihr auf die Beine zu helfen. »Ich habe nämlich keine Lust, in der Endrunde der WM Überstunden zu machen.«

Die Anspannung ließ nach. Bodenstein klopfte seiner Kollegin erleichtert auf die Schulter.

»Wir reden später«, sagte er. »Erst mal sehen wir zu, dass wir hier irgendwie rauskommen.«

»Da vorne geht es zum Brunnenschacht und zum Geheimgang«, sagte Antonia mit zittriger Stimme. »Einen anderen Weg nach draußen, außer dem, den wir gekommen sind, kenne ich nicht.«

Und der war nun versperrt. Hinter ihnen polterten weitere Steine zu Boden. Die Schüsse hatten die uralten Mauern des Gewölbes stark erschüttert.

»Nichts wie raus hier, bevor uns die ganze Burg über dem Kopf zusammenbricht«, sagte Behnke und hustete wieder. Er und Bodenstein verschwanden hinter Antonia in einem schmalen Gang. Pia wandte sich Sander zu.

»Ich hatte eine schreckliche Angst um dich«, flüsterte er. Sie blickten sich an, und sie erkannte im schwachen Licht der noch brennenden Kerzen, dass er Tränen in den Augen hatte. Stumm nahm er sie in die Arme und hielt sie eng umschlungen.

»Kommen Sie!«, ertönte Bodensteins Stimme aus dem Gang. »Wir müssen uns beeilen! Für Zuneigungsbekundungen ist später Zeit genug.«

Antonia führte sie in einen engen, niedrigen Gang, in dem man nur gebückt laufen konnte. Nach ein paar Metern machte er einen scharfen Knick und wurde höher. Endlich hatten sie den Brunnenschacht erreicht. Behnke machte sich als Erster daran, die rostigen Sprossen, die in die Wand eingelassen waren, emporzuklettern. Ihm folgten Antonia, Pia, Sander und schließlich Bodenstein, der Mühe hatte, mit den glatten Ledersohlen seiner Schuhe Halt zu finden. Der heftige Wind nahm ihm für einen Augenblick fast den Atem, als er aus dem Brunnen im Innenhof unterhalb des Bergfrieds kroch, der Regen durchnässte ihn in Sekunden. Behnke, Pia, Sander und seine Tochter hatten im Eingang des Zeughauskellers vor der Gewalt des Gewitters Schutz gesucht. Bodenstein lief zu ihnen und ergriff keuchend sein Handy, das klingelte.

»Meine Leute sind überall in der Burg in Stellung gegangen«, teilte ihm der Einsatzleiter des SEK per Handy mit, »wie gehen wir vor?«

Es machte keinen Sinn, die ganze Burg zu durchsuchen. Lukas kannte sich weitaus besser aus und wusste, wo man sich verstecken konnte.

»Zwei Männer sind hier irgendwo unterwegs«, erwiderte Bodenstein atemlos, »mindestens einer von ihnen ist bewaffnet. Er hat die Waffe schon benutzt, also Vorsicht. Wo sind Sie gerade?«

»Auf dem Weg zum Innenhof der Burg«, sagte der Einsatzleiter.

»Da sind wir auch«, Bodenstein wagte einen Blick nach draußen. Von hier aus konnte man nichts außer dem Innenhof sehen.

»Kommt«, sagte er, »wir gehen zum Turm. Von dort aus haben wir wenigstens einigermaßen Überblick.«

Ein Scharfschütze des SEK hatte im Burgturm Stellung bezogen, ein zweiter hockte auf den Mauerresten gegenüber. Von ihren Positionen aus hatten sie die gesamte Fläche der Burg im Blickfeld. Dunkle Gestalten kauerten hinter Mauern, auf Treppenstufen oder lagen flach auf dem Boden, alle schwer bewaffnet, mit Schutzwesten, Helmen und Sturmmasken ausgerüstet. Zwei Mann waren im Geheimgang von der Stadt aus unterwegs hinauf zur Burg, nachdem Antonia verraten hatte, wo der Gang endete. Diese Fluchtmöglichkeit war den Jungen versperrt.

»Meine Leute sind rings um die Burg in Stellung gegangen«, sagte der Einsatzleiter zu Bodenstein. »Hier kommt keine Maus ungesehen heraus.«

Bodenstein nickte angespannt. Zwei Scharfschützen, fünfundzwanzig schwerbewaffnete Polizisten, ein geistesgestörter Einundzwanzigjähriger, der mindestens zwei Menschen kaltblütig ermordet hatte, und ein anderer, der bewaffnet war. Das Funkgerät des Einsatzleiters rauschte.

»Zwei Personen auf fünf Uhr«, ertönte die Stimme eines Beamten. »Sie klettern aus dem alten Pulverturm auf der anderen Seite der großen Wiese.«

Bodenstein spürte, wie sein Adrenalinspiegel unwillkürlich in die Höhe schoss. Er warf Behnke einen Blick zu, dann Pia Kirchhoff. Sie saß dicht neben Sander auf den hölzernen Stufen, die in den Turm hoch führten. Antonia lehnte an der Wand, stumm und blass im Gesicht.

»Können Sie erkennen, ob sie bewaffnet sind?«, fragte der Einsatzleiter.

»Negativ. Doch – Moment, der eine hat eine Waffe. Der Blonde.«

»Lukas«, Pia stand auf und ging zu ihrem Chef. »Sie dürfen nicht auf Lukas schießen lassen. Er hat damit nichts zu tun.«

»Er hat zwei Menschen ermordet, einen Mordversuch auf seinen eigenen Vater verübt, Svenja entführt und Sie in dieses Loch gesperrt.«

»Das stimmt nicht!«, widersprach Pia. »Er wollte mich rausholen!«

»Sie wissen nicht, was in Ihrer Abwesenheit passiert ist«, erwiderte Bodenstein, ohne Pia anzusehen. »Lukas' Vater wurde am späten Samstagabend überfallen und brutal niedergeschlagen. Er liegt im Koma. Wenig später hat jemand mit dem Auto von van den Berg das Mädchen überfahren, das Lukas am Abend von Paulys Ermordung im Pick-up vom Opel-Zoo gesehen hat.«

»Wann wurde Lukas' Vater überfallen?« Pia vergaß jede Zurückhaltung und ergriff Bodensteins Arm. »Um wie viel Uhr?«

»Sie brechen mir gleich den Arm«, sagte Bodenstein. »Ich weiß nicht genau, wann. Gegen elf oder zwölf Uhr.«

»Dann kann es Lukas nicht gewesen sein. Er hat mich um kurz vor elf abgeholt. Wir waren zusammen in Frankfurt. Im Maintower.«

Bodenstein fuhr herum und starrte seine Kollegin an.

»Und wie sind Ihr und Svenjas Handy in den Mercedes von Lukas' Vater gekommen?«, fragte Behnke. Pia dachte angestrengt nach. In der Tiefe ihres Bewusstseins schwammen Bilder, die sie nicht richtig deuten konnte.

»Zielobjekte setzen sich in Bewegung«, ertönte die Stimme des Scharfschützen aus dem Funkgerät des Einsatzleiters. Der beorderte seine Bodentruppen auf die obere Wiese, der Scharfschütze aus dem Turm berichtete weiter, was er sah.

»Sie scheinen sich zu streiten.«

»Was machen wir?« Der Einsatzleiter blickte Bodenstein abwartend an.

»Zugriff«, entschied Bodenstein ohne zu zögern, »sofort.«

»Nein!«, rief Pia aufgeregt. »Sie dürfen nicht zulassen, dass auf Lukas geschossen wird, Chef!«

»Haben Sie eine bessere Idee?«

»Ich rede mit ihnen.«

»Den Teufel werden Sie tun.« Bodenstein wandte sich entschlossen dem Einsatzleiter zu. »Los jetzt. Beenden wir die Sache.«

Das Gewitter hatte sich verzogen, der Sturm legte sich so rasch, wie er gekommen war. Der Regen strömte herab, aber im Westen rissen die Wolken bereits auf, und ein Streifen blutroten Himmels erschien über den Anhöhen des Taunus. Pia stand am ganzen Körper zitternd neben ihrem Chef und hörte die Stimme des Scharfschützen. Lukas und Tarek hatten keine Ahnung, dass sie direkt in die Arme einer ganzen SEK-Einheit marschierten. Pia wusste gut genug, dass die Scharfschützen vom SEK in der Lage waren, jedes bewegliche Ziel auf Hunderte von Metern Entfernung punktgenau zu treffen.

»Zielpersonen noch zwanzig Meter entfernt.«

»Scopolamin«, sagte Pia plötzlich. Die Erinnerung an die vergangene Nacht kehrte zurück wie Fetzen eines Traums, den man kurz vor dem Aufwachen träumt.

»Wie bitte?«, fragten Bodenstein und Behnke wie aus einem Munde.

»Ich weiß es wieder!«, rief Pia aufgeregt. »Lukas und ich haben Tarek auf dieser Party in Bockenheim getroffen – oder er uns. Er hat mir was ausgegeben, danach wurde mir schlecht. Ich habe nur noch mitbekommen, dass Tarek und Lukas wegen *Double Life* gestritten haben. Lukas hat mich vor dem Tor vom Birkenhof abgesetzt, aber ich konnte nicht mehr aufschließen. Plötzlich stand Tarek da. Er hat gelacht und gesagt, dass Scopolamin noch immer das beste Mittel sei, um …«

Pia hielt inne.

»Er hat mich in den Kofferraum seines Autos gesperrt! Und da waren die Rosen! Rote Rosen. Ich habe doch noch eine SMS geschrieben, oder nicht?«

»Doch«, ließ sich Sander aus dem Hintergrund vernehmen. »Mir. *Double Life, Tarek, Rosen.* Ich habe es nur nicht kapiert.«

»Zielpersonen bewegen sich auf den inneren Torbogen zu«, meldete der Scharfschütze vom Turm. »Verliere sie aus dem Blickfeld.«

Bodenstein zögerte nur kurz.

»Zugriff«, kommandierte er, »aber nicht schießen!«

Tarek Fiedler hatte die dunklen Gestalten gesehen, bevor Lukas sie bemerkte. Er nutzte Lukas' Überraschung, um ihm die Waffe zu entreißen, lud durch und hielt sie Lukas an den Kopf.

»Wenn sich einer bewegt, ist er tot!«, schrie Tarek.

»Ich weiß, wo Svenja ist«, sagte Franjo Conradi plötzlich aus der Ecke, in die er sich verkrochen hatte. Ostermann fuhr wie elektrisiert herum und starrte den Jungen überrascht an. Franjo hockte wie ein blasses Häufchen Elend auf dem Stuhl. Er hatte mitbekommen, was auf der Burg vor sich ging und dass die Lage sehr ernst war.

»Ach ja?«, sagte Ostermann. »Und woher weißt du das plötzlich?«

»Ich hab's die ganze Zeit gewusst«, erwiderte Franjo und senkte den Blick. Er war das verkörperte schlechte Gewissen. Für einen Moment verspürte Ostermann den dringenden Wunsch, dem Jungen eine Ohrfeige zu verpassen.

»Wo ist sie?« Er beherrschte seinen Zorn und griff nach dem Telefon.

»Im Haus von van den Bergs. Im Heizungskeller.«

»Lebt sie noch?«

»Das ... das weiß ich nicht«, murmelte Franjo Conradi und schlug die Hände vors Gesicht. Ostermann wählte die Nummer vom Wachraum. Dann stand er auf.

»Komm«, sagte er zu dem Jungen, »du fährst mit. Und auf der Fahrt erzählst du mir mal, was du noch so alles weißt.«

Die Lage war kritisch. Tarek stieß Lukas vor sich her, die Waffe an dessen Hinterkopf gepresst, und behielt die Mauer als Deckung im Rücken. Keiner der beiden Scharfschützen war in einer geeigneten Schussposition, die SEK-Beamten verharrten reglos auf ihren Positionen.

»Was jetzt?«, fragte der Einsatzleiter.

»Wie viele Leute haben Sie vor dem inneren Tor?«

»Vier.«

Bodensteins Handy summte. Es war Ostermann.

»Chef!«, rief er. »Wir haben Svenja Sievers gefunden! Sie lebt. Franjo Conradi hat uns das Versteck verraten. Sie hat im Haus von van den Bergs im Heizungskeller gesessen.«

Also steckte doch Lukas hinter dem Verschwinden des Mädchens! Bodensteins Blick flog zu Pia Kirchhoff hinüber. Sie schien noch immer felsenfest von Lukas' Unschuld überzeugt zu sein.

»Tarek hatte sie in seiner Wohnung eingesperrt«, fuhr Ostermann fort. »Franjo bekam ein schlechtes Gewissen und ist gestern Nachmittag abgehauen, aber Tarek hat ihn gefunden und gezwungen, mit ihm zu van den Bergs zu fahren. Sie sind durch den Garten gegangen, Tarek hat Lukas' Vater niedergeschlagen, dann haben sie Svenja im Heizungskeller zurückgelassen.« Bodenstein hörte schweigend zu.

»Svenja und Franjo haben uns alles erzählt. Tarek hatte das alles mit Bedacht geplant, um den Verdacht auf Lukas zu lenken.«

»Sind Sie ganz sicher, dass das nicht alles Lukas getan hat?«, vergewisserte Bodenstein sich. Ihm durfte kein Fehler bei der Beurteilung der Lage unterlaufen. Auf Tarek und Lukas war das Gewehr des Scharfschützen gerichtet. Der Mann wartete nur auf den Befehl zu schießen.

»Hundertprozentig«, Ostermanns sonst so gelassene Stimme bebte vor Aufregung. »Aber es kommt noch besser. Tarek Fiedler ist ein unehelicher Sohn von Dr. Carsten Bock, also der Halbbruder von Jonas. Der Einzige, der das wusste, war Pauly, denn Tarek hat es ihm in einer schwachen Minute verraten. Aus Zorn darüber, dass Jonas' Vater ihn nicht in seiner Firma anstellen wollte, hat Tarek sich in dessen Rechner gehackt. Er wollte Bock schaden, egal wie. Sämtliche Informationen, die Pauly gegen Bock in der Hand hatte, stammten von Tarek, nicht von Jonas. Als Tarek erfuhr, dass Pauly damit an die Öffentlichkeit gegangen war, hat er vor Wut gekocht, denn er hatte eigentlich vorgehabt, seinen Vater damit unter Druck zu setzen. Tarek ist am Dienstagabend zu Pauly gefahren. Es gab einen heftigen Streit. Pauly hatte erkannt, dass Tarek in Wahrheit überhaupt nichts an Jonas lag. Er hatte den Jungen nur benutzt, um über ihn an seinen Vater und dessen Geld heranzukommen. Pauly sagte ihm das ins Gesicht und drohte ihm, er werde Jonas die Wahrheit über Tareks Herkunft sagen. Das wollte Tarek auf jeden Fall verhindern, und deshalb hat er Pauly erschlagen. Svenja hat das alles mit angehört und den Mord beobachtet.«

Bodenstein lauschte voller Anspannung. Er konnte sich nur widerstrebend mit dem Gedanken anfreunden, dass Lukas unschuldig sein sollte. Alles war ihm so schlüssig erschienen – oder hatte er es sich einfach alles passend zurechtgedacht? Wenn er ehrlich war, dann hatte seine Theorie ein paar gravierende Schwächen.

»Tarek hatte Franjo im Grünzeug angerufen und ihm gesagt, er solle Lukas ablenken und mit dem Pick-up zu Paulys Haus kommen«, fuhr Ostermann in Maschinengewehrfeuergeschwindigkeit fort. »Zusammen haben sie die Leiche und das Fahrrad aufgeladen und das Auto wieder vors Grünzeug gestellt. Lukas muss noch einen ganzen Tag lang mit der Leiche auf der Pritsche herumgefahren sein. Am nächsten Abend haben die zwei die Leiche von Pauly auf die Wiese geworfen, während das Fußballspiel lief. Da konnten sie ziemlich sicher sein, dass sie niemand überrascht und ...«

»Das reicht erst mal«, unterbrach Bodenstein seinen Kollegen. »Ich melde mich gleich wieder.«

»Moment!«, rief Ostermann. »Tarek und Franjo sind auch bei Pia eingebrochen! Wir haben in Tareks Wohnung ein Tagebuch von ihr gefunden und Ausdrucke von Polizeiakten aus dem Jahr 1988. Pia ist damals von einem Stalker belästigt und vergewaltigt worden. Tarek hat in ihrer Vergangenheit herumgeschnüffelt.«

Bodensteins Blick wanderte zu seiner Kollegin. Sie, Behnke und der Einsatzleiter des SEK starrten ihn gespannt an.

»Gehen wir«, befahl Bodenstein. »Tarek Fiedler ist unser Mann, Lukas ist unschuldig.«

Ihm entging nicht der Blick, den Pia Kirchhoff und Sander tauschten. Die beiden hatten die ganze Zeit über recht gehabt. Er wiederholte in knappen Worten, was er von Ostermann erfahren hatte, sagte aber nichts von den Polizeiakten und dem Tagebuch.

»Tarek ist Jonas' Halbbruder?«, fragte Pia ungläubig.

»Ja.«

»Das erklärt die Ähnlichkeit der DNA«, sagte Behnke. »Er hat seinen eigenen Bruder umgebracht.«

»Und er war bei mir im Haus«, Pia schauderte.

Sie kletterten über die unebenen Steine, die vom Gewitterregen glitschig waren. Der Einsatzleiter des SEK teilte seinen

Männern mit, dass der dunkelhaarige Junge mit der Waffe das Zielobjekt sei und im geeigneten Moment mit einem Schuss außer Gefecht gesetzt werden sollte, wenn er sich vorher nicht ergab. Die beiden Jungen hatten mittlerweile das äußere Rondell erreicht und strebten auf das Haupttor zu, an dem Kathrin Fachinger mit zwei SEK-Männern wartete. Der Scharfschütze auf der Mauer hatte das Geschehen nun voll im Blick. Bodenstein, Behnke, Pia Kirchhoff und der Einsatzleiter des SEK blieben im Torbogen des inneren Tores stehen.

»Zielobjekte genau im Visier«, meldete der Scharfschütze. »Warte auf Anweisung.«

In diesem Moment begriff Tarek, dass es keinen Ausweg gab. Er zerrte Lukas auf die an dieser Stelle nur knapp kniehohe Mauer.

»Wenn ihr auf mich schießt, ist er auch tot!«, drohte er. Da konnte Pia nicht länger ruhig bleiben. Sie verließ die schützende Deckung des Torbogens, bevor Bodenstein sie daran hindern konnte.

»Ach, hallo, Frau Kirchhoff!« Tarek lachte spöttisch. »Wie schön, Sie wiederzusehen! Wie haben Ihnen die Rosen gefallen? Rote Rosen! Es hat eine Weile gedauert, aber ich habe alles über Sie herausgefunden! Und die Schlösser in Ihrem Haus sind ja wirklich lächerlich! Hab ich Ihnen Angst gemacht?«

Pia ließ sich nicht beirren, auch wenn sie am liebsten zu ihm hingegangen wäre und ihn eigenhändig über die Mauer gestoßen hätte. Diesem Mistkerl hatte sie die Alpträume und Ängste der letzten Tage und Wochen zu verdanken!

»Allerdings!«, rief sie. »Wie hast du das alles herausgekriegt?«

»Was tun Sie da?«, zischte Bodenstein. »Provozieren Sie ihn nicht!«

»Er soll einfach nur reden«, zischte Pia zurück. »Vielleicht wird er unvorsichtig.«

»Ich habe mich bei Ihnen einfach etwas umgesehen!« Tarek lachte gehässig. »Sie haben ja sogar Ihre Tagebücher aufgehoben! Es war kein Problem, Ihren Verehrer von damals zu finden. Kai-Michael Engler. Wussten Sie eigentlich, dass er jetzt in Darmstadt wohnt? Er hat sich echt gefreut, als er gehört hat, dass Sie ganz alleine leben!«

Pia spürte, wie sich ihre Eingeweide vor Zorn und Hass zusammenzogen. So ein Schwein!

»Wir haben uns zusammen die Bilder angesehen«, Tareks Stimme überschlug sich fast. »Ich habe nämlich nette kleine Kameras in Ihrem Schlafzimmer, im Bad und in der Küche eingebaut! Und die kaputte Sicherung verdanken Sie auch mir! Ach, es war himmlisch, wie Sie vor Angst geheult und gezittert haben!«

Pia ignorierte ihre aufsteigende Wut, zwang sich zur Ruhe. Ein Psychopath, der den Genuss der Grausamkeit für sich entdeckt hatte. Sie vermochte nicht zu beurteilen, ob seine krankhafte Geltungssucht Ausdruck eines ausgeprägten Minderwertigkeitskomplexes oder Kompensation für eine lieblose Kindheit war, aber eines war offensichtlich: Tarek Fiedler war ehrgeizig und intelligent, sein Neid auf seinen Halbbruder und dessen Freund Lukas hatte sich spätestens in dem Augenblick in Hass verwandelt, als er von seinem Vater zurückgewiesen worden war.

»Und Svenja erst!« Tarek geriet regelrecht ins Schwärmen. »Diese arrogante, bescheuerte Pute, die mich nie angeguckt hat, als ob sie was Besseres wäre! Wie sie auf einmal gebettelt und geheult hat! Angefleht hat sie mich, dass ich ihr nichts tue!«

Er versetzte Lukas einen derben Stoß in die Nieren, seine Stimme wurde gehässig.

»Weißt du, was sie alles gemacht hat, eure angebetete Svenja? Ich hab's gefilmt, damit ihr euch angucken könnt, was sie für eine billige Schlampe ist! Sie hat mir ...«

Sein Hass berauschte ihn, er wurde unvorsichtig und verließ um Zentimeter die Deckung von Lukas' Körper. Das reichte dem Scharfschützen auf der Mauer. Pia sah, wie die Kugel in Tareks linke Schulter einschlug, ihn nach hinten und in die Tiefe riss. Sie rannte los, hoffte verzweifelt, Lukas noch halten zu können. Der Junge ruderte hilflos mit beiden Armen, die Augen in panischem Entsetzen weit aufgerissen. Er kämpfte vergeblich, verlor das Gleichgewicht und stürzte rückwärts von der Burgmauer.

Nur wenige Minuten später war die Burg voller Menschen. Die Männer der Königsteiner Feuerwehr leuchteten mit starken Handscheinwerfern an der Stelle, an der die beiden Jungen über die Mauer gestürzt waren, in das dunkle Unterholz in der Tiefe. Das SEK rückte ab, von der Stadt näherten sich Krankenwagen mit Sirenen und zuckendem Blaulicht. Bodenstein und Behnke machten sich auf den Weg zum Fuß der Burg, verstärkt von Dutzenden Polizeibeamten. Christoph Sander hatte Pia eine Decke der Feuerwehr um die Schultern gelegt und hielt sie in seinen Armen fest. Allmählich lösten sich bei ihr die Anspannung und der Schock, unter dem sie in den vergangenen Stunden gestanden hatte, und sie begriff, in welcher Gefahr sie geschwebt hatte.

»Glaubst du, er hat die Wahrheit gesagt?«, fragte Sander besorgt. Pia blickte ihn an und nickte.

»Ich fürchte, ja«, sagte sie. »Der Kerl hieß Kai-Michael Engler. Ich weiß auch, dass er in Darmstadt wohnt.«

»Du kannst auf keinen Fall mehr alleine auf dem Hof bleiben.«

»Ich sehe den einen Jungen!«, rief einer der Feuerwehrleute in diesem Moment aufgeregt. »Er hängt in einem Baum!«

In einer dramatischen Rettungsaktion gelang es der Feuerwehr, Lukas aus der Krone eines Baumes fünfzehn Meter unterhalb der Burgmauer zu bergen. Pia hatte sich geweigert, in einen Krankenwagen zu steigen. Gemeinsam mit Sander und Antonia wartete sie, bis die Feuerwehr die Trage mit Lukas über die Burgmauer zog. Der Junge war bei Bewusstsein und lächelte matt, als er Pia erkannte. Seinen Sturz von der Mauer hatte er mit ein paar Knochenbrüchen, aber wenigstens nicht mit dem Leben bezahlen müssen. Ohne den Baum wäre er fünfzig Meter tiefer auf dem Granitfelsen unterhalb der Burg aufgeschlagen, das hätte er zweifellos nicht überlebt. Die Sanitäter trugen ihn zu einem der wartenden Krankenwagen. Sander erzählte Pia unterdessen, was in den vergangenen vierundzwanzig Stunden geschehen war.

»Dein Chef war fest davon überzeugt, dass Lukas seinen Vater umbringen wollte«, sagte er. »Wir sind heftig aneinandergeraten.«

»Er hat dich die ganze Zeit verdächtigt«, antwortete Pia.

»Ich weiß. Er kann mich nicht leiden«, Sander schüttelte den Kopf.

»Vielleicht ist er eifersüchtig«, Pia grinste ein bisschen.

»Wieso denn das?«

»Inka Hansen war seine Jugendliebe. Er hat dich mit ihr beim Abendessen gesehen.«

Sander begriff die Zusammenhänge.

»Das verstehe ich ja noch. Aber was ist mit dir?«

»Mit mir?«, fragte Pia erstaunt. »Wie meinst du das?«

»Deinem Chef scheint es auch nicht zu passen, dass ich dich mag.«

Pia spürte, wie ihr Herz bei diesen Worten einen glücklichen Hüpfer machte.

»Tja«, sagte sie, »im Hühnerhof darf es eben nur einen Gockel geben.«

Ein Polizeihubschrauber kreiste über der Burg. Die Männer vom SEK hatten sich versammelt und gingen zu ihren Fahrzeugen. Für sie war dies nur ein Einsatz unter vielen gewesen.

Sander legte Pia einen Arm um die Schultern, den anderen um Antonia.

»Kommt, Mädels«, sagte er. »Ich habe die Nase voll von der Burg.«

»Ich auch«, erwiderte Pia. »Aber vor allen Dingen muss ich so schnell wie möglich aufs Klo.«

Tarek Fiedler hatte den Sturz glimpflich überstanden. Er war im dichten Gestrüpp am Fuß der Burg relativ weich gelandet, die Schussverletzung in der linken Schulter schien ihn nicht daran gehindert zu haben, sich aus dem Staub zu machen. Polizei und Feuerwehr durchkämmten das Gebüsch, Bodenstein stand mit grimmiger Miene und seinem Handy am Ohr auf dem Weg, als Pia in Begleitung von Sander und seiner Tochter von der Burg herunterkam.

»Der Kerl ist abgehauen«, verkündete Behnke. »Nicht zu fassen, dass jemand so zäh sein kann.«

»Er ist total geisteskrank«, sagte Antonia und schauderte in ihren nassen Kleidern. »Ich konnte ihn noch nie leiden.«

»Weit kommt er nicht«, Bodenstein steckte sein Handy ein und wandte sich um. »Ich habe Verstärkung und Suchhunde angefordert. Die sind in ein paar Minuten da.«

»Er könnte immer noch meine Waffe haben«, gab Pia zu bedenken.

»Ich weiß«, Bodenstein schüttelte den Kopf, »ich hätte viel eher auf Tarek als Täter kommen müssen. Es war doch offensichtlich, wie er versucht hat, Lukas als Verdächtigen hinzustellen.«

»Tarek war immer neidisch auf Lukas und Jo«, bemerkte Antonia. »Er wollte alles haben, was die beiden hatten, hat sich regelrecht in unsere Clique gedrängt. Seit er im letzten Sommer plötzlich aufgetaucht ist, ist alles anders geworden. Ich hab Lukas immer gesagt, dass Tarek falsch und hinterhältig und nur auf seinen eigenen Vorteil bedacht ist, aber Lukas wollte das nicht glauben.«

Sie schluchzte auf.

»Ich hasse ihn!«, stieß sie hervor und blickte Pia an. »Jo ist tot! Und Lukas' Vater auch fast. Und was dieses gemeine Schwein mit Svenja und mit Ihnen gemacht hat!«

Plötzlich brach sie in Tränen aus. Pia nahm sie tröstend in die Arme und fragte sich gleichzeitig, wer von ihnen beiden dringender Trost brauchte.

»Wir kriegen ihn«, murmelte sie und hielt das Mädchen ganz fest an sich gedrückt. »Wir kriegen diesen Mistkerl, und dann wird er für alles, was er angerichtet hat, büßen.«

Bodensteins Handy klingelte. Er hörte ein paar Sekunden schweigend zu, seine Miene wurde finster. Tarek hatte auf dem Parkplatz am Busbahnhof eine Autofahrerin mit einer Waffe bedroht, sie zum Aussteigen gezwungen und war nun in ihrem silberfarbenen Touareg in Richtung Kreisel unterwegs. Drei Polizeifahrzeuge waren direkt hinter ihm, das SEK wurde zurückbeordert. Bodenstein, Pia, Sander und Antonia stiegen in Bodensteins BMW, nachdem Pia sich ungeachtet dessen, was jemand von ihr denken mochte, hinter der Mauer zum Kurpark erleichtert hatte. Ostermann hatte weitere, haarsträubende Neuigkeiten. Bodenstein ließ das Autotelefon laut gestellt.

Tarek hatte schon vor einer Weile herausgefunden, dass Svenja ein Verhältnis mit Jonas' Vater hatte. Er war es gewesen, der die kompromittierenden Fotos von Svenja und Dr. Bock gemacht hatte, die Bodenstein in dem Buch in Jonas'

Schreibtisch gefunden hatte. Tarek hatte Svenja mit seinem Wissen über ihre Affäre zum Schweigen über den Mord an Pauly gezwungen, aber wenig später hatte er selbst Jonas die Fotos gegeben. Als er befürchten musste, dass Svenja und Jonas sich trotzdem wieder vertragen könnten, hatte er die Bilder auf Svenjas Webseite gestellt und die E-Mails verschickt. Svenjas Entführung wiederum war ein Druckmittel gegen Lukas gewesen, genauso wie die Einbrüche bei Pia, weil Tarek gewusst hatte, dass Lukas Svenja und Pia mochte. Er hatte jeweils von Svenjas und Jonas' Handy aus die letzten SMS geschrieben. Jonas hatte sterben müssen, weil er dahintergekommen war, dass Tarek die E-Mails verschickt hatte.

»Und warum wollte er Lukas' Vater umbringen?«, fragte Sander.

»Wahrscheinlich auch, um es Lukas in die Schuhe zu schieben«, erwiderte Ostermann. »Von Franjo weiß ich, dass er Lukas' Schlüssel schon vor einiger Zeit hat nachmachen lassen. Fest steht, dass Tarek van den Bergs Mercedes genommen hat, um Andrea Aumüller zu überfahren. Sie hat ihn nämlich an dem Abend, an dem er Pauly ermordet hat, im Pick-up vom Zoo erkannt.«

»Aber welche Rolle spielte Franjo dabei?«, wollte Pia wissen. »Was hat ihn dazu gebracht, Tarek zu helfen?«

»Tarek hat Franjo das Blaue vom Himmel versprochen«, erklärte Ostermann. »Nachdem er ihm erzählt hat, dass Lukas und Jonas alleine allen Profit für *Double Life* einstreichen wollten, hat er ihm gesagt, er werde dafür sorgen, dass er ein gleichberechtigter Partner beim Verkauf der Rechte sein würde. Und als Franjo bei der Entsorgung von Paulys Leiche Gewissensbisse gekriegt hat, war es zu spät, um auszusteigen. Tarek hat ihm klipp und klar gesagt, dass er ihn umbringen würde, wenn er einen Ton sagt.«

Bodenstein manövrierte den BMW durch die engen Sträßchen der Altstadt, vorbei an der St.-Angela-Schule und rechts Richtung Limburger Straße.

»Wo ist Franjo jetzt?«, fragte er.

»Bei mir.«

»Bringen Sie ihn in eine Zelle und passen Sie auf ihn auf. Tarek ist uns entwischt. Er hat ein Auto, eine Waffe und nichts mehr zu verlieren.«

Der silberne Touareg fuhr mit hoher Geschwindigkeit durch den Königsteiner Kreisel. Bodenstein war sich der Gefahr für sämtliche Verkehrsteilnehmer bewusst, aber er konnte es nicht riskieren, dass Tarek Fiedler die Polizei abhängte und verschwand. Die einsetzende Dunkelheit stellte ein weiteres Problem dar, aber noch konnte die Besatzung des Polizeihubschraubers mühelos verfolgen, wohin der Touareg fuhr, und informierte die Kollegen am Boden. Via Funk wurde beratschlagt, was zu tun war, während Tarek am Opel-Zoo vorbei Richtung Oberursel raste. Die Beamten des SEK lösten die Streifenwagen bei der Verfolgung ab, auch Bodenstein ließ sich weiter zurückfallen. Alle hofften, dass der junge Mann nicht in die Innenstadt von Oberursel fahren würde, denn es war bereits eine Sperrung der B455 kurz vor dem Tunnel am Beginn der A661 in Vorbereitung. Doch als hätte Tarek die Falle geahnt, bog er rechts auf die K771 in Richtung Oberursel ab.

»Was hat der Mistkerl vor?«, knurrte Bodenstein. Im Auto herrschte angespanntes Schweigen. Die Verfolgungsjagd zog sich durch Oberursel, vorbei an Stierstadt, quer durch Oberhöchstadt. Trotz der späten Stunde herrschte auf den Straßen viel Verkehr. Das war gefährlich, denn Tarek hielt an keiner einzigen roten Ampel an, verursachte dadurch in Oberhöchstadt einen Auffahrunfall und hängte das SEK beinahe ab, als er in Kronberg das rote Signallicht am Bahnübergang unbeachtet ließ. Doch auch der Fahrer des SEK schaffte es noch unter den sich senkenden Bahnschranken hindurchzurasen. Funken stoben und der Auspuff riss ab, als das Auto auf der Bodenwelle vor den Gleisen aufsetzte, aber das war das kleinere Übel. An der Kronberger Kreuzung bog Tarek nach links ab Richtung Schwalbach. Er war so schnell, dass er ins Schleudern und von der Straße geriet. Nur dank der technischen Ausstattung des gestohlenen Touareg behielt er im letzten Augenblick die Kontrolle über das schwere Fahrzeug. Zwar blieben von einem mobilen Spargelverkaufsstand nur noch Trümmer übrig, aber verletzt wurde niemand. Mit beinahe hundertsechzig Stundenkilometern raste er die L3005 hinunter, überholte drei andere Autos, zwang einen aus Niederhöchstadt kommenden Kleinbus zu einer Vollbremsung und bog nach rechts auf die L3014 ab.

»Zielperson fährt Richtung Bad Soden«, knarzte die Stimme des Beamten im Hubschrauber über Funk. »Nein! Er biegt ins Gewerbegebiet ab. Kronberger Hang. Da kommt er nicht mehr raus!«

»Was will er da wohl?«, fragte sich Bodenstein.

»Ich glaube, er fährt zur Firma von Jos Vater«, sagte Antonia, »die ist gleich da drüben. Zweite Straße rechts.«

Bodenstein gab Antonias Verdacht an alle Einsatzkräfte weiter, er selbst bog gerade rechtzeitig in die Stichstraße ein, um zu sehen, wie Tarek mit dem Geländewagen über den vom Gewitterregen aufgeweichten Rasen pflügte und direkt auf die gläserne Front des futuristisch anmutenden Gebäudes zuhielt.

»Ach du Scheiße!«, stieß er hervor und bremste, als ihm klar wurde, was der junge Mann vorhatte. Das zwei Tonnen schwere Auto schoss über den gepflasterten Vorplatz, beschleunigte noch einmal mächtig und krachte mit aufheulendem Motor in die Glasfassade, wie eines der entführten

Flugzeuge am 11. September in die Türme des World Trade Center.

Die Dunkelheit wurde von den Scheinwerfern der Feuerwehr und vom Zucken der Blaulichter erhellt. Eine Stunde dauerte es, bis die Schwalbacher Feuerwehrleute unter Bergen von verbogenem Stahl und zersplittertem Glas an das völlig demolierte Auto gelangten und den jungen Mann herausschweißen konnten. Die Fahrgastzelle hatte den Aufprall fast unversehrt überstanden, nur der Motorblock war weit in das Innere des Fahrzeugs gepresst worden.

»Er lebt«, teilte der Einsatzleiter der Feuerwehr Bodenstein und Pia Kirchhoff mit, »ist sogar bei Bewusstsein. Unglaublich.«

»Der große Abgang ist ihm nicht gelungen«, sagte Bodenstein bitter. »Dafür hätte er sich einen Benziner mit vollem Tank aussuchen müssen, keinen Diesel.«

Endlich hatten die Sanitäter mit Hilfe der Feuerwehrleute den schwerverletzten jungen Mann aus den Trümmern geborgen. Die Eingangshalle glich einem Schlachtfeld, ein Pfeiler war beschädigt und wurde notdürftig abgestützt, um die Statik des Gebäudes nicht zu gefährden.

»Was ist mit ihm?«, erkundigte sich Bodenstein bei dem Notarzt, der sich die blutverschmierten Latexhandschuhe auszog. »Wird er überleben?«

»Seine Beine sind völlig zerschmettert«, antwortete der Notarzt. »Ich vermute, die Wirbelsäule ist gebrochen. Falls er das überlebt, wird er sich an ein anderes Leben gewöhnen müssen.«

»Das muss er auf jeden Fall. Ist er ansprechbar?«

»Ja, wir haben ihn stabilisiert. Er ist im Moment schmerzfrei. Wieso?«

»Weil ich ihn jetzt verhaften werde«, Bodenstein ging zum

Notarztwagen hinüber. Tarek Fiedler lag mit offenen Augen auf der Trage, aber ihm gelang noch ein Grinsen, als er Bodenstein erkannte.

»Ich bin der Herrscher über Leben und Tod«, flüsterte er höhnisch. »Mein Name wird in die Geschichte eingehen.«

»Höchstens in den Polizeibericht«, erwiderte Bodenstein kühl.

»Ich werde in die Schlagzeilen kommen und ins Fernsehen. Eines Tages wird man mein Leben verfilmen«, Tarek lachte heiser.

»Da wäre ich mir nicht so sicher«, entgegnete Bodenstein. »Im Rollstuhl und ohne Beine ist Knast allerdings noch weniger lustig als ohnehin schon. Sie sind ein ganz armes Würstchen, Herr Fiedler. Ein neidischer, geltungssüchtiger Verlierer.«

Tarek hörte auf zu grinsen, in seinen Augen flackerte mörderische Wut. Bodenstein betrachtete das bleiche, blutüberströmte Gesicht des jungen Mannes. Grausam und mitleidslos hatte er zwei Menschen getötet und Leid, Angst und Schmerz über viele andere gebracht.

»Ich habe den zerstörerischsten Wurm aller Zeiten auf das Internet losgelassen, ich …«, stieß Tarek keuchend hervor.

»Falsch«, unterbrach Bodenstein ihn. »So weit ist es nicht gekommen. Unsere Leute haben mit Hilfe von Franjo alles stoppen können. Lukas wird mit *Double Life* sicherlich noch viel Geld verdienen. Sie nicht mehr. Im Gefängnis braucht man kein Geld. Sie haben Ihr Leben wahrhaftig vergeudet, Herr Fiedler. Zwei Morde, eine gefährliche Körperverletzung …«

»Wieso Körperverletzung?«

»Lukas' Vater lebt. Sie werden sehr alt sein, wenn Sie das Gefängnis eines Tages verlassen dürfen.«

Tarek starrte Bodenstein aus unnatürlich glänzenden Augen an, sein Gesicht verzerrte sich. Plötzlich zuckte es um seinen Mund, er wandte den Kopf ab.

»Scheiß drauf«, flüsterte er und schloss die Augen.

Ostermann tippte gerade die letzten Worte des Protokolls von Franjo Conradis Geständnis in seinen Computer, am Schreibtisch gegenüber wartete Henning Kirchhoff mit angespannter Miene. Beide Männer sprangen erleichtert auf, als Bodenstein, Behnke, Kathrin Fachinger und Pia Kirchhoff das Büro betraten. Ostermann umarmte seine Kollegin herzlich, dann war Kirchhoff an der Reihe. Die Stimmung war gelöst. Beide Fälle waren aufgeklärt.

»Eins verstehe ich allerdings immer noch nicht«, sagte Kathrin Fachinger. »Wieso hat Tarek Paulys Leiche am Opel-Zoo abgeladen? Es wäre vielleicht alles nicht herausgekommen, wenn wir ihn irgendwo anders gefunden hätten.«

»Der selbsternannte Herrscher über Leben und Tod ist an seinen Rachegelüsten gescheitert«, erwiderte Bodenstein mit einem zynischen Lächeln. »Er wollte den Verdacht auf Lukas oder Dr. Sander lenken. Allerdings hat er nicht unser Misstrauen einkalkuliert.«

»*Unser* Misstrauen?« Pia legte den Kopf schief und grinste.

»Natürlich. Wir sind doch ein Team«, Bodenstein grinste auch.

Henning Kirchhoff wartete an der Tür auf Pia, auf seinem sonst so beherrschten Gesicht lag ein Ausdruck der Erleichterung.

»Ich bin so froh, dass dir nichts passiert ist«, sagte er, als sie neben ihm stehen blieb. »Wir haben echt mit dem Schlimmsten gerechnet.«

»›Wir‹?«, fragte Pia spitz. »Du und Staatsanwältin Löblich?«

»Ach was«, Henning schüttelte verlegen den Kopf. »Das war eine einmalige Angelegenheit. Ein Ausrutscher. Ich wollte es dir erklären, aber du bist ja nicht ans Telefon gegangen.«

»Ich nehme es dir auch nicht übel«, sagte Pia. »Ich habe dich ja selbst in die Arme von der Löblich getrieben. Aber mich hat es schon etwas gestört, dass du ausgerechnet meinen Tisch ausgesucht hast, um …«

»Pssst«, unterbrach Henning sie. Kai Ostermann ging vorbei.

»Wie geht's dem Fisch?«, erkundigte er sich und zwinkerte ihr zu.

»Ich hoffe, der wartet unten auf mich«, erwiderte Pia.

»Ach so«, Henning hob die Augenbrauen, »ich verstehe. Du brauchst meine Dienste als Krankenpfleger heute Abend gar nicht.«

»Ich fürchte – nein«, Pia hakte sich bei ihm ein. »Aber danke, dass du hier bist. Das werde ich dir nicht vergessen.«

Freitag, 30. Juni 2006

Bodenstein und Pia lehnten am Zaun der Koppel und betrachteten die beiden Stuten mit ihren Fohlen. Auf der Terrasse von Pias Haus verfolgten Cosima von Bodenstein und alle Mitarbeiter des K11 die erste Halbzeit des Viertelfinalspiels Deutschland gegen Argentinien. Pia hatte die Markise ausgefahren und Salate zubereitet, Ostermann und Behnke hatten Grillfleisch und Würstchen mitgebracht, Bodenstein die Getränke spendiert.

In der vergangenen Woche waren endlich sämtliche Akten an die Staatsanwaltschaft gegangen. Esther Schmitt musste wegen gefährlicher Brandstiftung, Versicherungsbetrug und Irreführung der Polizei mit einer Anklage rechnen und würde durch ihre Vorstrafe wohl einen großen Teil der Strafe absitzen müssen. Pia hatte nicht lange gezögert und die Hunde, die Esther bei einer Bekannten vom Tierschutzverein untergebracht hatte, bevor sie das Haus in Flammen aufgehen ließ, zu sich auf den Birkenhof geholt. Hier konnten die Hunde zusammenbleiben und ähnlich frei leben, wie sie es gewohnt waren. Tarek Fiedler standen mehrere Prozesse bevor, sobald er das Krankenhaus verlassen konnte. Die Staatsanwaltschaft warf ihm zweifachen Mord, gefährliche Körperverletzung, Freiheitsberaubung in zwei Fällen, Sachbeschädigung, Autodiebstahl, Nötigung und noch einiges mehr vor. Franjo Conradi hatte eine Anklage wegen Mittäterschaft zu erwarten. Auch für Mareike Graf und Stefan Siebenlist hatten Tareks Taten im weitesten Sinne Konsequenzen gehabt. Beide waren von ihren Ehepartnern vor die Tür gesetzt worden.

»Lukas hat mich vorhin angerufen«, sagte Pia zu ihrem Chef. »Er darf morgen aus dem Krankenhaus raus und wird dann erst mal bei Sanders bleiben. Sein Vater ist aus dem Koma aufgewacht und hat ihn sogar erkannt.«

»Gott sei Dank. Der Junge hat wirklich genug mitgemacht.«

»Sie haben ihn die ganze Zeit für den Mörder gehalten. Warum eigentlich? Er hatte doch überhaupt kein Motiv«, Pia warf Bodenstein einen kurzen Blick zu. Er hatte die Arme auf die oberste Stange des Zaunes gelegt und beobachtete die Pferde.

»Mein Gefühl hat mich getäuscht«, gab er zu. »Ich hätte viel eher verstehen müssen, dass Lukas nichts damit zu tun hat. Irgendwie habe ich mich auf ihn eingeschossen, warum auch immer.«

»Mit Gefühlen ist das so eine Sache«, antwortete Pia.

Die erste Halbzeit des Fußballspiels schien zu Ende zu sein, denn Frank Behnke kam angeschlendert, gefolgt von vier höchst interessierten Hunden.

»Oh«, rief Pia ihm zu, »Sie haben neue Freunde gefunden.«

Behnke verzog das Gesicht und hielt den Teller noch ein Stück höher.

»Ich mache mir keine Illusionen«, erwiderte er. »Das liegt nicht an meiner unwiderstehlichen Ausstrahlung, sondern an der Wurst. Hier, die ist für Sie. Sie hatten ja bis jetzt keine Zeit zum Essen.«

»Danke«, Pia ergriff erstaunt den Pappteller. »Das ist echt nett von Ihnen.«

»In mir steckt halt doch ein guter Kern.« Behnke hatte auf seine obligatorische Sonnenbrille verzichtet und benahm sich ganz manierlich. »Ich glaube, ich hätte Sie echt vermisst, wenn Sie nicht mehr aufgetaucht wären. Kai und Kathrin zu ärgern macht nicht halb so viel Spaß.«

Pia lächelte ungläubig. Das hörte sich fast wie ein Friedensangebot an.

»Tatsächlich? Es ging Ihnen also nicht nur um die Überstunden?«

»Wenn Sie die Wurst nicht bald essen, tu ich's«, mischte sich Bodenstein ein. »Ich hab auch noch nichts gehabt.«

In dem Augenblick rollte der grüne Pick-up, der Anlass für allerhand Verdächtigungen gewesen war, durch das Hoftor und hielt neben Behnkes Auto zwischen den Birken, denen der Hof seinen Namen verdankte. Pias Herz begann aufgeregt zu klopfen. Wortlos reichte sie ihrem Chef den Teller mit der Bratwurst.

»Schau einer an«, sagte der. »Da kommt Ihr Zoodirektor.«

»Das besitzanzeigende Fürwort dürfen Sie weglassen«, antwortete Pia und warf Bodenstein und Behnke einen scharfen Blick zu. »Und es wäre nett, wenn Sie in seiner Gegenwart nichts von irgendwelchen Fischen erzählen würden. Wenn's geht …«

»Versprochen.« Die beiden Männer grinsten und beobachteten, wie Christoph Sander ausstieg und auf sie zukam. In der Hand hielt er eine Flasche Weißwein und eine Tüte, die sofort das Interesse der Hunde auf sich zog.

»Guten Abend«, sagte er in die Runde und lächelte Pia an.

»Hallo, Christoph«, antwortete sie, »schön, dass du es geschafft hast.«

»Ich hab's dir doch versprochen«, er hob die Tüte. »Ich

habe noch etwas für den Grill mitgebracht. Lachs- und Thun-fischsteaks.«

»Das kriegt Herr Behnke.« sagte Pia. »Er ist der Grill-meister.«

Frank Behnke ergriff die Tüte und schnupperte.

»Na, so was«, auf seinem Gesicht erschien ein breites Grinsen, »das ist ja tatsächlich Fi…«

Er unterbrach sich und blickte seinen Chef an.

»Jetzt hätte ich doch beinahe das verbotene Wort aus-gesprochen.«

»Bloß nicht«, Bodenstein grinste auch. »Wir haben es Frau Kirchhoff hoch und heilig versprochen.«

Sander blickte zwischen den beiden Männern hin und her.

»Magst du keinen Fisch?«, erkundigte er sich arglos bei Pia.

Da war es um Behnkes Beherrschung geschehen.

»Doch«, prustete er los, »sehr sogar.«

Pia zog die Augenbrauen hoch.

»Die Halbzeitpause ist rum«, sagte sie mit einer auffor-dernden Geste zu ihrem Kollegen. »Der Grill ruft.«

»Stimmt«, Bodenstein nahm Behnke die Tüte ab, »kom-men Sie, Frank. Wir legen schon mal den Fi… äh … den Lachs auf den Grill.«

Pia blickte den beiden kopfschüttelnd nach.

»Ihr versteht euch gut, wie mir scheint«, stellte Sander fest und legte seinen Arm um Pias Schultern. »Was hat das mit dem Fisch auf sich?«

Sie lächelte ihn an. »Soll ich's dir erzählen?«, fragte sie.

»Ich bitte darum«, erwiderte Sander amüsiert. »Aber na-türlich nur, wenn es kein polizeiinternes Geheimnis ist.«

»Das ist es ganz sicher nicht«, ihr Lächeln vertiefte sich, »eher eine Art … hm … Anspielung. Auf dich. Und auf mich.«

»Jetzt machst du mich aber neugierig.«

»Willst du nicht lieber Fußball gucken?«

»O nein«, Sander zog sie in seine Arme, »erst will ich die Fisch-Geschichte hören.«

Danksagung

Den Opel-Zoo in Kronberg, die B8-Problematik und die Burg in Königstein gibt es wirklich. Alle Figuren und die Handlung dieses Romans habe ich mir jedoch ausgedacht.

Einen herzlichen Dank an Herrn Dr. Thomas Kauffels, den wirklichen Direktor des Georg-von-Opel-Freigeheges für Tierforschung e. V., für die freundliche Überlassung der Figur seines von mir frei erfundenen Kollegen Christoph Sander.

Ich danke dem Leiter des Instituts für Rechtsmedizin in Frankfurt, Herrn Prof. Dr. Hansjürgen Bratzke, für die fachliche Beratung in »Leichen-Fragen«, die ich hoffentlich korrekt umgesetzt habe. Danke an Susanne Hecker und Peter Hillebrecht.

Mein Dank gilt Kriminaloberkommissar Andreas Beese von der Polizeidirektion Main-Taunus in Hofheim für den Einblick in die Arbeit der Kriminalpolizei und Staatsanwalt Ralf Setton für Ratschläge in juristischen Fragen. Sollten in fachlicher Hinsicht Fehler in meinem Roman zu finden sein, so liegt es einzig und allein an mir.

Danke auch an Lothar Strüh, der mit mir gemeinsam die Aufgabe bewältigt hat, die Originalfassung auf behutsame Weise um fast 100 Seiten zu kürzen.

Nele Neuhaus
Kelkheim, im Februar 2009

An einem heißen Tag im Juli wird die Leiche einer 16-Jährigen aus dem Main bei Eddersheim geborgen. Sie wurde misshandelt und ermordet. Niemand vermisst sie. Auch nach Wochen hat das K11 keinen Hinweis auf ihre Identität. Die Spuren führen zu einem Kinderdorf im Taunus und zu einer Fernsehmoderatorin, die bei ihren Recherchen den falschen Leuten zu nahe gekommen ist. Pia Kirchhoff und Oliver von Bodenstein graben tiefer und stoßen inmitten gepflegter Bürgerlichkeit auf einen Abgrund an Bösartigkeit und Brutalität. *Ein fast normaler Fall, bis er plötzlich sehr persönlich wird.*

BÖSER WOLF · *Kriminalroman*
480 Seiten · ISBN 978-3-548-28589-4

STECKBRIEFE

Erfahren Sie mehr über Nele Neuhaus' sympathisches Ermittler-Duo

PIA LUISE KIRCHHOFF

❞ WAS SIE MAG
Neben Toastbrot mit salziger Butter und ganz viel Nutella mag die blonde Kriminalhauptkommissarin vor allem Tiere. Sie hat vier Pferde, vier Hunde, Katzen und Meerschweinchen.

❞ IHR LEBENSTRAUM
Der Birkenhof in Unterliederbach. Nach der Trennung von dem Pathologen Henning Kirchhoff hat sie sich den Hof gekauft.

❞ IHR LIEBLINGSBUCH
Kein bestimmtes. Aber als Polizistin liest sie auch in ihrer Freizeit gern Thriller und Kriminalromane.

❞ IHRE LIEBLINGSMUSIK
Alles außer Rap und Freejazz.

❞ WAS ZEICHNET SIE AUS?
Sie ist positiv, humorvoll, praktisch veranlagt, bodenständig, loyal und mutig. Entscheidungen trifft sie meist aus dem Bauch heraus und liegt intuitiv oft richtig. Das schätzt Oliver an ihr sehr.

❞ DAS GEHT GAR NICHT!
Kleingeistigen, egoistischen und narzisstischen Menschen geht sie lieber aus dem Weg. Früher hat Pia ihren Eltern oder ihrem Mann zuliebe oft Dinge getan, die sie nicht tun wollte. Heute hat sie gelernt, auch mal „Nein" zu sagen.

OLIVER VON BODENSTEIN

❞ WAS ER MAG
Lesen, Musik, Spaziergänge im Taunus, Gartenarbeit zur Entspannung. In seiner Jugend ist er gerne und gut geritten. Was der Graf auch mag: einen Porsche 911 Carrera natürlich.

❞ WO ER HERKOMMT
Aus einer respektablen Familie. Seine Mutter ist Leonora Gräfin von Bodenstein, sein Vater Heinrich Graf von Bodenstein. Er hat noch zwei Geschwister: die ältere Schwester Theresa von Freyberg und den jüngeren Bruder Quentin.

❞ SEINE SCHWÄCHE
Gutes Essen. Am liebsten Italienisch oder Französisch.

❞ SEINE LIEBLINGSMUSIK
Klassik, Rock, Pop.

❞ SEIN LIEBLINGSFILM
Der Vater von drei Kindern schaut selten fern, aber wenn, dann bevorzugt er Dokumentationen, politische Talksendungen und TV-Krimis. Letzteres guckt er vor allem deshalb, weil er sich dabei so gut über die Darstellung der Polizeiarbeit amüsieren kann.

❞ WAS ZEICHNET IHN AUS?
Er ist diszipliniert, rücksichtsvoll und immer formvollendet höflich. Manchmal zu gutmütig.

„GESTEHEN SIE, FRAU NEUHAUS!"

*Seit Jahren werden Pia Kirchhoff und
Oliver von Bodenstein von Nele Neuhaus zur
Verbrechensaufklärung geschickt und machen dabei
so einiges mit. Jetzt haben sie zum ersten Mal
Gelegenheit, den Spieß umzudrehen und
ihrer Autorin Fragen zu stellen:*

*Oliver von Bodenstein: Frau Neuhaus, jetzt legen Sie doch gleich mal
die Fakten auf den Tisch. Wo begehen Sie eigentlich Ihre Schreib-
tischtaten, und wann fällt Ihnen besonders viel Spannendes ein?*
NELE NEUHAUS: Ich gehe mit offenen Augen und Ohren
durchs Leben. Im Alltag begegnen mir Menschen und
Situationen, die mich inspirieren. Besonders gerne denke
ich beim Hundespaziergang darüber nach, was ich schreiben möchte. Zum Schreiben brauche ich meinen PC und
den Schreibtisch, die vielen Unterlagen und Notizzettel.
Ich könnte nicht im Zug oder an einem Tisch im Café
arbeiten, da bin ich fast ein bisschen spießig.

*OvB: Die Recherche. Das ist ja zentral für alle fiktiv operierenden
Schreibtischtäter. Wie vermeiden Sie Fehler, woher kommen die
Informationen?*
Die Recherche ist ein sehr wichtiger Bestandteil meiner
Arbeit als Krimiautorin. Dazu nutze ich natürlich das
Internet, lese viele Bücher und spreche mit Menschen, die
betroffen sind oder Fachleuten auf dem entsprechenden
Gebiet. Natürlich unterlaufen mir trotz sorgfältiger
Recherche immer wieder kleine Fehler, aber meine Leser
entdecken alles und schreiben mir oder dem Verlag, so
dass wir das dann noch korrigieren können.

OvB und PK: Auch menschlich machen wir ja so einiges durch, da würden wir schon gerne wissen: Mit wem würde Nele Neuhaus lieber in den Urlaub fahren – mit Pia Kirchhoff oder mit Oliver von Bodenstein?

Ich denke mal, Pia und ich hätten eine Menge Spaß. Wir ähneln uns ja in unseren Vorlieben und Ansichten sehr. Und wenn wir vorher Klamotten einkaufen gehen würden, hätten wir denselben Geschmack und trügen dieselbe Kleidergröße. Ich bin mir auch ziemlich sicher, dass Pia – genau wie ich – lieber nach Irland, Sylt oder Frankreich fahren würde statt auf die Malediven oder nach Florida. Mit Ihnen, Herr von Bodenstein, würde ich gern ein paar Städtereisen unternehmen. Zum Beispiel nach Venedig, St. Petersburg oder nach New York.

PK: Ich bin ja neugierig auf die private Nele. Spielst Du „kurze Frage, kurze Antwort" mit mir?
Früh morgens: Kaffee oder Tee?
Weder noch – Müsli mit Obst und Cola light.

Abends vor dem Fernseher: Chips oder Schokolade? Chips.

Im Urlaub: Städtereise oder Natur erleben?
Bisher habe ich selten Urlaub gemacht, ich würde tatsächlich beides gerne mal ausprobieren.

Haustier: ja oder nein, welches?
Ich bin ein Hunde-Mensch. Mein Jack-Russell-Terrier Shelby begleitet mich seit 14 Jahren.

Für den Freundeskreis: Nachtmensch oder Frühaufsteher?
Frühaufsteher!

Jeans oder Haute Couture? Jeans. Auf jeden Fall.

Musik: Klassisch oder Modern? Beides, je nach Stimmung.

Um sich zu entspannen: Wellness oder Rockkonzert? Rockkonzert!

www.ullsteinbuchverlage.de

Jetzt reinklicken!

Jede Woche vorab in brandaktuelle Top-Titel reinlesen, Leseeindruck verfassen, Kritiker werden und eins von 100 Vorab-Exemplaren gewinnen.